Há dois
mil anos

Francisco Cândido Xavier

Há dois mil anos

Episódios da história do Cristianismo no século I

Pelo Espírito
Emmanuel

FEB

Copyright © 1939 *by*
FEDERAÇÃO ESPÍRITA BRASILEIRA – FEB

49ª edição – 23ª impressão – 7 mil exemplares – 1/2025

ISBN 978-85-7328-697-7

Todos os direitos reservados. Nenhuma parte desta publicação pode ser reproduzida, armazenada ou transmitida, total ou parcialmente, por quaisquer métodos ou processos, sem autorização do detentor do *copyright*.

FEDERAÇÃO ESPÍRITA BRASILEIRA – FEB
SGAN 603 – Conjunto F – Avenida L2 Norte
70830-106 – Brasília (DF) – Brasil
www.febeditora.com.br
editorial@febnet.org.br
+55 61 2101 6161

Pedidos de livros à FEB
Comercial
Tel.: (61) 2101 6161 – comercial@febnet.org.br

Adquirindo esta obra, você está colaborando com as ações de assistência e promoção social da FEB e com o Movimento Espírita na divulgação do Evangelho de Jesus à luz do Espiritismo.

Dados Internacionais de Catalogação na Publicação (CIP)
(Federação Espírita Brasileira – Biblioteca de Obras Raras)

E54h	Emmanuel (Espírito)
	Há dois mil anos: episódios da história do cristianismo no século I: romance / pelo Espírito Emmanuel; [psicografado por] Francisco Cândido Xavier. – 49. ed. – 23. imp. – Brasília: FEB, 2025.
	344 p.; 23 cm. – (Série Romances de Emmanuel)
	ISBN 978-85-7328-697-7
	1. Romance espírita. 2. Obras psicografadas. I. Xavier, Francisco Cândido, 1910–2002. II. Federação Espírita Brasileira. III. Título. IV. Série.
	CDD 133.93
	CDU 133.7
	CDE 80.02.00

Sumário

Na intimidade de Emmanuel Ao Leitor 7

PRIMEIRA PARTE

I Dois amigos 13
II Um escravo 25
III Em casa de Pilatos 39
IV Na Galileia 51
V O Messias de Nazaré 63
VI O rapto 75
VII As pregações do Tiberíades 89
VIII No grande dia do Calvário 101
IX A calúnia vitoriosa 113
X O apóstolo da Samaria 130

SEGUNDA PARTE

I A morte de Flamínio 168
II Sombras e núpcias 186
III Planos da treva 200
IV Tragédias e esperanças 213
V Nas catacumbas da fé e no circo do martírio 234
VI Alvoradas do reino do Senhor 267

VII Teias do infortúnio 279
VIII Na destruição de Jerusalém 301
IX Lembranças amargas 322
X Nos derradeiros minutos de Pompeia 331

Na intimidade de Emmanuel
Ao Leitor

  Leitor, antes de penetrares o limiar desta história, é justo apresentemos à tua curiosidade algumas observações de Emmanuel, o ex-senador Publius Lentulus, descendente da orgulhosa "gens Cornelia", recebidas desse generoso Espírito, na intimidade do grupo de estudos espiritualistas de Pedro Leopoldo, estado de Minas Gerais.
  Por meio destas observações ficarás conhecendo as primeiras palavras do autor, a respeito desta obra, e suas impressões mais profundas, no curso do trabalho, que foi levado a efeito de 24 de outubro de 1938 a 9 de fevereiro de 1939, segundo as possibilidades de tempo do seu médium e sem perturbar outras atividades do próprio Emmanuel, junto aos sofredores que frequentemente o procuram, e junto ao esforço de propaganda do Espiritismo Cristão na Pátria do Cruzeiro.
  Em 7 de setembro de 1938, afirmava ele em pequena mensagem endereçada aos seus amigos encarnados:
  "Algum dia, se Deus mo permitir, falar-vos-ei do orgulhoso patrício Publius Lentulus, a fim de algo aprenderdes nas dolorosas experiências de uma alma indiferente e ingrata.
  Esperemos o tempo e a permissão de Jesus."

Emmanuel não esqueceu a promessa. Com efeito, em 21 de outubro do mesmo ano, voltava a recordar, noutro comunicado familiar:

"Se a bondade de Jesus nos permitir, iniciaremos o nosso esforço, dentro de alguns dias, esperando eu a possibilidade de grafarmos as nossas lembranças do tempo em que se verificou a passagem do divino Mestre sobre a face da Terra.

Não sei se conseguiremos realizar tão bem, quanto desejamos, semelhante intento. De antemão, todavia, quero assinalar minha confiança na misericórdia do nosso Pai de infinita bondade."

De fato, em 24 de outubro referido, recebia o médium Xavier a primeira página deste livro e, no dia seguinte, Emmanuel voltava a dizer:

"Iniciamos, com o amparo de Jesus, mais um despretensioso trabalho. Permita Deus que possamos levá-lo a bom termo.

Agora verificareis a extensão de minhas fraquezas no passado, sentindo-me, porém, confortado em aparecer com toda a sinceridade do meu coração, ante o plenário de vossas consciências. Orai comigo, pedindo a Jesus para que eu possa completar esse esforço, de modo que o plenário se dilate, além do vosso meio, a fim de que a minha confissão seja um roteiro para todos."

Durante todo o esforço de psicografia, o autor deste livro não perdeu ensejo de ensinar a humildade e a fé a quantos o acompanham. Em 30 de dezembro de 1938, comentava, em nova mensagem afetuosa:

"Agradeço, meus filhos, o precioso concurso que me vindes prestando. Tenho-me esforçado, quanto possível, para adaptar uma história tão antiga ao sabor das expressões do mundo moderno, mas, em relatando a verdade, somos levados a penetrar, antes de tudo, na essência das coisas, dos fatos e dos ensinamentos.

Para mim essas recordações têm sido muito suaves, mas também muito amargas. Suaves pela rememoração das lembranças amigas, mas profundamente dolorosas, considerando o meu coração empedernido, que não soube aproveitar o minuto radioso que soara no relógio da minha vida de Espírito, há dois mil anos.

Permita Jesus que eu possa atingir os fins a que me propus, apresentando, nesse trabalho, não uma lembrança interessante acerca de minha pobre personalidade, mas, tão somente, uma experiência para os que hoje trabalham na semeadura e na seara do nosso divino Mestre."

De outras vezes, Emmanuel ensinava aos seus companheiros encarnados a necessidade de nossa ligação espiritual com Jesus, no desempenho de todos os trabalhos. No dia 4 de janeiro de 1939, grafava ele esta prece, ainda com respeito às suas memórias do passado remoto:

Jesus, Cordeiro misericordioso do Pai de todas as graças, são passados dois mil anos e minha pobre alma ainda revive os seus dias amargurados e tristes!...
Que são dois milênios, Senhor, no relógio da eternidade?
Sinto que a tua misericórdia nos responde em suas ignotas profundezas... Sim, o tempo é o grande tesouro do homem e vinte séculos, como vinte existências diversas, podem ser vinte dias de provas, de experiências e de lutas redentoras.
Só a tua bondade é infinita! Somente tua misericórdia pode abranger todos os séculos e todos os seres, porque em ti vive a gloriosa síntese de toda a evolução terrestre, fermento divino de todas as culturas, alma sublime de todos os pensamentos.
Diante de meus pobres olhos, desenha-se a velha Roma dos meus pesares e das minhas quedas dolorosas... Sinto-me ainda envolto na miséria de minhas fraquezas e contemplo os monumentos das vaidades humanas... Expressões políticas, variando nas suas características de liberdade e de força, detentores da autoridade e do poder, senhores da fortuna e da inteligência, grandezas efêmeras que perduram apenas por um dia fugaz!... Tronos e púrpuras, mantos preciosos das honrarias terrestres, togas da falha justiça humana, parlamentos e decretos supostos irrevogáveis!... Em silêncio, Senhor, viste a confusão que se estabelecera entre os homens inquietos e, com o mesmo desvelado amor, salvaste sempre as criaturas no instante doloroso das ruínas supremas... Deste a mão misericordiosa e imaculada aos povos mais humildes e mais frágeis, confundiste a ciência mentirosa de todos os tempos, humilhaste os que se consideravam grandes e poderosos!...
Sob o teu olhar compassivo, a morte abriu suas portas de sombra e as falsas glórias do mundo foram derruídas no torvelinho das ambições, reduzindo-se todas as vaidades a um acervo de cinzas!...
Ante minha alma surgem as reminiscências das construções elegantes das colinas célebres; vejo o Tibre que passa, recolhendo os detritos da grande Babilônia imperial, os aquedutos, os mármores preciosos, as termas que pareciam indestrutíveis... Vejo ainda as ruas movimentadas, onde uma plebe miserável espera as graças dos grandes senhores, as esmolas de trigo, os fragmentos de pano para resguardarem do frio a nudez da carne.

Regurgitam os circos... Há uma aristocracia do patriciado observando as provas elegantes do Campo de Marte e, em tudo, das vias mais humildes até os palácios mais suntuosos, fala-se de César, o Augusto!...

Dentro dessas recordações, eu passo, Senhor, entre farraparias e esplendores, com o meu orgulho miserável! Dos véus espessos de minhas sombras, também eu não te podia ver, no Alto, onde guardas o teu sólio de graças inesgotáveis...

Enquanto o grande Império se desfazia em suas lutas inquietantes, trazias o teu coração no silêncio e, como os outros, eu não percebia que vigiavas!

Permitiste que a Babel romana se levantasse muito alto, mas, quando viste que se ameaçava a própria estabilidade da vida no planeta, disseste: 'Basta! São vindos os tempos de operar-se na seara da Verdade!' E os grandes monumentos, com as estátuas dos deuses antigos, rolaram de seus pedestais maravilhosos! Um sopro de morte varreu as regiões infestadas pelo vírus da ambição e do egoísmo desenfreado, despovoando-se, então, a grande metrópole do pecado. Ruíram os circos formidandos, caíram os palácios, enegreceram-se os mármores luxuosos...

Bastou uma palavra tua, Senhor, para que os grandes senhores voltassem às margens do Tibre, como escravos misérrimos!... Perambulamos, assim, dentro da nossa noite, até o dia em que nova luz brotara em nossa consciência. Foi preciso que os séculos passassem, para aprendermos as primeiras letras de tua ciência infinita, de perdão e de amor!

E aqui estamos, Jesus, para louvar-te a grandeza! Dá que possamos recordar-te em cada passo, ouvir-te a voz em cada som distraído do caminho, para fugirmos da sombra dolorosa!... Estende-nos tuas mãos e fala-nos ainda do teu reino!... Temos sede imensa daquela água eterna da vida, que figuraste no ensinamento à samaritana...

Exército de operários do teu evangelho, nós nos movemos sob as tuas determinações suaves e sacrossantas! Ampara-nos, Senhor, e não nos retires dos ombros a cruz luminosa e redentora, mas ajuda-nos a sentir, nos trabalhos de cada dia, a luz eterna e imensa do teu reino de paz, de concórdia e de sabedoria, em nossa estrada de luta, de solidariedade e de esperança!...

Em 8 de fevereiro último, véspera do término da recepção deste livro, agradecia Emmanuel o concurso de seus companheiros encarnados, em comunicado familiar, do qual destacamos algumas frases:

"Meus amigos, Deus vos auxilie e recompense. Nosso modesto trabalho está a terminar. Poucas páginas lhe restam e eu vos agradeço de coração.

Reencontrando os Espíritos amigos das épocas mortas, sinto o coração satisfeito e confortado ao verificar a dedicação de todos ao firme pensamento de evolução, para a frente e para o alto, pois não é sem razão de ser que hoje laboramos na mesma oficina de esforço e boa vontade.

Jesus há de recompensar a cota de esforço amigo e sincero que me prestastes e que a sua infinita misericórdia vos abençoe é a minha oração de sempre."

Aqui ficam algumas das anotações íntimas de Emmanuel, fornecidas na recepção deste livro. A humildade desse generoso Espírito vem demonstrar que no Plano Invisível há, também, necessidade de esforço próprio, de paciência e de fé para as realizações.

As notas familiares do autor são um convite para que todos nós saibamos orar, trabalhar e esperar em Jesus Cristo, sem desfalecimentos na luta que a bondade divina nos oferece para o nosso resgate, no caminho da redenção.

A EDITORA
Pedro Leopoldo (MG), 2 de março de 1939.

PRIMEIRA PARTE

I
Dois amigos

Os últimos clarões da tarde haviam caído sobre o casario romano.

As águas do Tibre, ladeando o Aventino, deixavam retratados os derradeiros reflexos do crepúsculo, enquanto nas ruas estreitas passavam liteiras apressadas, sustidas por escravos musculosos e lépidos.

Nuvens pesadas amontoavam-se na atmosfera, anunciando aguaceiros próximos, e as últimas janelas das residências particulares e coletivas fechavam-se com estrépito, ao sopro forte dos primeiros ventos da noite.

Entre as construções elegantes e sóbrias, que exibiam mármores preciosos, no sopé da colina, um edifício havia que reclamava a atenção do forasteiro pela singularidade das suas colunas severas e majestosas. Uma vista de olhos ao seu exterior indicava a posição do proprietário, dado o aspecto caprichoso e imponente.

Era, de fato, a residência do senador Publius Lentulus Cornelius, homem ainda moço, que, à maneira da época, exercia no Senado funções legislativas e judiciais, de acordo com os direitos que lhe competiam, como descendente de antiga família de senadores e cônsules da República.

O Império, fundado com Augusto, havia limitado os poderes senatoriais, cujos detentores já não exerciam nenhuma influência direta nos assuntos privativos do governo imperial, mas mantivera a hereditariedade dos títulos e dignidades das famílias patrícias, estabelecendo as mais nítidas linhas de separação das classes, na hierarquia social.

Eram dezenove horas de um dia de maio de 31 da nossa era. Publius Lentulus, em companhia do seu amigo Flamínio Severus, reclinado no triclínio, terminava o jantar, enquanto Lívia, a esposa, expedia ordens domésticas a uma jovem escrava etrusca.

O anfitrião era um homem relativamente jovem, aparentando menos de 30 anos, não obstante o seu perfil orgulhoso e austero, aliado à túnica de ampla barra purpúrea, que impunha certo respeito a quantos se lhe aproximavam, contrastando com o amigo que, revestindo a mesma indumentária de senador, deixava entrever idade madura, iluminada de cãs precoces, em penhor de bondade e experiência da vida.

Deixando a jovem senhora entregue aos cuidados domésticos, ambos se dirigiram ao peristilo, por buscarem um pouco de oxigênio da noite cálida, embora o aspecto ameaçador do firmamento prenunciasse chuva iminente.

— A verdade, meu caro Publius — exclamava Flamínio pensativo —, é que te consomes a olhos vistos. Trata-se de uma situação que precisa modificar-se sem perda de tempo. Já recorreste a todos os facultativos no caso de tua filhinha?

— Infelizmente — retorquia o patrício com amargura — já lancei mão de todos os recursos ao nosso alcance. Ainda nestes últimos dias, minha pobre Lívia levou-a a distrair-se em nossa vivenda de Tibur,[1] procurando um dos melhores médicos da cidade, que afirmou tratar-se de um caso sem remédio na ciência dos nossos dias. O facultativo não chegou a positivar o diagnóstico, certamente em razão da sua comiseração pela doentinha e pelo nosso paternal desespero, mas, segundo nossas observações, acreditamos que o médico de Tibur presume tratar-se de um caso de lepra.[2]

— É uma presunção atrevida e absurda!

— Entretanto, se não podemos admitir qualquer dúvida com relação aos nossos antepassados, sabes que Roma está cheia de escravos de todas as regiões do mundo e são eles o instrumento de nossos trabalhos de cada dia.

— É verdade... — concordou Flamínio com amargura.

---

[1] N.E.: Hoje Tivoli.
[2] N.E.: Na época em que esta obra foi escrita, esse termo era comum, mas atualmente é considerado pejorativo e/ou preconceituoso. Hanseníase, morfeia, mal de Hansen ou mal de Lázaro é uma doença infecciosa causada pela bactéria *Mycobacterium leprae* (também conhecida como bacilo de Hansen) que afeta os nervos e a pele, podendo provocar danos severos.

Um laivo de perspectivas sombrias transparecia na fronte dos dois amigos, enquanto as primeiras gotas de chuva satisfaziam a sede das roseiras floridas, que enfeitavam as colunas graciosas e claras.

— E o pequeno Plínio? — perguntou Publius, como desejoso de proporcionar novo rumo à conversação.

— Esse, como sabes, continua sadio, demonstrando ótimas disposições. Calpúrnia atrapalha-se, a cada momento, para satisfazer-lhe os caprichos dos 12 anos incompletos. Às vezes, é voluntarioso e rebelde, contrariando as observações do velho Parmênides, só se entregando aos exercícios da ginástica quando muito bem lhe apraz. No entanto, tem grande predileção pelos cavalos. Imagina que, num momento de irreflexão própria da idade, burlando toda a vigilância do irmão, concorreu a uma tirada de bigas realizada nos treinos comuns de um estabelecimento esportivo do Campo de Marte, obtendo um dos lugares de maior destaque. Quando contemplo meus dois filhos, lembro-me sempre da tua pequena Flávia Lentúlia, porque bem sabes dos meus propósitos para o futuro, no sentido de estreitar os antigos laços que prendem as nossas famílias.

Publius ouvia o amigo, calado, como se a inveja lhe espicaçasse o coração carinhoso de pai.

— Todavia — revidou —, apesar de nossos projetos, os áugures não favorecem nossas esperanças, porque a verdade é que minha pobre filha, com todos os nossos cuidados, mais parece uma dessas infelizes criaturinhas atiradas ao Velabro.[3]

— Contudo, confiemos na magnanimidade dos deuses...

— Dos deuses? — repetiu Publius com mal disfarçado desalento. — A propósito desse recurso imponderável, tenho excogitado mil teorias no cérebro fervilhante. Há tempos, em visita a tua casa, tive ocasião de conhecer mais intimamente o teu velho liberto grego. Parmênides falou-me da sua mocidade e permanência na Índia, dando-me conta das crenças hindus, com as suas coisas misteriosas da alma. Acreditas que cada um de nós possa regressar, depois da morte, ao teatro da vida, em outros corpos?

— De modo algum — replicou Flamínio energicamente. — Parmênides, não obstante o seu caráter precioso, leva muito longe as suas divagações espirituais.

---

[3] N.E.: Pântano que se estendia, em Roma, entre o Palatino e o Capitólio.

— Entretanto, meu amigo, começo a pensar que ele tem razão. Como poderíamos explicar a diversidade da sorte neste mundo? Por que a opulência dos nossos bairros aristocráticos e as misérias do Esquilino? A fé no poder dos deuses não consegue elucidar esses problemas torturantes. Vendo minha desventurada filhinha com a carne dilacerada e apodrecida, sinto que o teu escravo está com a verdade. Que teria feito a pequena Flávia, nos seus 7 anos incompletos, para merecer tão horrendo castigo das potestades celestiais? Que alegria poderiam encontrar as nossas divindades nos soluços de uma criança e nas lágrimas dolorosas que nos calcinam o coração? Não será mais compreensível e aceitável que tenhamos vindo de longe com as nossas dívidas para com os poderes do Céu?

Flamínio Severus meneou a cabeça, como quem deseja afastar uma dúvida, mas, retomando o seu aspecto habitual, obtemperou com firmeza:

— Fazes mal em alimentar semelhantes conjeturas no teu foro íntimo. Nos meus 45 anos de existência, não conheço crenças mais preciosas do que as nossas, no culto venerável dos antepassados. É preciso considerares que a diversidade das posições sociais é um problema oriundo da nossa arregimentação política, a única que estabeleceu uma divisão nítida entre os valores e os esforços de cada um; quanto à questão dos sofrimentos, convém lembrar que os deuses podem experimentar nossas virtudes morais, com as maiores ameaças à enfibratura do nosso ânimo, sem que necessitemos adotar os absurdos princípios dos egípcios e dos gregos, princípios, aliás, que já os reduziram ao aniquilamento e ao cativeiro. Já ofereceste algum sacrifício no templo, depois de tão angustiosas dúvidas?

— Tenho sacrificado aos deuses, segundo os nossos hábitos — respondeu Públio compungidamente —, e ninguém mais que eu se orgulha das gloriosas virtudes de nossas tradições familiares. Entretanto, minhas observações não surgem tão somente a propósito da filhinha. Há muitos dias, ando torturado com o espantoso enigma de um sonho.

— Um sonho? Como pode a fantasia modificar, desse modo, o valor de um patrício?

Publius Lentulus recebeu a pergunta mergulhado em profundas cismas. Seus olhos parados presumiam devorar uma paisagem que o tempo distanciara no transcurso dos anos.

A chuva, agora em bátegas pesadas, caía continuadamente, fazendo os mais fortes transbordamentos do implúvio e represando-se na piscina que enfeitava o pátio do peristilo.

Os dois amigos haviam-se recolhido a um largo banco de mármore, reclinando-se nos estofos orientais que o forravam, prosseguindo na palestra amistosa.

— Sonhos há — prosseguiu Publius — que se distinguem da fantasia, tal a sua expressão de realidade irretorquível.

"Voltava eu de uma reunião no Senado, na qual havíamos discutido um problema de profunda delicadeza moral, quando me senti presa de inexplicável abatimento.

"Recolhi-me cedo e, quando parecia divisar junto de mim a imagem de Têmis,[4] que guardamos no altar doméstico, considerando as singulares obrigações de quem exerce as funções da justiça, senti que uma força extraordinária me selava as pálpebras cansadas e doloridas. No entanto, via outros lugares, reconhecendo paisagens familiares ao meu espírito, das quais me havia esquecido inteiramente.

"Realidade ou sonho, não o sei dizer, mas vi-me revestido das insígnias de cônsul, ao tempo da República. Parecia-me haver retrocedido à época de Lucius Sergius Catilina,[5] pois o via a meu lado, bem como a Cícero,[6] que se me figuravam duas personificações, do mal e do bem. Sentia-me ligado ao primeiro por laços fortes e indestrutíveis, como se estivesse vivendo a época tenebrosa da sua conspiração contra o Senado, e participando, com ele, da trama ignominiosa que visava à mais íntima organização da República. Prestigiava-lhe as intenções criminosas, aderindo a todos os seus projetos com a minha autoridade administrativa, assumindo a direção de reuniões secretas, nas quais decretei assassinatos nefandos... Num relâmpago, revivi toda a tragédia, sentindo que minhas mãos estavam nodoadas do sangue e das lágrimas dos inocentes. Contemplei atemorizado, como se estivesse regressando involuntariamente a um pretérito obscuro e doloroso, a rede de infâmias perpetradas com a revolução, em boa hora esmagada pela influência de Cícero; e o detalhe mais terrível

---

[4] N.E.: Deusa grega guardiã dos juramentos dos homens e da lei, era costumeiro invocá-la nos julgamentos perante os magistrados. Por isso, foi por vezes tida como deusa da justiça. Empunha a balança, com que equilibra a razão com o julgamento.
[5] N.E.: Político romano, responsável pela conspiração contra Cícero.
[6] N.E.: Filósofo, orador, escritor, advogado e político romano.

é que eu havia assumido um dos papéis mais importantes e salientes na ignomínia... Todos os quadros hediondos do tempo passaram, então, à frente dos meus olhos espantados e ensandecidos...

"Todavia, o que mais me humilhava nessas visões do passado culposo, como se a minha personalidade atual se envergonhasse de semelhantes reminiscências, é que me prevalecia da autoridade e do poder para, aproveitando a situação, exercer as mais acerbas vinganças contra inimigos pessoais, contra quem expedia ordens de prisão, sob as mais terríveis acusações. E ao meu coração desalmado não bastava o recolhimento dos inimigos aos calabouços infectos, com a consequente separação dos afetos mais caros e mais doces da família. Ordenei a execução de muitos, na escuridão da noite, acrescendo a circunstância de que a muitos adversários políticos mandei arrancar os olhos, na minha presença, contemplando-lhes os tormentos com a frieza brutal das vinditas cruéis!... Ai de mim que espalhava a desolação e a desventura em tantas almas, porque, um dia, os oprimidos se lembraram de eliminar o verdugo cruel!

"Depois de toda a série de escândalos que me afastaram do Consulado, senti o término dos meus atos infames e misérrimos, diante de carrascos inflexíveis que me condenaram ao terrível suplício do estrangulamento, experimentando, então, todos os tormentos e angústias da morte.

"O mais interessante, porém, é que revi o inenarrável instante da minha passagem pelas águas escuras do Aqueronte,[7] quando me parecia haver descido aos lugares sombrios do Averno,[8] onde não penetram as claridades dos deuses. A grande multidão de vítimas acercou-se, então, de minha alma angustiada e sofredora, reclamando justiça e reparação e rebentando em clamores e soluços, que me pereciam no recôndito do coração.

"Por quanto tempo estive, assim, prisioneiro desse martírio indefinível? Não sei dizê-lo. Apenas me recordo de haver lobrigado a figura celeste de Lívia, que, no meio desse turbilhão de pavores, estendia-me as mãos fúlgidas e carinhosas.

"Afigurava-se-me que minha esposa me era familiar de épocas remotíssimas, porque não hesitei um instante em lhe tomar as mãos

---

[7] N.E.: Rio mitológico localizado no Épiro, região do noroeste da Grécia. O nome rio pode ser traduzido como "rio do infortúnio" e acreditava-se que fosse um afluente do rio Styx, este localizado no mundo dos mortos. Nele se encontra Caronte, o barqueiro que leva as almas recém-chegadas ao outro lado do rio, às portas do Hades, onde o Cérbero os aguarda.

[8] N.E.: Na Mitologia, o mesmo que inferno.

suaves, que me conduziram a um tribunal, no qual se alinhavam figuras estranhas e venerandas. Cãs respeitáveis aureolavam o semblante sereno desses juízes do Céu, emissários dos deuses para julgamento dos homens da Terra. A atmosfera caracterizava-se por estranha leveza, cheia de luzes cariciosas que iluminavam, perante todos os presentes, os meus pensamentos mais secretos.

"Lívia devia ser o meu anjo tutelar nesse conselho de magistrados intangíveis, porque sua destra pairava sobre minha cabeça, como a impor-me resignação e serenidade, a fim de ouvir as sentenças supremas.

"Desnecessário será dizer-te do meu espanto e do meu receio, diante desse tribunal que eu desconhecia, quando a figura daquele que me pareceu a sua autoridade central me dirigiu a palavra, exclamando:

"Publius Lentulus, a justiça dos deuses, na sua misericórdia, determina tua volta ao turbilhão das lutas do mundo, para que laves as nódoas de tuas culpas nos prantos remissores. Viverás numa época de maravilhosos fulgores espirituais, lutando com todas as situações e dificuldades, não obstante o berço de ouro que te receberá ao renasceres, a fim de que edifiques tua consciência denegrida, nas dores que purificam e regeneram!... Feliz de ti se bem souberes aproveitar a oportunidade bendita da reabilitação pela renúncia e pela humildade... Determinou-se que sejas poderoso e rico, a fim de que, com o teu desprendimento dos caminhos humanos, no instante preciso, possas ser elemento valioso para os teus mentores espirituais. Terás a inteligência e a saúde, a fortuna e a autoridade, como ensanchas à regeneração integral de tua alma, porque chegará um momento em que serás compelido a desprezar todas as riquezas e todos os valores sociais, se bem souberes preparar o coração para a nova senda de amor e humildade, de tolerância e perdão, que será rasgada, em breves anos, à face escura da Terra!... A vida é um jogo de circunstâncias que todo Espírito deve entrosar para o bem, no mecanismo do seu destino. Aproveita, pois, essas possibilidades que a misericórdia dos deuses coloca ao serviço da tua redenção. Não desprezes o chamamento da verdade, quando soar a hora do testemunho e das renúncias santificadoras... Lívia seguirá contigo pela via dolorosa do aperfeiçoamento, e nela encontrarás o braço amigo e protetor para os dias de provações ríspidas e acerbas. O essencial é a tua firmeza de ânimo no caminho escabroso, purificando tua fé e tuas obras, na reparação do passado delituoso e obscuro!..."

A essa altura, a voz altiva do patrício ia-se tornando angustiada e dolorosa. Amargas comoções íntimas represavam-se-lhe no coração, atormentado por incoercível desalento.

Flamínio Severus ouvia-o com interesse e atenção, rebuscando o meio mais fácil de lhe desvanecer impressões tão penosas. Sentia ímpetos de desviar-lhe o curso dos pensamentos, arrancando-lhe o espírito daquele mundo de emoções impróprias da sua formação intelectual, apelando para sua educação e para o seu orgulho, mas, ao mesmo tempo, não conseguia sopitar as próprias dúvidas íntimas, em face daquele sonho, cuja nitidez e aspecto de realidade o deixavam aturdido. Compreendia que era necessário primeiro restabelecer sua própria fortaleza de ânimo, entendendo que a lógica da brandura deveria ser o escudo de suas palavras, para esclarecimento do amigo que ele mais considerava irmão.

Foi assim que, pousando a mão esguia e branca nos seus ombros, perguntou com amável doçura:

— E depois, que mais viste?

Publius Lentulus, sentindo-se compreendido, recobrou energias novas e continuou:

— Depois das exortações daquele juiz severo e venerando, não mais lobriguei o vulto de Lívia a meu lado, mas outras criaturas graciosas, envolvidas em peplos que me pareciam de neve translúcida, confortavam-me o coração com os seus sorrisos acolhedores e bondosos.

"Atendendo-lhes ao apelo carinhoso, senti que meu Espírito regressava à Terra.

"Observei Roma, que já não era bem a cidade do meu tempo; um sopro de beleza estava reconstituindo a sua parte antiga, porque notei a existência de novos circos, teatros suntuosos, termas elegantes e palácios encantadores, que meus olhos não haviam conhecido antes.

"Tive ocasião de ver meu pai entre os seus papiros e pergaminhos, estudando os processos do Senado, tal qual se verifica hoje conosco, e, depois de implorar a bênção dos deuses, no altar doméstico de nossa casa, experimentei uma sensação de angústia no recesso de minha alma. Pareceu-me haver sofrido dolorosa comoção cerebral e fiquei adormentado numa vertigem indefinível...

"Não sei descrever literalmente o que se passou, mas despertei com febre alta, como se aquela digressão do pensamento, pelos mundos de Morfeu, me houvesse trazido ao corpo dolorosa sensação de cansaço.

"Ignoro o teu julgamento, em face desta confidência amargurada e penosa, mas desejaria me explicasses algo a respeito."

— Explicar-te? — obtemperou Flamínio, tentando imprimir à voz uma tonalidade de convicção enérgica. — Bem sabes do respeito que me inspiram os áugures do templo, mas, afinal, o que te ocorreu não pode passar, simplesmente, de um sonho, e tu não ignoras como devemos temer a imaginação dentro de nossas perspectivas de homens práticos. Por sonharem excessivamente, os atenienses ilustres transformaram-se em escravos misérrimos, constituindo obrigação de nossa parte o reconhecimento da bondade dos deuses que nos concederam o senso da realidade, necessário às nossas conquistas e triunfos. Seria lícito renunciasses ao amor de ti mesmo e à posição de tua família, tão somente levado pela fantasia?

Publius deixou que o amigo discorresse abundantemente sobre o assunto, recebendo-lhe as exortações e conselhos, mas, depois, tomando-lhe as mãos generosas, exclamou angustiado:

— Meu amigo, eu seria indigno da magnanimidade dos deuses se me deixasse conduzir ao sabor dos acontecimentos. Um simples sonho não me daria margem a tão dolorosas conjeturas, mas a verdade é que ainda te não disse tudo.

Flamínio Severus franziu o sobrolho, rematando:

— Ainda não disseste tudo? Que significam estas afirmativas?

No seu íntimo generoso, angustiosa dúvida fora já implantada com a descrição minuciosa daquele sonho impressionante e doloroso, e era com grande esforço que o seu coração fraternal trabalhava por ocultar ao amigo as penosas emoções que intimamente o atormentavam.

Publius, mudo, tomou-lhe do braço, conduzindo-o às galerias do tablino[9] localizado a um canto do peristilo, nas proximidades do altar doméstico, onde oficiavam os mais puros e mais santos afetos da família.

Os dois amigos penetraram o escritório e a sala do arquivo com profundo sinal de respeitoso recolhimento.

A um canto, dispunham-se em ordem numerosos pergaminhos e papiros, enquanto, nas galerias, avultavam retratos de cera, de antepassados e avoengos da família.

---

[9] N.E.: Gabinete de pintura, cartório.

Publius Lentulus tinha os olhos úmidos e a voz trêmula, como se profundas emoções o dominassem naquelas circunstâncias. Aproximando-se de uma imagem de cera, entre as muitas que ali se enfileiravam, chamou a atenção de Flamínio, com uma simples palavra:

— Reconheces?

— Sim — respondeu o amigo, estremecendo —, reconheço esta efígie. Trata-se de Publius Lentulus Sura, teu bisavô paterno, estrangulado há quase um século, na revolução de Catilina.

— Faz precisamente noventa e quatro anos que o pai de meu avô foi eliminado nessas tremendas circunstâncias — exclamou Publius com ênfase, como quem está de posse de toda a verdade. — Repara bem os traços desta figura, para verificares a semelhança perfeita que existe entre mim e esse longínquo antepassado. Não estaria aqui a chave do meu sonho doloroso?

O nobre patrício observou a notável identidade de traços fisionômicos daquela efígie morta com o semblante do amigo presente. Suas vacilações atingiram o auge, em face daquelas demonstrações alucinantes. Ia elucidar o assunto, encarecendo a questão da linhagem e da hereditariedade, mas o interlocutor, como se adivinhasse os mínimos detalhes de suas dúvidas, antecipou o julgamento, exclamando:

— Eu também participei de todas as hesitações que ferem o teu raciocínio, lutando contra a razão, antes de aceitar a tese de nossas conversações desta noite. A semelhança pela imagem, ainda a mais extrema, é natural e é possível; isto, porém, não me satisfaz plenamente. Expedi, nestes últimos dias, um dos servos de nossa casa, a Taormina, em cujas adjacências possuímos antiga habitação, onde se guardava o arquivo do extinto, que fiz transportar para aqui.

E, num movimento de quem estava certo de todos os seus conceitos, revirava nas mãos nervosas vários documentos, exclamando:

— Repara estes papiros! São notas de meu bisavô, acerca dos seus projetos no Consulado. Encontrei neste acervo de pergaminhos diversas minutas de sentenças de morte, as quais já havia observado nas minhas digressões do sonho inexplicável... Confronta estas letras! Não se parecem com as minhas? Que desejaríamos mais, além destas provas caligráficas? Há muitos dias, vivo este obscuro dilema no íntimo do coração... Serei eu Publius Lentulus Sura, reencarnado?

Flamínio Severus deixou pender a fronte, com indisfarçável inquietação e indizível amargura.

Numerosas haviam sido as provas da lucidez e da lógica do amigo. Tudo conspirava para que o seu castelo de explicações desmoronasse, fragorosamente, diante dos fatos consumados, mas procuraria novas forças, a fim de salvaguardar o patrimônio das crenças e tradições dos seus maiores, tentando esclarecer o espírito do companheiro de tantos anos.

— Meu amigo — murmurou, abraçando-o —, concordo contigo, em face destes acontecimentos alucinantes. O fato é dos que empolgam o espírito mais frio, mas não podemos arriscar nossas responsabilidades no rumo incerto das primeiras impressões. Se ele nos parece a realidade, existem as realidades imediatas e positivas, aguardando o nosso concurso ativo. Considerando as tuas ponderações e acreditando mesmo na veracidade do fenômeno, não acredito devamos mergulhar o raciocínio nestes assuntos misteriosos e transcendentes. Sou avesso a essas perquirições, certamente em virtude das minhas experiências da vida prática. Concordando, de modo geral, com o teu ponto de vista, recomendo-te não estendê-lo além do círculo de nossa intimidade fraternal, mesmo porque, não obstante a propriedade de conceitos com que me dás testemunho da tua lucidez, sinto-te cansado e abatido nesse torvelinho de trabalhos do ambiente doméstico e social.

Fez uma pausa nas suas observações comovidas, como quem raciocinasse procurando recurso eficaz para remediar a situação, e exclamou com doçura:

— Poderias descansar um pouco na Palestina, levando a família para essa estação de repouso.

"Existem ali regiões de clima adorável, que operariam, talvez, a cura de tua filhinha, restabelecendo simultaneamente as tuas forças orgânicas. Quem sabe? Esquecerias o tumulto da cidade, regressando mais tarde ao nosso meio, com energias novas. O atual procônsul da Judeia é nosso amigo. Poderíamos harmonizar vários problemas do nosso interesse e de nossas funções, porquanto não me seria difícil obter do Imperador dispensa dos teus trabalhos no Senado, de modo que continuasses recebendo os subsídios do Estado, enquanto permanecesses na Judeia. Que julgas a respeito? Poderias partir tranquilo, pois eu tomaria a meu cargo a direção de todos os teus negócios em Roma, zelando pelos teus interesses e pelas tuas propriedades."

Publius deixou transparecer no olhar uma chama de esperança, e, como quem estivesse examinando, intimamente, todas as razões favoráveis ou contrárias à execução do projeto, ponderou:

— A ideia é providencial e generosa, mas a saúde de Lívia não me autoriza a tomar uma resolução pronta e definitiva.

— Por quê?

— Esperamos, para breve, o segundo rebento do nosso lar.

— E quando esperas esse advento?

— Dentro de seis meses.

— Interessa-te a viagem depois do inverno próximo?

— Sim.

— Pois bem: estarás, então, na Judeia, precisamente daqui a um ano.

Os dois amigos reconheceram que a palestra havia sido longa.

Cessara o aguaceiro. O firmamento esplendia de constelações lavadas e límpidas.

Iniciara-se já o tráfego das carroças barulhentas, com os gritos pouco amáveis dos condutores, porque na Roma imperial as horas do dia eram reservadas, de modo absoluto, ao tráfego dos palanquins patrícios e ao movimento dos pedestres.

Flamínio despediu-se comovidamente do amigo, retomando a liteira suntuosa, com o auxílio dos seus escravos prestos e hercúleos.

Publius Lentulus, tão logo se viu só, encaminhou-se ao terraço, onde corriam céleres as brisas da noite alta.

À claridade do luar opulento, contemplou o casario romano espalhado pelas colinas sagradas da cidade gloriosa. Espraiou os olhos na paisagem noturna, considerando os problemas profundos da vida e da alma, deixando pender a fronte, entristecido. Incoercível tristeza dominava-lhe o ânimo voluntarioso e sensível, enquanto uma onda de amor-próprio e de orgulho lhe sopitava as lágrimas íntimas do coração atormentado por angustiosos e doloridos pensamentos.

II
Um escravo

Desde os primeiros tempos do Império, a mulher romana havia-se entregado à dissipação e ao luxo excessivo, em detrimento das obrigações santificadoras do lar e da família.

A facilidade na aquisição de escravos empregados nos serviços mais grosseiros, como nos mais elevados misteres de ordem doméstica, inclusive os da própria educação e instrução, havia determinado grande queda moral no equilíbrio das famílias patrícias, porquanto a disseminação dos artigos de luxo, vindos do Oriente, aliada à ociosidade, amolecera as fibras de energia e de trabalho das matronas romanas, encaminhando-as para as frivolidades da indumenta, para as intrigas amorosas, a preludiar a mais completa desorganização da família, no esquecimento de suas tradições mais apreciáveis.

Contudo, algumas casas haviam resistido heroicamente a essa invasão de forças perversoras e criminosas.

Mulheres havia, ao tempo, que se orgulhavam do padrão das antigas virtudes familiares, de quantas as tinham antecedido no labor construtivo das gerações de tantas almas sensíveis e nobres.

As esposas de Publius e Flamínio eram desse número. Criaturas inteligentes e valorosas, ambas fugiam da onda corruptora da época, representando dois símbolos de bom senso e simplicidade.

As últimas expressões do inverno já haviam desaparecido, no ano de 32, entornando pela terra, primaveril e alegre, uma taça imensa de flores e perfumes...

Num dia claro e ensolarado, vamos encontrar Lívia e Calpúrnia, na residência da primeira, em amável palestra, enquanto dois rapazinhos desenham, distraidamente, a um canto da sala.

As duas senhoras organizam aprestos de viagem, corrigindo defeitos de algumas peças de lã e trocando impressões íntimas, à meia-voz, em tom amigo e discreto.

Em dado momento, os dois meninos alcançam um dos quartos contíguos, enquanto Lívia chama a atenção da amiga, nestes termos:

— Teus pequenos não têm hoje os exercícios habituais?

— Não, minha boa Lívia — respondeu Calpúrnia com delicadeza fraternal, adivinhando-lhe as intenções —, não só Plínio, mas também Agripa, consagraram o dia de hoje à doentinha. Adivinho as tuas vacilações e escrúpulos maternos, considerando a boa saúde dos nossos filhinhos, mas os teus receios são infundados...

— Sabem os deuses, todavia, como tenho vivido nestes últimos tempos, desde que ouvi a opinião franca e sincera do médico de Tibur. Bem sabes que para ele o caso de minha filha é mal doloroso e sem cura. Desde então, toda a minha vida tem sido uma série de preocupações e martírios. Tomei todas as providências para que a pequena fosse isolada do círculo de nossas relações, atendendo aos imperativos da higiene e à necessidade de circunscrever, com o nosso próprio esforço, a moléstia terrível.

— Mas quem te diz que o mal é incurável? Acaso semelhante opinião proveio da palavra infalível dos deuses? Não sabes quanto é enganosa a ciência dos homens?

"Há tempos, ambos os meus filhinhos adoeceram com febre insidiosa e destruidora. Chamados os médicos, observei que eles se revezavam no mister de salvar os dois enfermos, sem resultados apreciáveis. Depois, refleti melhor na providência dos Céus e, imediatamente, ofereci um sacrifício no templo de Castor e Pólux, salvando-os de morte certa. Graças a essa providência, hoje os vejo sorridentes e felizes.

"Agora que não tens somente a pequena Flávia, mas também o pequenino Marcus, aconselho-te fazeres o mesmo, recorrendo aos deuses gêmeos."

— É verdade, minha boa Calpúrnia, assim farei antes de nossa partida próxima.

— E por falar na viagem, como te sentes em face desta mudança imprevista?

— Bem sabes que tudo farei pela tranquilidade de Publius e pela nossa paz doméstica. Há muito noto Publius abatido e doente, em razão de suas lutas exaustivas ao serviço do Estado. Jovial e expansivo, de tempos a esta parte tornou-se taciturno e irritadiço. Enerva-se com tudo e por tudo, acreditando eu que a saúde precária de nossa filhinha contribua decisivamente para a sua misantropia e mau humor.

"Considerando essas razões disponho-me, com satisfação, a acompanhá-lo à Palestina, pesando-me apenas no íntimo a circunstância de ser obrigada, ainda que temporariamente, a afastar-me da tua intimidade e dos teus conselhos."

— Folgo de assim te ouvir, porque a nós nos compete examinar a situação daqueles que o nosso coração elegeu para companheiros de toda a vida, tudo envidando por suavizar-lhes os aborrecimentos do mundo.

"Publius é um bom coração, generoso e idealista, mas, como patrício descendente de família das mais ilustres da República, é vaidoso em demasia. Homens dessa natureza requerem grande senso psicológico da mulher, sendo justo e necessário que aparentes igualdade absoluta de sentimentos, de modo a poderes conduzi-lo sempre pelo melhor caminho.

"Flamínio deu-me a conhecer todas as circunstâncias da tua permanência na Judeia, mas alguns pormenores existem que eu ainda desconheço. Ficarás, de fato, em Jerusalém?"

— Sim. Publius deseja que nos fixemos na mesma residência do seu tio Sálvio, em Jerusalém, até que possamos eleger o melhor clima da província, de maneira a beneficiar a saúde de nossa filhinha.

— Está bem — exclamou Calpúrnia, assumindo ares da maior discrição —, em face da tua inexperiência, sou obrigada a esclarecer o teu espírito, considerando a possibilidade de quaisquer complicações futuras.

Lívia surpreendeu-se com a observação da amiga, mas, toda ouvidos, revidou impressionada:

— Que queres dizer?

— Sei que não tens um conhecimento mais acurado dos parentes de teu marido, que há tanto tempo se conservam ausentes de Roma —

murmurou Calpúrnia com as minudências características do espírito feminino — e constitui um dever de amizade aclarar o teu espírito, a fim de não te conduzires com demasiada confiança por onde passares.

"O pretor Sálvio Lentulus, que há muitos anos foi destituído do governo das províncias, e agora tem simples atribuições de funcionário junto do atual procônsul da Judeia, não é bem um homem idêntico a teu marido, que, se tem certos defeitos de família, é um espírito muito franco e sincero. Eras muito jovem quando se verificaram acontecimentos deploráveis em nosso ambiente social, com referência às criaturas com quem agora vais conviver.

"A esposa de Sálvio, que ainda deve ser uma mulher moça e bem cuidada, é irmã de Cláudia, mulher de Pilatos,[10] a quem teu marido vai recomendado, em caminho da alta administração da província.

"Em Jerusalém vais encontrar toda essa gente, de costumes bem diferentes dos nossos, e precisas pensar que vais conviver com criaturas dissimuladas e perigosas.

"Não temos o direito de reprovar os atos de ninguém, a não ser em presença daqueles que consideramos culpados ou passíveis de recriminações, mas devo prevenir-te de que o Imperador foi compelido a designar essa gente para serviços no exterior, considerando graves assuntos de família, na intimidade da Corte.

"Que os deuses me perdoem as observações da ausência, mas é que, na tua condição de romana e mulher de senador ainda jovem, serás homenageada pelos nossos conterrâneos distantes, homenagens que receberás em sociedade como ramalhetes de rosas cheios de perfume, mas também cheios de espinhos..."

Lívia ouviu a amiga, entre espantada e pensativa, exclamando em voz discreta, como quem quisesse desfazer uma dúvida:

— Mas o pretor Sálvio não é homem idoso?

— Estás enganada. É pouco mais moço que Flamínio, mas os seus apuros de cavalheiro fazem da sua personalidade um tipo de soberba aparência.

— Como poderei levar a bom termo os meus deveres, no caso de me cercarem as perfídias sociais, tão comuns em nosso tempo, sem agravar o estado espiritual de meu esposo?

---

[10] N.E.: Prefeito da província romana da Judeia entre os anos 26 e 36 d.C. Foi o juiz que, de acordo com a *Bíblia*, condenou Jesus à morte na cruz, apesar de não ter nele encontrado nenhuma culpa.

— Confiemos na providência dos deuses — murmurou Calpúrnia, deixando transparecer a fé magnífica do seu coração maternal.

Todavia, as duas não conseguiram prosseguir na conversação. Um ruído mais forte denunciava a aproximação de Publius e Flamínio, que atravessavam o vestíbulo, procurando-as.

— Então? — exclamou Flamínio bem-humorado, assomando à porta, com malicioso sorriso. — Entre a costura e a palestra, deve sofrer a reputação de alguém nesta sala, porque já dizia meu pai que mulher sozinha pensa sempre na família, mas, se está com outra, pensa logo nos... outros.

Um riso sadio e geral coroou as suas palavras alegres, enquanto Publius exclamou contente:

— Estejamos sossegados, minha Lívia, porque tudo está pronto e a nosso inteiro contento. O Imperador prontificou-se a auxiliar-nos generosamente com as suas ordens diretas, e, daqui a três dias, uma galera nos esperará nas cercanias de Óstia, de modo a viajarmos tranquilamente.

Lívia sorria satisfeita e confortada, enquanto do apartamento da pequena Flávia assomavam duas cabeças risonhas, preparando-se Flamínio para receber nos braços, de uma só vez, os dois filhinhos.

— Venham cá, ilustres marotos! Por que fugiram ontem das aulas? Hoje recebi queixa do ginásio, nesse sentido, e estou muito contrariado com esse procedimento...

Plínio e Agripa ouviram a reprimenda paterna, desapontados, respondendo o mais velho com humildade:

— Mas, papai, eu não sou culpado. Como o senhor sabe, o Plínio fugiu dos exercícios, obrigando-me a sair para procurá-lo.

— Isso é uma vergonha para você, Agripa — exclamou Flamínio paternalmente —, sua idade não permite mais a participação nas traquinadas de seu irmão.

Ia a cena nessa altura, quando Calpúrnia interveio apaziguando:

— Tudo está muito certo, porém, temos de resolver o assunto em casa, porque a hora não comporta discussões entre pai e filhos.

Ambos os meninos foram beijar a mão materna, como se lhe agradecessem a intervenção carinhosa, e, daí a minutos, despediam-se as duas famílias, com a promessa de Flamínio, no sentido de acompanhar os amigos até Óstia, nas proximidades da foz do Tibre, no dia do embarque.

Decorridas aquelas 72 horas de azáfama e preparativos, vamos encontrar nossas personagens numa galera confortável e elegante, nas águas de Óstia, onde ainda não existiam as construções do porto, ali edificadas mais tarde por Cláudio.

Plínio e Agripa ajudavam a acomodar a pequena enferma no interior, instigados pelos pais, que os preparavam desde cedo para as delicadezas da vida social, enquanto Calpúrnia e Lívia instruíam uma serva, a respeito da instalação do pequenino Marcus. Publius e Flamínio trocavam impressões, a distância, ouvindo-se a recomendação do segundo, que elucidava o amigo confidencialmente:

— Sabes que os súditos conquistados pelo Império muitas vezes nos olham com inveja e despeito, tornando-se preciso nunca desmerecermos da nossa posição de patrícios.

"Algumas regiões da Palestina, segundo os meus próprios conhecimentos, estão infestadas de malfeitores e é necessário estejas precavido contra eles, principalmente na tua marcha em demanda de Jerusalém. Leva contigo, tão logo aportes com a família, o maior número de escravos para a tua garantia e dos teus, e, na hipótese de ataques, não hesites em castigar com severidade e aspereza."

Publius recebeu a exortação atenciosamente, e, daí a minutos, movimentavam-se ambos no interior da nave, onde o viajante interpelava o chefe dos serviços:

— Então, Áulus, tudo está pronto?

— Sim, Ilustríssimo. Apenas aguardamos as vossas ordens para a partida. Quanto aos nossos trabalhos, podeis ficar tranquilo, porque escolhi a dedo os melhores cartagineses para o serviço de remos.

Com efeito, começaram ali as últimas despedidas. As duas senhoras abraçavam-se com lágrimas enternecidas e afetuosas, enquanto se expressavam promessas de perene lembrança e votos aos deuses pela tranquilidade geral.

Derradeiros abraços comovidos e largava a galera suntuosa, na qual a bandeira da águia romana tremulava orgulhosa, ao sopro suave das virações marinhas. Os ventos e os deuses eram favoráveis, porque, em breve, ao esforço hercúleo dos escravos no ritmo dos remos poderosos, os viajantes contemplavam de longe a fita esverdeada da costa italiana, como se avançassem na massa líquida para as vastidões insondáveis do Infinito.

Transcorria a viagem com o máximo de serenidade e calma.

Publius Lentulus, não obstante a beleza da paisagem na travessia do Mediterrâneo e a novidade dos aspectos exteriores, considerada a monotonia dos seus afazeres na vida romana, junto dos numerosos processos do Estado, tinha o coração cheio de sombras. Debalde a esposa procurava aproximar-se do seu espírito irritado, buscando tanger assuntos delicados de família, com o fim de conhecer e suavizar-lhe os íntimos dissabores. Experimentava ele a impressão de que caminhava para emoções decisivas no desenrolar de sua existência. Conhecia parte da Ásia, porque, na primeira mocidade, havia servido um ano na administração de Esmirna, de modo a integrar-se, da melhor maneira, no mecanismo dos trabalhos do Estado, mas não conhecia Jerusalém, onde o esperavam como legado do Imperador, para a solução de vários problemas administrativos de que fora incumbido junto ao governo da Palestina.

Como encontraria o tio Sálvio, mais moço que seu pai? Há muitos anos não o via pessoalmente. Entretanto, era pouco mais velho do que ele próprio. E aquela Fúlvia, leviana e caprichosa, que lhe desposara o tio no torvelinho dos seus numerosos escândalos sociais, tornando-se quase indesejável no seio da família? Recordava mais íntimos pormenores do passado, abstendo-se, todavia, de comunicar à mulher as mais penosas expectativas. Refletindo, igualmente, na situação da esposa e dos dois filhinhos, encarava com ansiedade os primeiros obstáculos à sua permanência na Judeia, na qualidade de patrícios, mas também como estrangeiros, considerando que as amizades que os aguardavam eram problemáticas.

Entre as suas cismas e as preces da esposa, estava a terminar a travessia do Mediterrâneo, quando chamou a atenção do seu servo de confiança, nestes termos:

— Comênio, dentro em pouco estaremos às portas de Jerusalém, mas, antes que isso se verifique, temos de realizar pequena marcha, depois do ponto de desembarque, reclamando-se muito cuidado de minha parte, com relação ao transporte da família. Esperam-se alguns representantes da administração da Judeia, mas certamente estaremos acompanhados dos teus cuidados, pois vamos aportar a região para mim desconhecida e estrangeira. Reúne todos os servos sob as tuas ordens, de modo a garantirmos absoluta segurança pelo caminho.

— Senhor, contai com o nosso desvelo e dedicação — respondeu o servidor entre respeitoso e comovido.

No dia imediato Publius Lentulus e comitiva desembarcavam em pequeno porto da Palestina, sem incidentes dignos de menção.

Esperavam-no, além do legado do procônsul, alguns lictores e numerosos soldados pretorianos, comandados por Sulpício Tarquinius, munido de todos os aprestos e elementos exigidos para uma viagem tranquila e confortável, pelas estradas de Jerusalém.

Após o necessário repouso, a caravana pôs-se a caminho, parecendo antes expedição militar que transporte de simples família, pelas estações periódicas de descanso.

As armaduras dos cavalos, os capacetes romanos reluzindo ao sol, os trajes extravagantes, palanquins enfeitados, animais de tração e os carros pesados da bagagem davam ideia de expedição triunfal, embora atarefada e silenciosa.

Ia a caravana a bom termo, quando, nas proximidades de Jerusalém, ocorre um imprevisto. Um corpo sibilante cortou o ar fino e claro, alojando-se no palanquim do senador, ouvindo-se ao mesmo tempo um grito estridente e lamentoso. Minúscula pedra ferira levemente o rosto de Lívia, determinando grande alarme na massa enorme de servos e cavaleiros. Entre os carros e os animais que pararam assustados, numerosos escravos rodeiam os senhores, buscando, com precipitação, inteirar-se do fato. Sulpício Tarquinius, num golpe de vista, dá largas ao galope da montada, buscando prender um jovem que se afastava, receoso, das margens do caminho. E, culpado ou não, foi um rapaz dos seus 18 anos apresentado aos viajantes, para a punição necessária.

Publius Lentulus recordou a recomendação de Flamínio, momentos antes da partida, e, sopitando os seus melhores sentimentos de tolerância e generosidade, resolveu prestigiar a sua posição e autoridade aos olhos de quantos houvessem de lhe seguir a permanência naquele país estrangeiro.

Ordenou providências imediatas aos lictores que o acompanhavam, e ali mesmo, ante as claridades mordentes do Sol a pino e sob o olhar espantado de algumas dezenas de escravos e centuriões numerosos, determinou que vergastassem sem comiseração o rapaz pela sua leviandade.

A cena era desagradável e dolorosa.

Todos os servos acompanhavam, compungidos, o estalar do chicote no dorso seminu daquele homem ainda moço, que gemia, em soluços dolorosos, sob o látego despótico e cruel. Ninguém ousou contrariar as ordens impiedosas, até que Lívia, não conseguindo contemplar por mais tempo a rudeza do espetáculo, pediu ao esposo, em voz súplice:

— Basta, Publius, porque os direitos da nossa condição não traduzem deveres de impiedade...

O senador considerou, então, a sua severidade excessiva e rigorosa, ordenou a suspensão do castigo doloroso, mas, a uma pergunta de Sulpício, quanto ao novo destino do infeliz, falou em tom rude e irritado:

— Para as galeras!...

Os presentes estremeceram, porque as galeras significavam a morte ou a escravidão para sempre.

O desventurado amparava-se, exânime, nas mãos dos centuriões que o rodeavam, porém, ao ouvir as três palavras da sentença condenatória, deitou ao seu orgulhoso juiz um olhar de ódio e desprezo supremos. No âmago de sua alma coriscavam relâmpagos de vingança e de cólera, mas a caravana pôs-se novamente a caminho, entre o ruído dos carros pesados e o tilintar das armaduras, ao movimento dos cavalos fogosos e irrequietos.

A chegada a Jerusalém ocorreu sem outros fatos dignos de nota.

A novidade dos aspectos e a diversidade das criaturas é que impressionaram os viajantes no seu primeiro contato com a cidade, cuja fisionomia, com raras mudanças, no decurso de todos os séculos, foi sempre a mesma, triste e desolada, preludiando as paisagens ressequidas do deserto.

Pilatos e sua mulher encontravam-se nas solenidades de recepção ao senador, que ia, como legado de Tibério, junto da administração da província, encarnando o princípio da lei e da autoridade.

Sálvio Lentulus e a esposa, Fúlvia Prócula, receberam os parentes com aparato e prodigalidade. Homenagens numerosas foram prestadas a Publius Lentulus e sua mulher, salientando-se que Lívia, fosse em razão das advertências de Calpúrnia, ou em vista de sua acuidade psicológica, reconheceu logo que naquele ambiente não palpitavam os corações generosos e sinceros dos seus amigos de Roma, experimentando, no íntimo, dolorosa sensação de amargura e ansiedade. Verificara, com satisfação, que a sua pequena Flávia havia melhorado, não obstante a viagem exaustiva, mas, ao mesmo tempo, torturava-se percebendo que Fúlvia não possuía amplitude de coração para acolhê-los sempre com carinho e bondade. Notara que, ao lhe apresentar a filhinha enferma, a patrícia vaidosa fizera um movimento instintivo de recuo, afastando sua pequena Aurélia, filha única do casal, do contato com a família, apresentando pretextos inaceitáveis. Bastou um dia de permanência naquele lar estranho, para que a pobre senhora compreendesse a extensão das angústias que a esperavam ali, calculando os sacrifícios que a situação exigiria do seu coração sensível e carinhoso.

E não era somente o quadro familiar, nos seus detalhes impressionantes, que lhe torturava a mente trabalhada de expectativas pungentes e angustiosas. Deparando-se-lhe Pôncio Pilatos, no próprio momento de sua chegada, sentira, no íntimo, que havia encontrado um rude e poderoso inimigo.

Forças ignoradas do mundo intuitivo falavam ao seu coração de mulher, como se vozes do Plano Invisível lhe preparassem o espírito para as provas aspérrimas dos dias vindouros. Sim, porque a mulher, símbolo do santuário do lar e da família, na sua espiritualidade, pode, muitas vezes, numa simples reflexão, devassar mistérios insondáveis dos caracteres e das almas, na tela espessa e sombria das reencarnações sucessivas e dolorosas.

Publius Lentulus, ao contrário, não experimentou as mesmas emoções da companheira. A diversidade do ambiente modificara-lhe um tanto as disposições íntimas, sentindo-se moralmente confortado em face da tarefa que lhe competia desempenhar no cenário novo de suas atividades de homem de Estado.

No segundo dia de permanência na cidade, tão logo regressara da primeira visita às instalações da Torre Antônia, onde se aquartelavam contingentes das forças romanas, observando o movimento dos casuístas e dos doutores, no Templo famoso de Jerusalém, foi procurado por um homem humilde e relativamente moço, que apresentava como credencial, tão somente, o coração aflito e carinhoso de pai.

Obedecendo mais aos imperativos de ordem política que ao sentimento de generosidade do coração, o senador quebrou as etiquetas do momento, recebendo-o no seu gabinete privado, disposto a ouvi-lo.

Um judeu, pouco mais velho que ele próprio, em atitude de respeitosa humildade e expressando-se dificilmente, de modo a fazer-se compreendido, falou-lhe nestes termos:

— Ilustríssimo senador, sou André, filho de Gioras, operário modesto e paupérrimo, não obstante numerosos membros de minha família terem atribuições importantes no Templo e no exercício da Lei. Ouso vir até vós, reclamando o meu filho Saul, preso, há três dias, por vossa ordem e remetido diretamente para o cativeiro perpétuo das galeras... Peço-vos clemência e caridade na reparação dessa sentença de terríveis efeitos para a estabilidade da minha casa pobre... Saul é o meu primogênito e nele deponho toda a minha esperança paternal... Reconhecendo-lhe a inexperiência da vida, não venho inocentá-lo da culpa, mas apelar para a vossa clemência e magnanimidade, em face da sua ignorância de rapaz, jurando-vos, pela Lei, encaminhá-lo doravante pela estrada do dever austeramente cumprido...

Publius recordou a necessidade de fazer sentir a autoridade da sua posição, revidando com o orgulho característico das suas resoluções:

— Como ousa discutir minhas determinações, quando guardo a consciência de haver praticado a justiça? Não posso modificar minhas deliberações, estranhando que um judeu ponha em dúvida a ordem e a palavra de um senador do Império, formulando reclamações desta natureza.

— Mas, senhor, eu sou pai...

— Se o és, porque fizeste de teu filho um vagabundo e um inútil?

— Não posso compreender os motivos que levaram meu pobre Saul a comprometer-se dessa maneira, mas juro-vos que ele é o braço-forte dos meus trabalhos de cada dia.

— Não me cabe examinar as razões do teu sentimento, porque a minha palavra está dada irrevogavelmente.

André de Gioras mirou Publius Lentulus de alto a baixo, ferido na sua emotividade de pai e no seu sentimento de homem, esfuziando de dor e de cólera reprimida. Seus olhos úmidos traíam íntima angústia, em face daquela recusa formal e inapelável, mas, desprezando todos os convencionalismos humanos, falou com orgulhosa firmeza:

— Senador, eu desci da minha dignidade para implorar vossa compaixão, mas aceito a vossa recusa ignominiosa!...

"Acabais de comprar, com a dureza do coração, um inimigo eterno e implacável!... Com os vossos poderes e prerrogativas, podeis eliminar-me para sempre, seja reduzindo-me ao cativeiro ou condenando-me a perecer de morte infame, mas eu prefiro afrontar a vossa soberbia orgulhosa!... Plantastes, agora, uma árvore de espinhos, cujo fruto, um dia, amargará sem remédio o vosso coração duro e insensível, porque a minha vingança pode tardar, mas, como a vossa alma inflexível e fria, ela será também indefectível e tenebrosa!..."

O judeu não esperou a resposta do seu interlocutor, amargamente emocionado com a veemência daquelas palavras, saindo do recinto a passo firme e de rosto erguido, como se houvesse obtido os melhores resultados da sua curta e decisiva entrevista.

Num misto de orgulho e ansiedade, Publius Lentulus experimentou, naquele instante, as mais variadas gamas de sentimento a dominar-lhe o coração. Desejou determinar a prisão imediata daquele homem que lhe atirara em rosto as mais duras verdades, experimentando, simultaneamente, o desejo de chamá-lo a si, prometendo-lhe o regresso do filho querido, a quem protegeria com o seu prestígio de homem de Estado, mas a voz se lhe sumiu na garganta, naquele complexo de emoções que de novo lhe roubara a paz e a serenidade. Dolorosa opressão paralisava-lhe as cordas vocais, enquanto no coração angustiado repercutiam as palavras candentes e amarguradas.

Uma série de reflexões penosas enfileirou-se no seu mundo íntimo, assinalando os mais fortes conflitos de sentimentos. Também ele não era pai e não procurava reter os filhinhos perto do coração? Aquele homem possuía as mais fortes razões para considerá-lo um espírito injusto e perverso.

Recordou o sonho inexplicável que, relatado a Flamínio, fora a causa indireta da sua vinda para a Judeia e considerou as lágrimas de compunção que derramara, em contato com o turbilhão de lembranças perniciosas da sua existência passada, em face de tantos crimes e desvios.

Retirou-se do gabinete com a solução mental da questão em foco, ordenando que trouxessem o jovem Saul à sua presença, com a urgência que o caso requeria, a fim de recambiá-lo à casa paterna, e modificando, dessa forma, as penosas impressões que havia causado ao pobre André. Suas ordens foram expedidas sem delongas, todavia, esperava-o desagradável surpresa, com as informações dos funcionários a quem competia a providência de semelhantes serviços.

O jovem Saul desaparecera do cárcere, fazendo crer numa fuga desesperada e imprevista. Os informes foram transmitidos à autoridade superior, sem que Publius Lentulus viesse a saber que os maus servidores do Estado negociavam, muitas vezes, os prisioneiros jovens com os ambiciosos mercadores de escravos, que operavam nos centros mais populosos da capital do mundo.

Informado de que o prisioneiro se evadira, o senador sentiu a consciência aliviada das acusações que lhe pesavam no íntimo. Afinal, pensou, tratava-se de caso de somenos importância, porquanto o rapaz, distante do cárcere, procuraria imediatamente a casa paterna; e, consolidando sua tranquilidade, expediu ordens aos dirigentes do serviço de segurança, recomendando se abstivessem de qualquer perseguição ao foragido, a quem se levaria, oportunamente, o indulto da lei.

O caminho de Saul, todavia, fora bem outro.

Em quase todas as províncias romanas funcionavam terríveis agrupamentos de malfeitores, que, vivendo à sombra da máquina do Estado, haviam-se transformado em mercadores de consciências.

O moço judeu, na sua juventude promissora e sadia, fora vítima dessas criaturas desalmadas. Vendido clandestinamente a poderosos escravocratas de Roma, em companhia de muitos outros, foi embarcado no antigo porto de Jope, com destino à capital do Império.

Antecipando-nos na cronologia de nossas narrativas, vamos encontrá-lo, daí a meses, num grande tablado, perto do Fórum, onde se alinhavam, em penosa promiscuidade, homens, mulheres e crianças, quase todos em míseras condições de nudez, tendo cada qual um pequeno cartaz pendurado ao pescoço. Olhos chispando sentimentos de vingança, lá se encontrava Saul, seminu, um barrete de lã branca a cobrir-lhe a cabeça e com os pés descalços levemente untados de gesso.

Junto daquela massa de criaturas desventuradas, passeava um homem de ar ignóbil e repulsivo, que exclamava em voz gritante para a multidão de curiosos que o rodeava:

— Cidadãos, tende a bondade de apreciar... Como sabeis, não tenho pressa em dispor da mercadoria, porque não devo a ninguém, mas aqui estou para servir aos ilustres romanos!...

E, detendo-se no exame desse ou daquele infeliz, prosseguia na sua arenga grosseira e insultuosa:

— Vede este mancebo!... É um exemplar soberbo de saúde, frugalidade e docilidade. Obedece ao primeiro sinal. Atentai bem para o aprumo da sua carne firme. Doença alguma terá força sobre o seu organismo.

"Examinai este homem! Sabe falar o grego corretamente e é benfeito da cabeça aos pés!..."

Nesses pruridos de negocista, continuou a propaganda individual, em face da multidão de compradores que o assediava, até que tocou a vez do jovem Saul, que deixava transparecer, no aspecto miserável, os seus ímpetos de cólera e sentimentos tigrinos:

— Atentai bem neste mancebo! Acaba de chegar da Judeia, como o mais belo exemplar de sobriedade e saúde, de obediência e de força. É uma das mais ricas amostras deste meu lote de hoje. Reparai na sua mocidade, ilustres romanos!... Dar-vo-lo-ei ao preço reduzido de 5.000 sestércios!...

O jovem escravo contemplou o mercador com a alma esfervilhante de ódio e alimentando, intimamente, as mais ferozes promessas de vingança. Seu semblante judeu impressionou a multidão que estacionava na praça, aquela manhã, porque um intenso movimento de curiosidade lhe cercou a figura interessante e originalíssima.

Um homem destacou-se da multidão, procurando o mercador, a quem se dirigiu à meia-voz, nestes termos:

— Flacus, meu senhor necessita de um rapaz elegante e forte para as bigas dos filhos. Esse jovem me interessa. Não o darias ao preço de 4.000 sestércios?

— Vá lá — murmurou o outro em tom de negócio —, meu interesse é bem servir à ilustre clientela.

O comprador era Valério Brutus, capataz dos serviços comuns da casa de Flamínio Severus, que o incumbira de adquirir um escravo novo e de boa aparência, destinado ao serviço das bigas dos filhos, nos grandes dias das festas romanas.

Foi assim que, imbuído de sentimentos ignóbeis e deploráveis, Saul, o filho de André, foi introduzido, pelas forças do destino, junto de Plínio e de Agripa, na residência da família Severus, no coração de Roma, ao preço miserável de 4.000 sestércios.

III
Em casa de Pilatos

A secura da natureza, em que se ergue Jerusalém, proporciona à célebre cidade uma beleza melancólica, tocada de pungente monotonia.

Ao tempo do Cristo, seu aspecto era quase igual ao que hoje se observa. Apenas a colina de Mizpa, com as suas tradições suaves e lindas, representava um recanto verde e alegre, no qual repousavam os olhos do forasteiro, longe da aridez e da ingratidão das paisagens.

Todavia, devemos registrar que, na época da permanência de Publius Lentulus e de sua família, Jerusalém acusava novidades e esplendores da vida nova. As construções herodianas pululavam nos seus arredores, revelando novo senso estético por parte de Israel. A predileção pelos monólitos talhados na rocha viva, característica do antigo povo israelita, fora substituída pelas adaptações do gosto judeu às normas gregas, renovando as paisagens interiores da famosa cidade. A joia maravilhosa era, porém, o Templo, todo novo, da época de Jesus. Sua reconstrução fora determinada por Herodes, no ano de 21, notando-se que os pórticos levaram oito anos a edificar-se, e considerando-se, ainda, que os planos da obra grandiosa, continuados vagarosamente no curso do tempo, somente ficaram concluídos pouco antes de sua completa destruição.

Nos pátios imensos, reunia-se diariamente a aristocracia do pensamento israelita, localizando-se ali o fórum, a universidade, o tribunal e o templo supremos de toda uma raça.

Os próprios processos civis, além das discussões engenhosas de ordem teológica, ali recebiam as decisões derradeiras, resumindo-se no templo imponente e grandioso todas as ambições e atividades de uma pátria.

Os romanos, respeitando a filosofia religiosa dos povos estranhos, não participavam das teses sutis e dos sofismas debatidos e examinados todos os dias, mas a Torre Antônia, onde se aquartelavam as forças armadas do Império, dominava o recinto, facilitando a fiscalização constante de todos os movimentos dos sacerdotes e das massas populares.

Publius Lentulus, após o incidente do prisioneiro, que continuava a considerar como episódio sem importância, retomava certa serenidade para o desempenho de suas obrigações consuetudinárias. Os aspectos áridos de Jerusalém tinham, para seus olhos cansados, encanto novo, no qual o pensamento repousava das numerosas e intensas fadigas de Roma.

Quanto a Lívia, guardava o coração voltado para os seus afetos distantes, analisando a aridez dos espíritos ao alcance do seu convívio. Como por milagre, a pequena Flávia havia melhorado, observando-se notável transformação das feridas que lhe cobriam a epiderme. Todavia, as atitudes hostis de Fúlvia, que lhe não perdoava a simplicidade encantadora e os dotes preciosos de inteligência, sem perder ensejo para jogar-lhe em rosto pequeninas indiretas, por vezes irônicas e mordentes, deixavam-lhe o espírito aturdido num turbilhão de expectativas alucinantes. Semelhantes acontecimentos eram desconhecidos do marido, a quem a pobre senhora se abstinha de relatar os seus mais íntimos desgostos.

Esses fatos, porém, não eram os elementos que mais contribuíam para acabrunhá-la naquele ambiente de penosas incertezas.

Fazia uma semana que se encontravam na cidade e notava-se que, contrariando talvez seus hábitos, Pôncio Pilatos comparecia diariamente à residência do pretor, a pretexto de predileção pela palestra com os patrícios recém-chegados da Corte. Horas a fio eram empregadas nesse mister, mas Lívia, com as secretas intuições da sua alma, compreendia os pensamentos inconfessáveis do governador a seu respeito, recebendo de espírito prevenido os seus amáveis madrigais e alusões menos diretas.

Nessas aproximações de sentimentos que prenunciam a preamar das paixões, via-se também a contrariedade de Fúlvia, tocada de venenoso ciúme em face da situação que a atitude de Pilatos ia criando. Por detrás daqueles bastidores brilhantes do cenário da amizade artificial, com que foram recebidos, Publius e Lívia deveriam compreender que existia um marnel de paixões inferiores, que, certo, haveria de tisnar a tranquilidade de suas almas. Não entenderam, todavia, os detalhes da situação e penetraram de espírito confiante e ingênuo no caminho escuro e doloroso das provações que Jerusalém lhes reservava.

Reafirmando incessantes obséquios e multiplicando gentilezas, Pilatos fez questão de oferecer um jantar, no qual toda a família se reconfortasse e a fraternidade e a alegria fossem perfeitas.

No dia aprazado, Sálvio e Publius, acompanhados pelos seus, compareciam à residência senhorial do governador, onde Cláudia igualmente os esperava com um sorriso bondoso e acolhedor.

Lívia estava pálida, no seu traje simples e despretensioso, sendo de notar que, contra toda a expectativa do esposo, fizera questão de levar a filhinha doente, no pressuposto de que o seu cuidado materno representasse alguma coisa contra as pretensões do conquistador que o seu coração de mulher adivinhava, por meio das atitudes indiscretas e atrevidas do anfitrião daquela noite.

O jantar servia-se em condições especialíssimas, segundo os hábitos mais rigorosos e elegantes da Corte.

Lívia estava aturdida com aquelas solenidades a se desdobrarem nos mais altos requintes da etiqueta romana, costumes esses oriundos de um meio do qual ela e Calpúrnia sempre se haviam afastado, na sua simplicidade de coração. Numerosa falange de escravos se movimentava em todas as direções, como verdadeiro exército de servidores, em face de tão reduzido número de comensais.

Depois dos pratos preparados, chegam os *vocadores* recitando os nomes dos convivas, enquanto os *infertores* trazem os pratos dispostos com singular simetria. Os convidados recostam-se então no triclínio, forrado de penugens cetinosas e pétalas de flores. As carnes são trazidas em pratos de ouro e os pães em açafates de prata, multiplicando-se os servos para todos os misteres, inclusive aqueles que deviam provar as iguarias, a fim de se certificar do seu paladar, para que fossem servidas com a máxima confiança. Os copeiros servem um falerno precioso e antigo, misturado de aromas, em taças incrustadas de pedras preciosas, enquanto outros servos os acompanham apresentando, em galhetas de prata, a água tépida ou fria, ao sabor dos convidados. Junto dos leitos, em que cada comensal deve recostar-se molemente, conservam-se escravos jovens, trajados com apuro e ostentando na fronte gracioso turbante, braços e pernas seminus, cada qual com a sua função definida. Alguns agitam nas mãos longos ramos de mirto, afugentando as moscas, enquanto outros, curvados aos pés dos convivas, são obrigados a limpar discretamente os sinais da sua gula e intemperança.

Quinze serviços diferentes sucederam-se por meio dos esforços dos escravos dedicados e humildes, quando, após o repasto, brilham os salões com centenas de tochas, ouvindo-se agradáveis sinfonias. Servos jovens e bem-postos executam danças apaixonadas e voluptuosas em homenagem aos seus senhores, mimoseando-lhes os sentimentos inferiores com a sua arte exótica e espontânea, e, somente não foi levado a efeito um número de gladiadores, segundo o costume nos grandes banquetes da Corte, porque Lívia, de olhos súplices, pedira que poupassem naquela festa o doloroso espetáculo do sangue humano.

A noite era das mais cálidas de Jerusalém, motivo por que, findos o jantar e as cerimônias complementares, a caravana de amigos, acompanhada agora de Sulpício Tarquinius, se dirigia para o amplo e bem-posto terraço, onde jovens escravas faziam deliciosa música do Oriente.

— Não julgava encontrar em Jerusalém uma noite patrícia como esta — exclamou Publius sensibilizado, dirigindo-se ao governador com respeitosa cortesia. — Devo a vossa bondade fidalga e generosa a satisfação de reviver o ambiente e a vida inesquecíveis da Corte, onde os romanos distantes guardam o coração e o pensamento.

— Senador, esta casa vos pertence — replicou Pilatos com intimidade. — Ignoro se a minha sugestão ser-vos-á agradável, mas só teríamos razão para agradecer aos deuses, se nos concedêsseis a honrosa alegria de vos hospedar aqui, com os vossos dignos familiares. Acredito que a residência do pretor Sálvio não vos oferece o necessário conforto, e, acrescendo a circunstância do íntimo parentesco que liga minha mulher à esposa de vosso tio, sinto-me à vontade para fazer este oferecimento, sem quebra de nossos costumes, em sociedade.

— Lá isso não —, exclamou por sua vez o pretor, que acompanhara atento a gentileza da oferta. — Eu e Fúlvia nos opomos à realização dessa medida — e, acenando confiante para a consorte, terminava a sua ponderação —, não é verdade, minha querida?

Fúlvia, porém, deixando transparecer uma ponta de contrariedade, redarguiu com surpresa de todos os presentes:

— De pleno acordo. Publius e Lívia são nossos hóspedes efetivos, contudo, não podemos esquecer que o objetivo de sua viagem se prende à saúde da filhinha, objeto de todas as nossas preocupações no momento, sendo justo que os não privemos de qualquer recurso que se venha a verificar, a favor da pequena enferma...

E dirigindo-se instintivamente para o banco de mármore, onde descansava a doentinha, exclamou com escândalo geral:

— Aliás, esta menina representa uma séria preocupação para todos nós. Sua epiderme dilacerada acusa sintomas invulgares, recordando...

Não conseguiu terminar a exposição de seus receios escrupulosos, porque Cláudia, alma nobre e digna, constituindo uma antítese da irmã que o destino lhe havia dado, compreendendo a situação penosa que os seus conceitos iam criando, adiantou-se-lhe redarguindo:

— Não vejo razões que justifiquem esses temores; suponho a pequena Flávia muito melhor e mais forte. Quero crer, até, que bastará o clima de Jerusalém para a sua cura completa.

E avançando para a doentinha, como quem desejasse desfazer a dolorosa impressão daquelas observações indelicadas, tomou-a nos braços, osculando-lhe o rosto infantil, coberto de tons violáceos de mal disfarçadas feridas.

Lívia, que trazia o semblante afogueado pela humilhação das palavras de Fúlvia, recebeu a gentileza como bálsamo precioso para as suas inquietações maternas; quanto a Publius, amargamente surpreendido, considerou a necessidade de reaver a sua serenidade e energia máscula, dissimulando o desgosto que o episódio lhe causara, retomando a direção da palestra, sobremaneira comovido:

— É verdade, amigos. A saúde da minha pobre Flávia representa o objeto primordial da nossa longa viagem até aqui. Resolvidos os problemas do Estado, que me trouxeram a Jerusalém, há alguns dias que examino a possibilidade de me localizar em qualquer região do interior, de modo que a filhinha possa recuperar o precioso equilíbrio orgânico, aspirando um ar mais puro.

— Pois bem — replicou Pilatos com segurança —, em assuntos de clima, sou aqui um homem entendido. Há seis anos que me encontro nestas paragens em função do cargo e tenho visitado quase todos os recantos da província e das regiões vizinhas, tendo motivos para afiançar que a Galileia está em primeiro plano. Sempre que posso repousar dos labores intensos que aqui me prendem, busco imediatamente a nossa vila dos arredores de Nazaré, para gozar a serenidade da paisagem e as brisas deliciosas do seu lago imenso. Concordo em que a distância é muito longa, mas a verdade é que, se permanecesse nas cercanias da cidade, nas minhas estações de repouso, perderia o tempo, atendendo às solicitações incessantes dos rabinos do templo, sempre a braços com inumeráveis pendências. Ainda agora, Sulpício terá de partir, a fim de superintender alguns trabalhos de reparação da nossa residência, pois tencionamos seguir para ali dentro de pouco tempo, a refazer as energias esgotadas na luta cotidiana.

"Já que a minha hospedagem não vos será necessária em Jerusalém, quem sabe teremos o prazer de hospedar-vos, mais tarde, na vila a que me refiro?"

— Nobre amigo — exclamou o senador agradecido —, devo poupar-vos tanto trabalho, mas ficar-vos-ei imensamente grato se o vosso amigo Sulpício providenciar em Nazaré a aquisição de uma casa confortável e simples, que me sirva, reformando-a de conformidade com os nossos hábitos familiares, e onde possamos residir despreocupadamente por alguns meses.

— Com o máximo prazer.

— Muito bem — atalhava Cláudia com bondade, enquanto Fúlvia mal dissimulava venenoso despeito —, ficarei incumbida de adaptar a nossa boa Lívia à vida campestre, onde a gente se sente tão bem em contato direto com a Natureza.

— Desde que se não transformem em judias... — disse o senador bem-humorado, enquanto todos sorriram alegremente.

Neste comenos, ouvindo sobre os detalhes dos serviços que lhe seriam confiados em dias próximos, Sulpício Tarquinius, homem da confiança do governador, sentiu-se com a liberdade de intervir no assunto, exclamando com surpresa para quantos o ouviam:

— E por falar de Nazaré, já ouvistes falar do seu Profeta?

— Sim — continuou —, Nazaré possui agora um Profeta que vem realizando grandes coisas.

— Que é isso, Sulpício? — perguntou Pilatos ironicamente. — Pois não sabes que dos judeus nascem profetas todos os dias? Acaso as lutas no Templo de Jerusalém se verificam por outra coisa? Todos os doutores da Lei se consideram inspirados pelo Céu e cada qual é dono de uma nova revelação.

— Mas esse, senhor, é bem diferente.

— Estarás, acaso, convertido a uma nova fé?

— De modo algum, mesmo porque compreendo o fanatismo e a obcecação dessas miseráveis criaturas, mas fiquei realmente intrigado com a figura impressionante de um galileu ainda moço, quando passava, há alguns dias, por Cafarnaum.

Ao centro de uma praça, acomodada em bancos improvisados, feitos de pedra e de areia, vi considerável multidão que lhe ouvia a palavra, em êxtase de admiração comovida...

Eu também, como se fora tocado de força misteriosa e invisível, sentei-me para ouvi-lo.

De sua personalidade, extraordinária de beleza simples, vinha um "não sei quê", dominando a turba que se aquietava, de leve, ouvindo-lhe as promessas de um eterno reinado... Seus cabelos esvoaçavam às brisas da tarde mansa, como se fossem fios de luz desconhecida nas claridades serenas do crepúsculo; e de seus olhos compassivos parecia nascer uma onda de piedade e comiseração infinitas. Descalço e pobre, notava-se-lhe a limpeza da túnica, cuja brancura se casava à leveza dos seus traços delicados. Sua palavra era como um cântico de esperança para todos os sofredores do mundo, suspenso entre o céu e a terra, renovando os pensamentos de quantos o escutavam... Falava de nossas grandezas e conquistas como se fossem coisas bem miseráveis, fazia amargas afirmativas acerca das obras monumentais de Herodes, em Sebaste, asseverando que acima de César está um Deus Todo-Poderoso, providência de todos os desesperados e de todos os aflitos... No seu ensinamento de humildade e amor, considera todos os homens como irmãos bem-amados, filhos desse Pai de misericórdia e justiça, que nós não conhecemos...

A voz de Sulpício estava saturada do tom emocional característico dos sentimentos de filhos da verdade.

O auditório se contagiara da comoção de sua narrativa, escutando--lhe a palavra com o maior interesse.

Pilatos, todavia, sem perder o fio de suas vaidades de governador, interrompeu-o, exclamando:

— Todos irmãos! Isso é um absurdo. A doutrina de um Deus único não é novidade para nós outros, nesta terra de ignorantes, mas não podemos concordar com esse conceito de fraternidade irrestrita. E os escravos? E os vassalos do Império? Onde ficam as prerrogativas do patriciado?

"O que mais me admira, porém" — exclamou com ênfase, dirigindo-se particularmente ao narrador —, "é que, sendo tu um homem prático e decidido, te tenhas deixado levar pelas palavras loucas desse novo profeta, misturando-te com a turba para ouvi-lo. Não sabes que a anuência de um lictor pode significar enorme prestígio para as ideias desse homem?"

— Senhor — respondeu Sulpício desapontado —, eu próprio não saberia explicar a razão de minhas observações daquela tarde. Considerei, igualmente, de pronto, que as doutrinas por Ele pregadas são subversivas e perigosas, por igualarem os servos aos senhores, mas observei, também, as suas penosas condições de pobreza, consideradas por seus discípulos e seguidores como um estado alegre e feliz, o que, de algum modo, não constitui motivo de receio para as autoridades provinciais.

"Além disso, essas pregações não prejudicam os camponeses, porque são feitas geralmente nas horas de ócio e descanso, no intervalo dos trabalhos de cada dia, notando-se igualmente que os seus companheiros prediletos são os pescadores mais ignorantes e mais humildes do lago."

— Mas como te deixaste empolgar assim por esse homem? — retornou Pilatos com energia.

— Enganais-vos, quanto a isso — respondeu o lictor, mais senhor de si — não me sinto impressionado, como supondes, tanto assim que, notando-lhe a originalidade simples e formosa, não lhe reconheço privilégios sobrenaturais e acredito que a ciência do Império elucidará o fato que vou narrar, respondendo à vossa arguição do momento.

"Não sei se conheceis Copônio, velho centurião destacado na cidade a que me referi, mas cumpre-me cientificar-vos do fato por mim observado. Depois que a voz do Profeta de Nazaré havia deixado uma doce quietude na paisagem, o meu conhecido apresentou-lhe o filhinho moribundo, implorando caridade para a criança que agonizava. Vi-o elevar os olhos radiosos para o firmamento, como se obsecrasse a bênção dos nossos deuses e, depois, notei que suas mãos tocavam o menino, que, por sua vez, parecia haver experimentado um fluxo de vida nova, levantando-se de súbito, a chorar e buscando o carinho paterno, após descansar no Profeta os olhinhos enternecidos..."

— Até centuriões já se metem com os judeus nas suas perlengas? Preciso comunicar-me com as autoridades de Tiberíades, sobre esses fatos — exclamou o governador visivelmente contrariado.

— O caso é curioso — disse Publius Lentulus intrigado com a narrativa.

— A verdade, contudo, meu amigo — objetou Pilatos, dirigindo-se a ele —, é que nestas paragens nascem religiões todos os dias. Este povo é muito diverso do nosso, reconhecendo-se-lhe visível deficiência de raciocínio e senso prático. Um governador, aqui, não pode deixar-se empolgar pelas figuras, e sim manter rígidos os princípios, no sentido de salvaguardar a soberania inviolável do Estado. É por esse motivo que, atendendo às sábias determinações da sede do governo, não me detenho nos casos isolados, para tão somente ponderar as razões dos sacerdotes do Sinédrio, que representam o órgão do poder legítimo, apto a harmonizar conosco a solução de todos os problemas de ordem política e social.

Publius dava-se por satisfeito com o argumento, mas as senhoras presentes, com exceção de Fúlvia, pareciam profundamente impressionadas com a descrição de Sulpício, inclusive a pequenina Flávia, que lhe bebera as palavras com o máximo de curiosidade infantil.

Um véu de preocupações obscurecera a facécia de todos os presentes, mas o governador não se resignou com a atitude geral, exclamando:

— Ora esta! um lictor que, em vez de fazer a justiça a nosso bem, age contra nós próprios, obscurecendo o nosso ambiente alegre, merece severa punição por suas narrativas inoportunas!...

Um riso geral seguia-lhe a palavra ruidosa e leve, enquanto rematava:

— Desçamos ao jardim para ouvir nova música, desanuviando o coração desses aborrecimentos imprevistos.

A ideia foi aceita com geral agrado.

A pequena Flávia foi instalada pela dona da casa em apartamento confortável, e, em poucos minutos, os presentes se dividiam em três grupos distintos, através das alamedas do jardim, aclarado de tochas brilhantes, ao som de músicas caprichosas e lascivas.

Publius e Cláudia falavam da paisagem e da Natureza; Pilatos multiplicava gentilezas junto de Lívia, enquanto Sulpício se colocava ao lado de

Fúlvia, tendo o pretor Lentulus resolvido permanecer no arquivo, examinando algumas obras de arte.

Distanciando-se propositadamente dos demais grupos, o governador notava a palidez da companheira que, naquela noite, se lhe figurava mais sedutora e mais bela.

O respeito que a sua formosura discreta lhe infundia na alma, parecia aumentar, naquela hora, o ardor do coração apaixonado.

— Nobre Lívia — exclamou com emoção —, não posso guardar por mais tempo os sentimentos que as vossas virtudes cheias de beleza me inspiraram. Sei da natural repulsa de vossa alma digna, em face de minhas palavras, mas lamento não me compreendais o coração tocado dessa admiração que me avassala!...

— Também eu — revidou a pobre senhora, com dignidade e energia espontâneas — lastimo haver inspirado ao vosso espírito semelhante paixão. Vossas palavras me surpreendem amargamente, não só porque partem de um patrício revestido das elevadas responsabilidades de procurador do Estado, como por considerar a amizade confiante e nobre que vos consagra o meu esposo.

— Mas em assuntos do coração — atalhou ele solícito — não podem prevalecer as formalidades da convenção política, mesmo as mais elevadas. Tenho dos meus deveres a mais alta compreensão e sei encarar a solução de todos os problemas do meu cargo, mas não me recordo onde vos teria visto antes!... A realidade é que, há uma semana, tenho o coração dilacerado e oprimido... Encontrando-vos, parecia deparar-se-me uma imagem adorada e inesquecida. Tudo fiz por evitar esta cena desagradável e penosa, mas confesso que uma força invencível me confunde o coração!...

— Enganais-vos, senhor! Entre nós não pode existir outro laço, além do inspirado pelo respeito à identidade de nossas condições sociais. Se tendes em tão alta conta as vossas obrigações de ordem política, não deveis olvidar que o homem público deve cultivar as virtudes da vida privada, incentivando, em si mesmo, a veneração e a incorruptibilidade da própria consciência.

— Mas a vossa personalidade me faz esquecer todos esses imperativos. Onde vos teria visto, afinal, para que me sentisse empolgado desta maneira?

— Calai-vos, pelos deuses! — murmurou Lívia assustada e empalidecida. — Nunca vos vi, antes de nossa chegada a Jerusalém, e apelo para o vosso cavalheirismo de homem, a fim de me poupardes estas referências que me amarguram!... Tenho razões para crer na vossa ventura conjugal, junto de uma mulher digna e pura, tal como a vejo, reputando uma loucura as propostas que vossas palavras me deixam entrever...

Pilatos ia prosseguir na sua argumentação, quando a pobre senhora, amargamente surpreendida, sentiu-se desfalecer. Debalde mobilizou ela as suas energias vitais, com o fim de evitar o delíquio.

Presa de singular abatimento, encostou-se a uma árvore do jardim, onde se desenrolava a palestra que acabamos de ouvir. Receando as consequências, o governador tomou-lhe a mão delicada e mimosa, torturado pelos seus inconfessáveis pensamentos, mas, ao seu contato ligeiro, a natureza orgânica de Lívia parecia reagir com decisão e inquebrantável firmeza.

Recobrando as forças, fez com a cabeça um leve sinal de agradecimento, enquanto Publius e Cláudia se acercavam de ambos, renovando-se a palestra geral, com a satisfação de todos.

Todavia, a cena provocada pela indiscrição do governador não ficou circunscrita apenas aos dois atores que a viveram intensamente.

Fúlvia e Sulpício acompanharam-na em seus mínimos detalhes, através dos claros abertos na ramagem sombria.

— Ora esta! — exclamou o lictor para a companheira, observando as minudências da palestra que acabamos de descrever. — Então, já perdeste as boas graças do procurador da Judeia?

A essa pergunta, Fúlvia, que por sua vez não tirava os olhos da cena, estremeceu convulsivamente, dando guarida aos mais largos sentimentos de ciúme e despeito.

— Não respondes? — continuava Sulpício, gozando o espetáculo. — Por que me recusas tantas vezes, se tenho para oferecer-te um sentimento profundo de dedicação e lealdade?

A interpelada continuou em silêncio, no seu posto de observação, rugindo de cólera íntima, quando viu que o governador guardava, entre as suas, a mão exânime da companheira, pronunciando palavras que seus ouvidos não escutavam, mas os seus sentimentos inferiores presumiam adivinhar naquele colóquio inesperado.

Tão logo, porém, Cláudia e Publius figuraram no cenário, Fúlvia voltou-se para o companheiro, murmurando com voz cava:

— Acederei a todos os teus desejos, se me auxiliares num cometimento.
— Qual?
— O de levarmos ao senador, em tempo oportuno, o conhecimento da infidelidade de sua mulher.
— Como?
— Primeiramente, evitarás a instalação de Publius em Nazaré, para levá-la mais distante, de modo a dificultar as relações entre Lívia e o governador, por ocasião de sua ausência de Jerusalém, porque estou adivinhando que ela desejará transferir-se para Nazaré, em breves dias. Em seguida, procurarei interferir, pessoalmente, de maneira que sejas designado para proteger o senador na sua estação de repouso e, investido nesse cargo, encaminharás os acontecimentos para consecução de nossos planos. Isso feito, saberei recompensar teus esforços e bons serviços de sempre, com a minha dedicação absoluta.

O lictor ouviu a proposta, silenciando indeciso. No entanto, a interlocutora, como se estivesse ansiosa por selar a aliança sinistra, interrogou em voz firme:

— Tudo combinado?
— De pleno acordo!... — respondeu Sulpício já resoluto.

E as duas personificações do despeito e da lascívia reuniram-se à caravana fraterna, com a máscara das alegrias aparentes, depois de concluído o pacto tenebroso.

As últimas horas foram consagradas às despedidas, com a afabilidade exterior do convencionalismo social.

Lívia absteve-se de relatar ao esposo a cena penosa do jardim, considerando não somente a sua necessidade de repouso íntimo, como também a importância social das personalidades em jogo, prometendo a si mesma evitar, a todo transe, qualquer expressão menos digna no terreno do escândalo pelas palavras.

IV
Na Galileia

No dia imediato a esses acontecimentos, às primeiras horas da manhã, Publius Lentulus foi procurado, na intimidade do seu gabinete particular, por Fúlvia, que se lhe dirigiu criminosamente, nestes termos:

— Senador, o ascendente de nossas ligações familiares obriga-me a procurar-vos para tratar de um assunto desagradável e doloroso, mas, nas minhas experiências de mulher, cumpre-me aconselhá-lo a resguardar sua esposa da insídia dos próprios amigos, pois que, ainda ontem, tive oportunidade de surpreendê-la em íntimo colóquio com o governador...

O interpelado estranhou aquela atitude insólita, grosseira, contrária a todos os seus métodos de homem de bem.

Repeliu dignamente a investida, encarecendo a nobreza moral da sua companheira, passando Fúlvia a relatar-lhe, com os mais exaltados floreios de sua imaginação doentia, a cena da véspera, nas suas mínimas minudências.

O senador ficou pensativo, mas sentiu-se com a precisa coragem moral para repelir a insinuação caluniosa.

— Pois bem — disse ela, terminando a denúncia —, muito longe levais a vossa confiança e boa-fé. Um homem nunca perde por ouvir os conselhos da experiência feminina. A prova de que Lívia caminha na estrada larga da prevaricação tê-la-eis muito breve, porquanto ela há de preferir a partida imediata para Nazaré, onde o governador buscará encontrá-la.

E, dizendo-o, retirou-se apressadamente, deixando o senador algo desalentado e compungido, pensando nos corações mesquinhos que o rodeavam, porque, no tribunal da consciência, não se sentia disposto a aceitar ideia que viesse conspurcar a valorosa nobreza de sua mulher.

Imenso véu de sombras cobriu-lhe o espírito sensível e afetuoso. Sentiu que, em Jerusalém, conspiravam contra ele todas as forças tenebrosas do seu destino, experimentando vasto deserto no coração.

Ali, não encontraria a palavra prudente e generosa de um amigo como Flamínio, com quem pudesse desabafar as suas profundas mágoas.

Absorto nessas meditações angustiosas, não viu que as pétalas das horas rodopiavam incessantes, nos torvelinhos do tempo. Só muito depois percebeu o vozerio de um dos serviçais de confiança, vindo a saber que Sulpício Tarquinius lhe solicitava o obséquio de uma entrevista particular, pedido a que atendeu com o máximo de atenção.

Admitido ao interior do gabinete, o lictor referiu-se, sem preâmbulos, aos fins da visita, explicando com desembaraço:

— Senador, honrado com a vossa confiança no caso de vossa transferência para uma estação de repouso, venho sugerir-vos o arrendamento de rica propriedade pertencente a um nosso compatrício, nos arredores de Cafarnaum, encantadora cidade da Galileia, situada no caminho de Damasco. É verdade que já escolhestes Nazaré, mas, ao longo da planície de Esdrelon, as casas confortáveis são muito raras, acrescendo que seríeis obrigado a enormes dispêndios em serviços de remodelação e benfeitorias. Em Cafarnaum, porém, o caso é diferente. Tenho ali um amigo, Caio Gratus, decidido a arrendar por tempo indeterminado a sua esplêndida vila, que é uma herdade provida de todo o conforto, com pomares preciosos, num ambiente de absoluto sossego.

O senador ouvia o preposto de Pilatos como se o espírito lhe pairasse noutra parte, mas, como se tivesse a atenção subitamente despertada, exclamou, na atitude de quem argumenta consigo mesmo:

— De Jerusalém a Nazaré, temos setenta milhas... Onde fica Cafarnaum?...

— Muito distante de Nazaré — obtemperou o lictor com segunda intenção.

— Está bem, Sulpício — respondeu Publius com ares de quem tomou uma resolução íntima —, estou muito agradecido pela tua gentileza, que não esquecerei de recompensar em tempo oportuno. Aceito a tua sugestão que reputo sensata, mesmo porque, de fato, não me pode interessar a aquisição definitiva de qualquer imóvel na Galileia, atenta a necessidade de regressar a Roma, dentro em breve. Ficas autorizado a concluir o negócio, porquanto me louvo nas tuas informações, descansando, confiadamente, no teu conhecimento do assunto.

Secreta satisfação transpareceu nos olhos de Sulpício, que se despediu com fingido reconhecimento.

Publius Lentulus descansou novamente os cotovelos na mesa de trabalho, submerso em profundas cismas.

Aquela sugestão de Sulpício chegava no instante psicológico de suas angustiosas cogitações, porque, em face dessa nova providência, conseguiria instalar a família longe de qualquer influência da casa do procurador da Judeia, salvando, assim, a sua reputação dos salpicos ignominiosos da maledicência.

A denúncia de Fúlvia, todavia, desdobrava sucessivas preocupações no seu íntimo. Fosse pelo inopinado da calúnia, ou pelo espírito de perversidade com que a mesma fora urdida, seu pensamento mergulhou em ansiosas expectativas.

À noite daquele mesmo dia, após o jantar, vamos encontrá-lo a sós com Lívia, no terraço da residência do pretor, que, por sua vez, se ausentara de casa por algumas horas, em companhia dos seus familiares, para atender a imperativos de certas pragmáticas.

Notando-lhe no rosto os sinais evidentes de profunda contrariedade, rompeu a esposa com a encantadora intimidade do seu coração feminino:

— Querido, pesa-me ver-te assim, dobrado ao jugo de tamanhos desgostos, quando esta longa viagem deveria restituir-nos a tranquilidade necessária ao desenvolvimento dos teus encargos... Ouso pedir que apresses a nossa mudança de Jerusalém para um ambiente mais calmo, onde nos sintamos mais a sós, fora deste círculo de criaturas cujos hábitos não são os nossos, e cujos sentimentos desconhecemos. Quando partiremos para Nazaré?...

— Para Nazaré? — repetiu o senador com voz irritada e sombria, como se o tocasse o espírito venenoso do ciúme, lembrando, involuntariamente, as acusações infundadas de Fúlvia.

— Sim — prosseguiu Lívia súplice e carinhosa —, pois não foram essas as providências ontem aventadas?

— É verdade, querida! — exclamou Publius já pesaroso, voltando a si dos maus pensamentos que havia abrigado por um instante — mas resolvi depois instalarmo-nos em Cafarnaum, contrariando as últimas decisões...

E tomando a mão da companheira, como se buscasse um bálsamo para a alma ferida, sussurrou-lhe de manso:

— Lívia, és tudo que me resta neste mundo!... Nossos filhos são flores da tua alma, que os deuses nos deram para minha alegria!... Perdoa-me, querida... Há quanto tempo tenho vivido absorto e taciturno, esquecendo o teu coração sensível e carinhoso! Parece-me estar despertando agora de um sono muito doloroso e muito profundo, mas despertando com a alma receosa e oprimida. Andam-me, no íntimo, amargurados vaticínios... Temo perder-te, quando quisera encerrar-te no peito, guardando-te no coração eternamente... Perdoa-me...

Enquanto ela o contemplava surpresa, seus lábios sequiosos lhe cobriam as mãos de beijos ardentes. E não foram apenas os ósculos afetuosos que brotaram nesse transbordamento de carinhos. Uma lágrima lhe gotejou dos olhos cansados, misturando-se às flores da sua afeição.

— Que é isso, Publius? Choras? — exclamou Lívia enternecida e angustiada.

— Sim! Sinto os gênios do mal cercando-me o coração e a mente. Meu íntimo está povoado de visões sombrias, prenunciando o fim da nossa felicidade, mas eu sou um homem e sou forte... Querida, não me negues a tua mão para atravessarmos juntos o caminho da vida, porque, contigo, vencerei o próprio impossível!...

Ela estremeceu em face dessas observações, que lhe não eram familiares. Num relance, retrocedeu à noite anterior, considerando o atrevimento do governador, que dignamente repelira, experimentando, ao lado da aflição pelo companheiro, soberana tranquilidade de consciência e, tomando ligeiramente as mãos do esposo, levou-o a um canto do terraço, onde se postou à frente de uma harpa harmoniosa e antiga, cantando baixinho, como se a sua voz, naquela noite, fosse o gorjeio de uma cotovia apunhalada:

Alma gêmea da minha alma,
Flor de luz da minha vida,
Sublime estrela caída
Das belezas da amplidão!...

Quando eu errava no mundo
Triste e só, no meu caminho,
Chegaste, devagarinho,
E encheste meu coração.

Vinhas na bênção dos deuses,
Na divina claridade,
Tecer-me a felicidade,
Em sorrisos de esplendor!...
És meu tesouro infinito,
Juro-te eterna aliança,
Porque eu sou tua esperança,
Como és todo o meu amor!

Tratava-se de uma composição dele, na mocidade, tão ao gosto da juventude romana, dedicada a ela própria, e que o seu talento musical guardava sempre, para circunstâncias especiais do seu sentimento.

Naquele instante, porém, sua voz tinha tonalidades diferentes, como se houvera encerrado na garganta uma toutinegra divina, exilada dos prados brilhantes do paraíso.

Na última nota, tocada de tristeza e angústia indefiníveis, Publius tomou-a brandamente de encontro ao peito, forte e resoluto, como se quisesse reter para sempre, no coração, a sua joia de inimaginável pureza.

Agora, era Lívia a chorar copiosamente nos braços do companheiro, e este a beijá-la nos transportes de sua alma leal e, por vezes, impulsiva.

Depois daquele arroubo emotivo, Publius sentiu-se desanuviado e satisfeito.

— Por que não regressarmos a Roma quanto antes? — perguntou Lívia, como se o seu espírito estivesse clarificado por luzes proféticas, com relação aos dias futuros. — Junto dos filhinhos retomaríamos nossas obrigações habituais, cientes de que a luta e o sofrimento estão em todos os lugares e de que toda alegria significa, neste mundo, uma bênção dos deuses!...

O senador ponderou a proposta da companheira, estabelecendo a análise de toda a situação no seu íntimo, obtemperando, por fim:

— Tua observação é justa e providencial, minha querida, mas que diriam os nossos amigos quando soubessem que, depois de tantos sacrifícios com a viagem, havíamos resolvido a permanência de apenas uma semana em região tão distante? E a nossa doentinha? Seu organismo não tem reagido de modo eficaz, em contato com o novo clima? Estejamos confiantes e tranquilos. Apressarei a partida para Cafarnaum e, em breves dias, estaremos em novo ambiente, segundo os nossos desejos.

Assim aconteceu, efetivamente.

Reagindo às vibrações perniciosas do meio, Publius Lentulus providenciava a solução de todos os problemas atinentes à mudança, fazendo ouvidos moucos às indiretas de Fúlvia, enquanto Lívia, escudando-se na superioridade de sua alma, buscava insular-se dentro do pequeno mundo de amor dos dois filhinhos, fugindo à presença do governador, que não desistira dos seus assédios, e junto de quem a figura nobre de Cláudia sabia despertar, em todos, a mais sincera simpatia.

Duas servas foram admitidas ao serviço do casal, na perspectiva de sua transferência para Cafarnaum; não que fossem indispensáveis ao desdobramento das atividades domésticas, em face dos servos numerosos trazidos de Roma. Contudo, o senador examinara a utilidade dessa providência, considerando que ele e a família viriam a necessitar de um contato mais direto com os costumes e dialetos do povo, reconhecida a circunstância de que ambas conheciam a Galileia.

Ana e Sêmele, recomendadas por amigos do pretor, foram recebidas ao serviço de Lívia, que as acolheu com bondade e simpatia.

Trinta dias se passaram nos preparativos da projetada viagem.

Sulpício Tarquinius, estimulado pelas vantagens dos próprios interesses materiais, não perdeu ensanchas de captar a plena confiança do senador, organizando a propriedade com minúcias de atenção e gentileza, provocando o contentamento e o elogio de todos.

Nas vésperas da partida, Publius Lentulus compareceu ao gabinete de Pilatos, para o agradecimento das despedidas.

Depois de saudá-lo cordialmente, exclamou o governador com forçada jovialidade:

— É pena, caro amigo, que as circunstâncias o conduzam para Cafarnaum, quando esperava ter a satisfação de retê-lo nas vizinhanças de nossa casa, em Nazaré.

Todavia, enquanto permanecer na Galileia, em vez de minhas habituais visitas a Tiberíades, procurarei o norte para nos avistarmos.

Publius manifestou-lhe sua gratidão e reconhecimento e, quando se preparava para sair, o procurador da Judeia continuou, em tom afetuoso e conselheiral:

— Senador, não só como responsável pela situação dos patrícios na província, como também na qualidade de amigo sincero, não posso deixá-lo partir à mercê do acaso, tão somente na companhia de escravos e servos de confiança. Acabo de designar Sulpício, homem que me merece inteira confiança, para dirigir os serviços de segurança que vos são devidos. Além dele, mais um lictor e alguns centuriões partirão para Cafarnaum, onde permanecerão às suas ordens.

Publius agradeceu cortesmente, sentindo-se confortado com o oferecimento, embora a pessoa do governador lhe causasse pouca simpatia íntima.

Afinal, terminados os aprestos de viagem, a compacta caravana se pôs em movimento, atravessando os territórios de Judá e as montanhas verdes da Samaria, em demanda da sua estação de destino.

Alguns dias foram gastos através das estradas que contornam muitas vezes as águas leves e límpidas do Jordão.

Prestes a chegar a Cafarnaum, à distância de meio quilômetro de caminho, entre árvores frondosas, junto ao lago de Genesaré, uma herdade imponente aguardava as nossas personagens para a sua estação de repouso.

Sulpício Tarquinius desvelara-se nas mais íntimas minudências, no que dizia com o bom gosto da época.

A propriedade estava situada em pequena elevação de terreno, rodeada de árvores frutíferas dos climas frios, pois, há dois mil anos, a Galileia, hoje transformada em poeirento deserto, era um paraíso de verdura. Nas suas paisagens maravilhosas, desabrochavam flores de todos os climas. Seu lago imenso, formado pelas águas cristalinas do rio sagrado do Cristianismo, era talvez a mais piscosa bacia em todo o mundo, descansando as suas vagas mansas e preguiçosas ao pé dos arbustos ricos de seiva, cujas raízes se tocavam do perfume agreste dos eloendros e das flores silvestres. Nuvens de aves cariciosas cobriam, em bandos compactos, aquelas águas feitas de um prodigioso azul-celeste, hoje encarceradas entre rochedos adustos e ardentes.

Ao norte, as eminências nevosas do Hermon figuravam-se em linhas alegres e brancas, divisando-se ao ocidente as alevantadas planícies da Gaulanítida e da Pereia, envolvidas de sol, formando, juntas, um grande socalco que se alonga de Cesareia de Filipe para o sul.

Uma vegetação maravilhosa e única, operando a emanação incessante do ar mais puro, temperava o calor da região, onde o lago se localiza, muito abaixo do nível do Mediterrâneo.

Publius e sua mulher sentiram uma onda de vida nova, que seus pulmões aspiravam a longos haustos.

Entretanto, o mesmo não acontecia à pequenina Flávia, cujo estado geral piorava ao extremo, contra todas as previsões.

Agravaram-se as feridas que lhe cobriam o corpo magrinho e a pobre criança não conseguia mais arredar pé do leito, onde se conservava em profunda prostração.

Acentuava-se, desse modo, a angústia paterna que, embalde, recorreu a todos os recursos para melhorar as condições da doentinha.

Um mês havia transcorrido em Cafarnaum, onde, mais em contato com os dialetos do povo, já não lhes era desconhecida a fama das obras e das pregações de Jesus.

Vezes inúmeras, pensou Publius em dirigir-se ao taumaturgo, a fim de solicitar a sua intervenção a favor da filhinha, atendendo a um apelo secreto do coração. Reconhecia no íntimo, porém, que semelhante atitude representava humilhação para a sua posição política e social, aos olhos dos plebeus e vassalos do Império, examinando as consequências que poderiam advir de tal procedimento.

Não obstante essas ponderações, permitia que numerosos servos de sua casa assistissem, aos sábados, às pregações do Profeta de Nazaré, inclusive Ana, que se tomara de respeitosa veneração por aquele a quem os humildes chamavam Mestre.

Dele teciam os escravos as mais encantadoras histórias, nas quais o senador nada via, além dos arrebatamentos instintivos da alma popular, se bem não deixasse de o surpreender a opinião lisonjeira de um homem como Sulpício.

Uma tarde, porém, os padecimentos da pequenina haviam atingido o auge. Além das feridas que, de muitos anos, se haviam multiplicado no corpinho gracioso, outras úlceras surgiram nas regiões da epiderme, antes violáceas, transformando-lhe os órgãos delicados numa pústula viva.

Publius e Lívia, intimamente consternados, aguardavam um fim próximo.

Nesse dia, após o jantar muito simples, Sulpício demorou-se até mais tarde, a pretexto de confortar o senador com a sua presença.

É assim que vamos encontrá-los ambos no terraço espaçoso, onde Publius lhe fala nestes termos:

— Meu amigo, que me diz desses rumores aqui propalados acerca do Profeta de Nazaré? Habituado a não dar ouvidos à palavra ignorante do povo, gostaria de ouvir novamente as suas impressões sobre esse homem extraordinário.

— Ah, sim! — diz Sulpício, como quem se esforça por se lembrar de alguma coisa —, intrigado com aquela cena que há tempos presenciei e que tive ocasião de relatar na residência do governador, tenho procurado seguir as atividades desse homem, na medida das minhas possibilidades de tempo.

"Alguns compatrícios nossos o têm na conta de visionário, opinião que compartilho no que se refere às suas prédicas, cheias de parábolas incompreensíveis, mas não no que respeita às suas obras, que nos tocam o coração.

"O povo de Cafarnaum anda maravilhado com os seus milagres e posso assegurar-vos que, em torno dele, já se formou uma comunidade de discípulos dedicados, que se dispõem a segui-lo por toda parte."

— Mas, afinal, que ensina Ele às multidões? — perguntou Publius interessado.

— Prega alguns princípios que ferem as nossas mais antigas tradições, como, por exemplo, a doutrina do amor aos próprios inimigos e a fraternidade absoluta entre todos os homens. Exorta os ouvintes a buscarem o Reino de Deus e a sua Justiça, mas não se trata de Júpiter,[11] o senhor de nossas divindades; ao contrário, fala de um Pai misericordioso e compassivo, que nos segue do Olimpo e para quem estão patentes as nossas ideias mais secretas. De outras vezes, o Profeta de Nazaré se expressa acerca desse Reino do Céu com apólogos interessantes e incompreensíveis, nos quais há reis e príncipes criados pela sua imaginação sonhadora, que nunca poderiam ter existido.

"O pior, todavia" — rematou Sulpício, emprestando grave entono às palavras —, "é que esse homem singular, com esses princípios de um novo reino, avulta na mentalidade popular como um príncipe surgido para reivindicar prerrogativas e direitos dos judeus, dos quais, talvez, queira assumir a direção algum dia..."

— Que providência adotam as autoridades da Galileia, no exame dessas ideias revolucionárias? — obtemperou o senador com maior interesse.

---

[11] N.E.: Rei dos deuses, soberano do Monte Olimpo e deus do céu e do trovão. Corresponde a Zeus na Mitologia grega.

— Aparecem já os primeiros indícios de reação, por parte dos elementos mais ligados a Ântipas.[12] Há alguns dias, quando passei por Tiberíades, notei que se formavam algumas correntes de opinião, no sentido de levar o assunto à consideração das altas autoridades.

— Bem se vê — exclamou o senador — que se trata de simples homem do povo, a quem o fanatismo dos templos judaicos encheu de pruridos de reivindicações injustificáveis. Suponho que a autoridade administrativa nada tem a recear de semelhante pregador, mestre de uma humildade e fraternidade incompatíveis com as conquistas contemporâneas. Por outro lado, ao ouvir de tua boca a descrição dos seus feitos, sinto que esse homem não pode ser criatura tão vulgar, como vimos supondo.

— Desejaríeis conhecê-lo mais de perto? — perguntou Sulpício atencioso.

— De modo algum — respondeu Publius, alardeando superioridade. — Tal cometimento de minha parte viria quebrar a compostura dos deveres que me competem como homem de Estado, desmoralizando-se minha autoridade perante o povo. Aliás, considero que os sacerdotes e pregadores da Palestina deveriam fazer estágios de trabalho e de estudo, na sede do governo imperial, a fim de renovar-se esse espírito de profetismo que aqui se observa em toda parte. Em contato com o progresso de Roma, haveriam de reformar suas concepções íntimas acerca da vida, da sociedade, da religião e da política.

Enquanto os dois mantêm essa palestra sobre a personalidade e os ensinos do Mestre de Nazaré, penetremos no interior da casa.

No quarto da doentinha, vamos encontrar Lívia e Ana pensando as feridas que cobriam a epiderme da pequenina enferma, agora transformadas em uma só úlcera generalizada.

Ana, coração bondoso e meigo, pouco mais velha que sua senhora, se havia transformado em companheira predileta, no círculo dos seus afazeres domésticos. Naquele deserto de corações, era naquela serva inteligente e afetuosa que a alma sensível de Lívia encontrara um oásis para as confidências e lutas de cada dia.

— Ah! senhora — exclamava a serva, com sincero carinho a lhe transparecer dos olhos e dos gestos —, guardo no coração profunda fé nos milagres do Mestre, acreditando mesmo que, se levássemos esta criança

---

[12] N.E.: Herodes Ântipas, tetrarca da Galileia e da Pereia. Conhecido por meio dos relatos do Novo Testamento por seu papel nos eventos que levaram às execuções de João Batista e Jesus de Nazaré.

para receber a bênção de suas mãos, sarariam as chagas e ela ressurgiria para o seu amor maternal... Quem sabe?

— Infelizmente — respondeu Lívia com ponderação e tristeza — eu não me atreveria a lembrar essa providência, consciente de que Publius haveria de recusá-la, dada a nossa posição social, mas, francamente, desejaria ver esse homem caridoso e extraordinário de que sempre me falas.

— Ainda no último sábado, senhora — respondeu a serva, animada pelas palavras de simpatia que acabava de ouvir —, o Profeta de Nazaré recebeu nos braços numerosas crianças.

"Ao sair da barca de Simão, nós o esperávamos em massa, para lhe beber os ensinos consoladores. Precipitamo-nos para Ele, ansiosos todos de receber ao mesmo tempo os sagrados eflúvios da sua presença confortadora, mas, nesse dia, muitas mães compareceram à prédica, conduzindo os filhinhos que se confundiam em algazarra ensurdecedora, como um bando de passarinhos inconscientes. Simão e mais alguns discípulos começaram a repreender severamente os meninos, a fim de que não perdêssemos o encanto suave e doce das palavras do Mestre. Mas, quando menos esperávamos, sentou-se Ele na pedra costumeira e exclamou com indizível ternura: 'Deixai vir a mim os pequeninos, porque o Reino do Céu lhes pertence'.[13] Houve, então, prodigioso silêncio entre os ouvintes de Cafarnaum e os peregrinos que haviam chegado de Corazim e de Magdala, enquanto aqueles petizes trêfegos acorreram ao seu regaço amoroso, beijando-lhe a túnica com indefinível alegria.

"Muitas crianças eram enfermas que as mães conduziam às pregações do lago, para que se curassem de mazelas antigas, ou de doenças consideradas incuráveis..."

— O que me contas é de uma beleza edificante — exclamou Lívia profundamente emocionada —, entretanto, possuindo à mão todos os recursos materiais, sinto que não poderei receber os altos benefícios do teu Mestre.

— E é pena, senhora, porque muitas mulheres de posição o acompanham na cidade. Não somos apenas os mais humildes que compareçemos às suas predicações, mas numerosas senhoras de destaque em Cafarnaum, esposas de funcionários de Herodes e de publicanos, assistem às lições carinhosas do lago, confundindo-se com os pobres e os escravos. E o profeta não desdenha a ninguém. A todos convida para o Reino de Deus e sua justiça.

---

[13] N.E.: *Lucas*, 18:16.

Contrariamente a todos os enviados do Céu, que conhecemos, Ele se esquiva dos favorecidos da sorte, para manter relações com as criaturas mais infelizes, considerando a todos como irmãos muito amados do seu coração...

Lívia escutava a palavra da serva com atenção e embevecimento. A figura daquele homem, famoso e bom, exercia atração singular no seu espírito.

E, enquanto seus grandes olhos expressavam o maior interesse pelas narrações encantadoras e simples da serva leal, não reparavam ambas que a doentinha as acompanhava com aguçada curiosidade, característica das almas infantis, não obstante a febre alta que lhe devorava o organismo.

Neste comenos, o senador, após as despedidas de Sulpício, busca o apartamento da pequena enferma, satisfazendo à sua ansiedade paternal.

Diante dele, calam-se as duas mulheres, entregando-se tão somente aos afazeres que as retinham junto ao leito da pequenina, agora gemendo dolorosamente.

Publius Lentulus debruçou-se sobre o leito da filha, com os olhos rasos de pranto.

Brincou com as suas mãozinhas mirradas e feridas, fazendo-lhe festas, com o coração tocado de infinita amargura.

— Filhinha, que queres hoje para dormir melhor? — perguntou com a voz estrangulada, arrancando lágrimas dos olhos de Lívia.

"Comprar-te-ei muitos brinquedos e muitas novidades... Dize ao papai o que desejas..."

Copioso suor empastava as excrescências ulcerosas da doentinha, que deixava transparecer angustiosa ansiedade. Notava-se-lhe grande esforço, como se estivesse realizando o impossível para responder à pergunta paterna.

— Fala, filhinha — murmurava Publius sufocado, observando-lhe o desejo de expressar qualquer resposta.

"Buscarei tudo que quiseres... Mandarei a Roma um portador, especialmente para trazer todos os teus brinquedos..."

Ao cabo de visível esforço, pôde a pequenina murmurar com voz cansada e quase imperceptível:

— Papai... eu quero... o Profeta... de Nazaré...

O senador baixou os olhos, humilhado e confundido em face do imprevisto daquela resposta, enquanto Lívia e Ana, como se fossem tocadas por força invisível e misteriosa, pelo inopinado da cena, esconderam o rosto inundado de pranto.

V
O Messias de Nazaré

O dia seguinte amanheceu trazendo as mais sérias preocupações a Publius e sua família.

Ainda cedo, vamos encontrá-lo em íntimo colóquio com a esposa, que se lhe dirige em voz súplice e afetuosa:

— Considero, querido, que devias atenuar um pouco os rigores da posição em que o destino nos colocou, procurando esse homem generoso, para benefício de nossa filha. Todos se referem às suas ações, empolgados por sua bondade edificadora, e eu acredito que o seu coração se apiedará da nossa desditosa situação.

O senador ouviu-a apreensivo e preocupado, exclamando afinal:

— Pois bem, Lívia; acederei aos teus desejos, mas só a angústia que nos vai na alma me faz transigir, de maneira tão rude, com os meus princípios.

"Não procederei, todavia, conforme sugeres. Irei sozinho à cidade, como se me encontrasse em hora de simples entretenimento, passando pelo trecho do caminho que nos conduz às margens do lago, sem chegar ao cúmulo de abordar pessoalmente o Profeta, de modo a não descer da minha dignidade social e política, e, no caso de sobrevir alguma circunstância favorável, far-lhe-ei sentir o prazer que nos causaria a sua visita, com o fim de reanimar a nossa doentinha."

— Muito bem! — disse Lívia entre confortada e agradecida — guardo na alma a mais sincera e profunda fé. Vai sim, querido!... Ficarei rogando a bênção dos céus para a nossa iniciativa. O Profeta, que agora surge como verdadeiro Médico das almas, saberá que atrás da tua posição de senador do Império, há corações que sofrem e choram!...

Publius notou que a esposa se exaltava nas suas considerações, deixando-se conduzir pelo que julgava um excesso de fraqueza e pieguismo, entretanto, nada lhe admoestou a respeito, em face das amarguras do momento, suscetível de desvairar o cérebro mais forte.

Deixou que as horas movimentadas do dia se escoassem com as claridades do poente e, quando o crepúsculo entornava as suas meias-tintas na paisagem maravilhosa, saiu, fingindo distração e alheamento, como se desejasse conhecer de perto a antiga fonte da cidade, motivo de atração para todos os forasteiros.

Após haver percorrido uns 300 metros de caminho, encontrou transeuntes e pescadores, que se recolhiam e o encaravam com mal disfarçada curiosidade.

Uma hora passou sobre as suas amargas cogitações íntimas.

Um velário imenso de sombras invadia toda a região, cheia de vitalidade e de perfumes.

Onde estaria o Profeta de Nazaré naquele instante? Não seria uma ilusão a história dos seus milagres e da sua encantadora magia sobre as almas? Não seria um absurdo procurá-lo ao longo dos caminhos, abstraindo-se dos imperativos da hierarquia social? Em todo caso, deveria tratar-se de homem simples e ignorante, dada a sua preferência por Cafarnaum e pelos pescadores.

Dando curso às ideias que lhe fluíam da mente incendiada e abatida, Publius Lentulus considerou dificílima a hipótese do seu encontro com o Mestre de Nazaré.

Como se entenderiam?

Não lhe interessara o conhecimento minucioso dos dialetos do povo e, certamente, Jesus lhe falaria no aramaico comumente usado na bacia de Tiberíades.

Profundas cismas entornavam-lhe do cérebro para o coração, como as sombras do crepúsculo que precediam a noite.

O céu, porém, àquela hora, era de um azul maravilhoso, enquanto as claridades opalinas do luar não haviam esperado o fechamento absoluto do leque imenso da noite.

O senador sentiu o coração perdido num abismo de cogitações infinitas, ouvindo-lhe o palpitar descompassado no peito opresso. Dolorosa emoção lhe compungia agora as fibras mais íntimas do espírito. Apoiara-se, insensivelmente, num banco de pedras enfeitado de silvas, e deixara-se ali ficar, sondando o ilimitado do pensamento.

Nunca experimentara sensação idêntica, senão no sonho memorável, relatado unicamente a Flamínio.

Recordava-se dos menores feitos da sua vida terrestre, afigurando-se-lhe haver abandonado, temporariamente, o cárcere do corpo material. Sentia profundo êxtase, diante da Natureza e das suas maravilhas, sem saber como expressar a admiração e reconhecimento aos poderes celestes, tal a clausura em que sempre mantivera o coração insubmisso e orgulhoso.

Das águas mansas do lago de Genesaré parecia-lhe emanarem suavíssimos perfumes, casando-se deliciosamente ao aroma agreste da folhagem.

Foi nesse instante que, com o espírito como se estivesse sob o império de estranho e suave magnetismo, ouviu passos brandos de alguém que buscava aquele sítio.

Diante de seus olhos ansiosos, estacara personalidade inconfundível e única. Tratava-se de um homem ainda moço, que deixava transparecer nos olhos, profundamente misericordiosos, uma beleza suave e indefinível. Longos e sedosos cabelos molduravam-lhe o semblante compassivo, como se fossem fios castanhos, levemente dourados por luz desconhecida. Sorriso divino, revelando ao mesmo tempo bondade imensa e singular energia, irradiava da sua melancólica e majestosa figura uma fascinação irresistível.

Publius Lentulus não teve dificuldade em identificar aquela criatura impressionante, mas no seu coração marulhavam ondas de sentimentos que, até então, lhe eram ignorados. Nem a sua apresentação a Tibério, nas magnificências de Capri, lhe havia imprimido tal emotividade ao coração. Lágrimas ardentes rolaram-lhe dos olhos, que raras vezes haviam chorado, e força misteriosa e invencível fê-lo ajoelhar-se na relva lavada em luar. Desejou falar, mas tinha o peito sufocado e oprimido. Foi quando, então, num gesto de doce e soberana bondade, o meigo Nazareno caminhou para ele, qual visão concretizada de um dos deuses de suas antigas crenças, e, pousando carinhosamente a destra em sua fronte, exclamou em linguagem encantadora, que Publius entendeu perfeitamente, como se ouvisse o idioma patrício, dando-lhe a inesquecível impressão de que a palavra era de espírito para espírito, de coração para coração:

— Senador, por que me procuras? — e, espraiando o olhar profundo na paisagem, como se desejasse que a sua voz fosse ouvida por todos os homens do planeta, rematou com serena nobreza — Fora melhor que me procurasses publicamente e na hora mais clara do dia, para que pudesses adquirir, de uma só vez e para toda a vida, a lição sublime da fé e da humildade... Mas Eu não vim ao mundo para derrogar as leis supremas da Natureza e venho ao encontro do teu coração desfalecido!...

Publius Lentulus nada pôde exprimir, além das suas lágrimas copiosas, pensando amargamente na filhinha, mas o Profeta, como se prescindisse das suas palavras articuladas, continuou:

— Sim... não venho buscar o homem de Estado, superficial e orgulhoso, que só os séculos de sofrimento podem encaminhar ao regaço de meu Pai; venho atender às súplicas de um coração desditoso e oprimido e, ainda assim, meu amigo, não é o teu sentimento que salva a filhinha leprosa e desvalida pela ciência do mundo, porque tens ainda a razão egoística e humana; é, sim, a fé e o amor de tua mulher, porque a fé é divina... Basta um raio só de suas energias poderosas para que se pulverizem todos os monumentos das vaidades da Terra...

Comovido e magnetizado, o senador considerou, intimamente, que seu espírito pairava numa atmosfera de sonho, tais as comoções desconhecidas e imprevistas que se lhe represavam no coração, querendo crer que os seus sentidos reais se achavam travados num jogo incompreensível de completa ilusão.

— Não, meu amigo, não estás sonhando... — exclamou meigo e enérgico o Mestre, adivinhando-lhe os pensamentos. — Depois de longos anos de desvio do bom caminho, pelo sendal dos erros clamorosos, encontras, hoje, um ponto de referência para a regeneração de toda a tua vida.

"Está, porém, no teu querer o aproveitá-lo agora, ou daqui a alguns milênios... Se o desdobramento da vida humana está subordinado às circunstâncias, és obrigado a considerar que elas existem de toda a natureza, cumprindo às criaturas a obrigação de exercitar o poder da vontade e do sentimento, buscando aproximar seus destinos das correntes do bem e do amor aos semelhantes.

"Soa para teu espírito, neste momento, um minuto glorioso, se conseguires utilizar tua liberdade para que seja ele, em teu coração, doravante, um cântico de amor, de humildade e de fé, na hora indeterminável da redenção, dentro da eternidade...

"Mas ninguém poderá agir contra a tua própria consciência, se quiseres desprezar indefinidamente este minuto ditoso!

"Pastor das almas humanas, desde a formação deste planeta, há muitos milênios venho procurando reunir as ovelhas tresmalhadas, tentando trazer-lhes ao coração as alegrias eternas do reinado de Deus e de sua justiça!..."

Publius fitou aquele homem extraordinário, cujo desassombro provocava admiração e espanto.

Humildade? Que credenciais lhe apresentava o Profeta para lhe falar assim, a ele senador do Império, revestido de todos os poderes diante de um vassalo?

Num minuto, lembrou a cidade dos césares, coberta de triunfos e glórias, cujos monumentos e poderes acreditava, naquele momento, fossem imortais.

— Todos os poderes do teu império são bem fracos e todas as suas riquezas bem miseráveis...

"As magnificências dos césares são ilusões efêmeras de um dia, porque todos os sábios, como todos os guerreiros, são chamados no momento oportuno aos tribunais da justiça de meu Pai que está no Céu. Um dia, deixarão de existir as suas águias poderosas, sob um punhado de cinzas misérrimas. Suas ciências se transformarão ao sopro dos esforços de outros trabalhadores mais dignos do progresso, suas leis iníquas serão tragadas no abismo tenebroso destes séculos de impiedade, porque só uma lei existe e sobreviverá aos escombros da inquietação do homem — a lei do amor, instituída por meu Pai, desde o princípio da Criação...

"Agora, volta ao lar, consciente das responsabilidades do teu destino...

"Se a fé instituiu na tua casa o que consideras a alegria com o restabelecimento de tua filha, não te esqueças que isso representa um agravo de deveres para o teu coração, diante de nosso Pai Todo-Poderoso!..."

O senador quis falar, mas a voz tornara-se-lhe embargada de comoção e de profundos sentimentos.

Desejou retirar-se, porém, nesse momento, notou que o Profeta de Nazaré se transfigurava, de olhos fitos no céu...

Aquele sítio deveria ser um santuário de suas meditações e de suas preces, no coração perfumado da Natureza, porque Publius adivinhou que

Ele orava intensamente, observando que lágrimas copiosas lhe lavavam o rosto, banhado então por uma claridade branda e misericordiosa, evidenciando a sua beleza serena e indefinível melancolia...

Nesse instante, contudo, suave torpor paralisou as faculdades de observação do patrício, que se aquietou estarrecido.

Deviam ser 21 horas, quando o senador sentiu que despertava.

Leve aragem acariciava-lhe os cabelos e a Lua entornava seus raios argênteos no espelho carinhoso e imenso das águas.

Guardando na memória os mínimos pormenores daquele minuto inesquecível, Publius sentiu-se humilhado e diminuído, em face da fraqueza de que dera testemunho diante daquele homem extraordinário.

Uma torrente de ideias antagônicas represava-se-lhe no cérebro, acerca de suas admoestações e daquelas palavras agora arquivadas para sempre no âmago da sua consciência.

Também Roma não possuía os seus bruxos e feiticeiros? Buscou rememorar todos os dramas misteriosos da cidade distante, com as suas figuras impressionantes e incompreensíveis.

Não seria aquele homem uma cópia fiel dos magos e adivinhos que preocupavam igualmente a sociedade romana?

Deveria ele, então, abandonar as suas mais caras tradições de pátria e família para tornar-se um homem humilde e irmão de todas as criaturas? Sorria consigo mesmo, na sua presumida superioridade, examinando a inanidade daquelas exortações que considerava desprezíveis. Entretanto, subiam-lhe do coração ao cérebro outros apelos comovedores. Não falara o Profeta da oportunidade única e maravilhosa? Não prometera, com firmeza, a cura da filhinha à conta da fé ardente de Lívia?

Mergulhado nessas cogitações íntimas, abriu cautelosamente a porta da residência, encaminhando-se ansioso ao quarto da enferma e, oh! suave milagre! a filhinha repousava nos braços de Lívia, com absoluta serenidade.

Sobre-humana e desconhecida força mitigara-lhe os padecimentos atrozes, porque seus olhos deixavam entrever uma doce satisfação infantil, iluminando-lhe o semblante risonho. Lívia contou-lhe, então, cheia de júbilo maternal, que, em dado momento, a pequenina dissera experimentar na fronte o contato de mãos carinhosas, sentando-se em seguida no leito, como se uma energia misteriosa lhe vitalizasse o organismo de maneira imprevista. Alimentara-se, a febre desaparecera contra todas as expectativas;

ela já revelava atitudes de convalescente, palestrando com a mãezinha, com a graça espontânea da sua meninice.

Terminado o relato, a jovem senhora concluiu com entusiasmo:

— Desde que saíste, eu e Ana oramos com fervor junto da nossa doentinha, implorando ao Profeta que atendesse ao teu apelo, ouvindo os nossos rogos e, agora, eis que a nossa filhinha se restabelece!... Poderá, querido, haver felicidade maior do que esta?... Ah! Jesus deve ser um emissário direto de Júpiter, enviado a este mundo em gloriosa missão de amor e de alegria para todas as almas!...

Ana, porém, que escutava comovida, interveio num gesto espontâneo e incoercível, oriundo da grata satisfação daquele momento:

— Não, minha senhora!... Jesus não vem da parte de Júpiter. Ele é o Filho de Deus, seu Pai e nosso Pai que está nos céus, e cujo coração está sempre cheio de bondade e misericórdia para todos os seres, conforme o Mestre nos ensina. Louvemos, pois, o Todo-Poderoso, pela graça recebida, agradecendo a Jesus com uma prece de humildade...

Publius Lentulus acompanhou a cena, em silêncio, intimamente contrariado, com o verificar a intimidade estreita de sua mulher com uma simples serva da casa. Observou, com profundo desagrado, não só a espontaneidade da gratidão entusiástica de Lívia, como a intromissão de Ana na conversa, o que considerava ousadia. Num relance, mobilizou todas as reservas do seu orgulho para restabelecer a disciplina interna da sua casa, e, retomando o aspecto altivo da sua expressão fisionômica, dirigiu-se secamente à esposa.

— Lívia, torna-se preciso que te coíbas destes arrebatamentos! Afinal, não vejo nada de extraordinário no que acaba de ocorrer. Nada tem faltado à nossa doente, no tocante ao tratamento e cuidados necessários, e era lógico que esperássemos uma reação salutar do organismo, em face da nossa continuada assistência.

"Quanto a ti, Ana" — disse, voltando-se com arrogância para a serva intimidada —, "acredito já cumprida a missão que te fazia demorar neste quarto, porquanto, considerando as melhoras da menina, não vejo necessidade da tua permanência junto da patroa, que trouxe de Roma as servas do seu serviço pessoal."

Ana fitou compungidamente a senhora, que mostrava no rosto os sinais evidentes da sua amargura pelo imprevisto daquelas palavras intempestivas, e, fazendo ligeira e respeitosa mesura, saiu do aposento onde havia empregado as melhores energias da sua fraternal abnegação.

— Que é isso, Publius? — perguntou Lívia profundamente comovida.

— Justamente agora, quando deveríamos mostrar à dedicada serva a alegria do nosso reconhecimento, procedes com semelhante aspereza?

— Tuas infantilidades obrigam-me a fazê-lo. Que dirão da matrona que se dá de alma aberta às suas escravas mais humildes? Como se haverá o teu coração com estes excessos de confiança? Noto com desgosto que entre nós existem, agora, profundas divergências. Por que essa demasiada confiança no Profeta de Nazaré, quando Ele não é superior aos magos e feiticeiros de Roma? E, além disso, onde colocas as tradições de nossas divindades familiares, se não sabes guardar a fé em torno do altar doméstico?

— Não concordo contigo, querido, nestas ponderações. Tenho plena convicção de que a nossa Flávia foi curada por esse homem extraordinário... No instante de sua melhora súbita, quando ela nos falava das mãos sublimadas que a acariciavam, vi, com os meus olhos, que o leito da doentinha estava saturado de luz diferente, como nunca havia visto, até então...

— Luz diferente? Certo desvairas, depois de tantas fadigas; ou então estás contagiada das alucinações deste povo de fanáticos, em cujo seio tivemos a pouca sorte de cair...

— Não, meu amigo, não se trata de desvario. Não obstante as tuas palavras, que reconheço partidas do coração que mais adoro e admiro na Terra, tenho a certeza de que o Mestre de Nazaré acaba de curar nossa filhinha; e, quanto a Ana, querido, acho injusta a tua atitude, aliás, em desacordo com a tua proverbial generosidade com os servos de nossa casa. Não podemos nem devemos esquecer que ela tem sido de uma dedicação a toda prova, junto de mim e de nossa filha, nestes lugares ermos. Outras podem ser as suas crenças, mas presumo que a sua conduta honesta e santificante só pode honrar o serviço de nossa casa.

O senador considerou a elevação dos conceitos da mulher, sentindo-se arrependido do seu ato de impulsividade, e capitulou diante do bom senso daquelas palavras.

— Está bem, Lívia, aprecio-te a nobreza do coração e estimarei a continuidade de Ana nos teus serviços privados, mas não transijo no caso da cura de nossa filhinha. Não admito que se atribua ao mago de Nazaré o restabelecimento da mesma. Quanto ao mais, deverás lembrar, sempre, que me apraz saber só a mim reservada a tua confiança e intimidade. A servos ou desconhecidos não deve o patrício, e com especialidade a matrona romana, abrir as portas do coração.

— Sabes como acato as tuas ordens — disse-lhe a esposa mais confortada, dirigindo-lhe um olhar carinhoso e agradecido — e peço-te perdoar-me se te ofendi a alma generosa e sensível!...

— Não, minha querida, se existe aqui um problema de perdão, sou eu quem devo pedi-lo, mas não desconheces que esta região me atormenta e apavora. Sinto-me confortado, reconhecendo a reação benéfica da natureza orgânica da nossa filhinha, porque isto significa o nosso regresso a Roma em tempo breve. Esperaremos, apenas, mais alguns dias, e amanhã mesmo pedirei a Sulpício iniciar as providências para a nossa volta.

Lívia concordou com as observações do marido, acariciando a filhinha reanimada e refeita do abatimento profundo que a prostrara por espaço de muitos dias. Intimamente, agradecia, satisfeita, a Jesus, pois falava-lhe o coração que o acontecimento era uma bênção que o Pai dos céus lhe enviara ao espírito maternal, por meio das mãos caridosas e santas do Mestre.

Publius, contudo, obedecendo ao impulso de suas vaidades pessoais, não desejava recordar a figura extraordinária que tivera ante os olhos deslumbrados. Arquitetava castelos de teorias na sua imaginação superexcitada, para afastar a interferência direta daquele homem no caso da cura da filhinha, respondendo, assim, às objeções do seu próprio espírito de observador e analista meticuloso.

Não podia esquecer que o Profeta o envolvera em forças ignoradas, emudecendo-lhe a voz e fazendo-o ajoelhar-se, doendo-lhe ao orgulho despótico essa circunstância, considerada como dolorosa humilhação.

Ideias martirizantes povoavam-lhe o cérebro exausto de tantas lutas interiores e, depois de uma invocação aos gênios protetores da família, no altar doméstico, buscou repousar das amargas fadigas íntimas.

Naquela noite, todavia, sua alma experimentava as mesmas recordações da existência pregressa, nas asas cariciosas do sonho.

Viu-se vestido com as mesmas insígnias de cônsul ao tempo de Cícero, reviu as atrocidades praticadas por Publius Lentulus Sura, sua expulsão do Consulado, as reuniões secretas de Lucius Sergius Catilina, as perversidades revolucionárias, sentindo-se de novo levado à presença daquele mesmo tribunal de juízes austeros e venerandos, que no sonho anterior lhe haviam notificado o seu renascimento na Terra, em época de grandes claridades espirituais.

Diante daqueles magistrados veneráveis, ostentando togas alvas de neve, experimentou amarga sensação de angústia, batendo-lhe descompassadamente o coração.

O mesmo juiz respeitável levantou-se, no ambiente sublimado de luzes espirituais, exclamando:

— Publius Lentulus, por que desprezaste o minuto glorioso, com o qual poderias ter comprado a hora interminável e radiosa da tua redenção na eternidade?

"Estiveste, esta noite, entre dois caminhos — o do servo de Jesus e o do servo do mundo. No primeiro, o jugo seria suave e o fardo leve, mas escolheste o segundo, no qual não existe amor bastante para lavar toda a iniquidade... Prepara-te, pois, para trilhá-lo com valorosa coragem, porque preferiste o caminho mais escabroso, em que faltam as flores da humildade, para atenuar o rigor dos espinhos venenosos!...

"Sofrerás muito, porque nessa estrada o jugo é inflexível e o fardo pesadíssimo, mas agiste com liberdade de consciência, no jogo amplo das circunstâncias de tua vida... Conduzido a uma oportunidade maravilhosa, perseveraste no propósito de percorrer a via amarga e dolorosa das provações mais ríspidas e mais agudas.

"Não te condenamos, para tão somente lamentar o endurecimento do teu espírito em face da verdade e da luz! Retempera todas as fibras do teu eu, pois enorme há de ser, doravante, a tua luta!..."

Ouvia, atento, aquelas exortações comovedoras, mas, nesse instante, despertou para as sensações da vida material, experimentando singular abatimento psíquico, a par de tristeza indefinível.

Ainda cedo, sua atenção foi reclamada por Lívia, que lhe apresentava a pequena Flávia convalescente e feliz. A epiderme como que se alisara, submetida a processo terapêutico desconhecido e maravilhoso, desaparecendo os tons violáceos que, anteriormente, precediam as rosas de chaga viva.

O senador recuperou alguma coisa da sua serenidade íntima, com o verificar as melhoras positivas da filhinha, que apertou amorosamente de encontro ao coração, exclamando mais tranquilo:

— Lívia, é bem verdade que ontem, à noite, estive com o chamado Mestre de Nazaré, mas, com a lógica da minha educação e dos meus conhecimentos, não posso admitir seja Ele o autor do restabelecimento de nossa filha.

E, de seguida, passou a relatar de modo superficial os acontecimentos que já conhecemos, sem referir, todavia, os pormenores que mais o impressionaram.

Lívia ouviu atenciosamente a narrativa, mas, notando-lhe as íntimas disposições para com o Profeta, que ela considerava criatura superior e venerável, não quis externar seu pensamento a respeito do assunto, receosa de um atrito de opiniões, inoportuno e injustificável. No seu coração, louvava e agradecia àquele Jesus carinhoso e compassivo, que lhe atendera às angustiosas súplicas maternais e, no imo da alma, acariciava a esperança de beijar-lhe a fímbria da túnica, com humildade, em testemunho do seu sincero reconhecimento, antes de regressar a Roma.

Quatro dias decorridos, a enferma apresentava sinais evidentes de seguro restabelecimento físico, dando motivo ao mais amplo júbilo de todos os corações.

Em radiosa manhã, vamos encontrar a jovem Lívia acalentando o filhinho, prestes a completar um ano, e instruindo a criada de nome Sêmele, de origem judia, designada para velar pela criancinha, tal o interesse que demonstrara pelo pequenino Marcus, desde o instante de sua admissão ao serviço. Em dado momento, exclama a serva, apontando para o largo caminho empedrado:

— Senhora, lá vêm dois cavaleiros desconhecidos, a todo galope.

Ouvindo-lhe a observação, Lívia pôde vê-los, igualmente, ao longo da estrada ampla, e logo se foi para o interior, a fim de prevenir o marido.

Efetivamente, daí a minutos estacavam à porta dois cavalos suados e ofegantes. Um homem trajado à romana, em companhia de um guia judeu, apeava rápido e bem-disposto.

Tratava-se de Quirilius, liberto de confiança de Flamínio Severus, que vinha, em nome do patrão, trazer a Publius e família algumas notícias e numerosas lembranças.

Essa surpresa amável encheu o dia de gratas recordações e sadios prazeres, motivando horas das mais inefáveis alegrias. O nobre patrício não esquecera os amigos distantes, e, entre as notícias confortadoras e considerável remessa de dinheiro, vieram doces lembranças de Calpúrnia, endereçadas a Lívia e aos dois filhinhos.

Naquele dia, Publius Lentulus ocupou-se tão somente de encher numerosos rolos de pergaminho, para mandar ao companheiro de luta notícias minuciosas de todas as ocorrências. Entre elas estava a boa-nova do restabelecimento da filhinha, atribuído ao clima adorável da Galileia. Como possuía naquele valoroso descendente dos Severus uma alma de irmão dedicado e fiel, a cujo coração jamais deixara de confiar as mais recônditas emoções do seu espírito, escreveu-lhe longa carta, em suplemento, com vistas ao Senado Romano, sobre a personalidade de Jesus Cristo, encarando-a serenamente, sob o estrito ponto de vista humano sem nenhum arrebatamento sentimental. E, por fim, Publius e Lívia anunciavam alegremente, aos seus amigos distantes, que retornariam a Roma possivelmente dentro de um mês, dado o perfeito restabelecimento da pequena Flávia.

Terminado o longo expediente, já era tarde, mas, nesse mesmo dia, ao cair da noite, quando os dois esposos se entretinham no triclínio a reler as doces palavras dos queridos ausentes, tecendo as esperanças risonhas do breve regresso, eis que Sulpício se faz anunciar em companhia de um mensageiro de Pilatos.

Atendendo-os no gabinete particular, o senador recebe a visita do emissário, que se lhe dirige respeitosamente, nestes termos:

— Ilustríssimo, o senhor governador da Judeia participa-vos haver chegado à sua residência dos arredores de Nazaré, onde espera o grato prazer de vossas ordens e notícias.

— Agradecido! — replicou Publius bem-humorado, acrescentando: — Ainda bem que o senhor procurador não está distante, ensejando-me pouca demora em Jerusalém, no meu regresso a Roma em breves dias!...

Algumas expressões protocolares foram trocadas, mas Publius Lentulus não reparou nas atitudes de Sulpício, que lhe deitava olhares significativos.

VI
O rapto

Ao tempo do Cristo, a Galileia era um vasto celeiro que abastecia quase toda a Palestina.

Nessa época, o formoso lago de Genesaré não apresentava nível tão baixo, como na atualidade. Todo o terreno circunvizinho era de regadio, em vista das fontes numerosas, dos canais e do serviço das noras que elevavam as águas, dando origem a uma vegetação luxuriante que enfeitava de frutos e enchia de perfumes aquelas paisagens paradisíacas.

O trigo, a cevada, as abóboras, as lentilhas, os figos e as uvas eram elementos de semeadura e colheita em todo o ano, dando à vida satisfação e abundância. Nas eminências da terra, misturando-se aos extensos vinhedos e olivais, elevavam-se palmeiras e tamareiras preciosas, cujos frutos eram os mais ricos da Palestina.

Em Cafarnaum, além dessas riquezas, prosperava a indústria da pesca, dada a abundância do peixe no então chamado "Mar da Galileia", o que resumia uma vida simples e tranquila. Mais que todos os outros povos dos centros galileus, o de Cafarnaum se destacava por sua beleza espiritual, despretensiosa e singela. Fervoroso e crente, aceitava a Lei de Moisés, mas estava muito longe das manifestações hipócritas do farisaísmo de Jerusalém. Foi em virtude dessa simplicidade natural e dessa fé espontânea e sincera que a paisagem de Cafarnaum serviu de palco às primeiras lições inesquecíveis e imortais do Cristianismo, em sua primitiva pureza. Ali encontrou Jesus o carinho amoroso e fiel de corações devotados e valorosos, e foi ali que o Mundo Espiritual encontrou os melhores elementos para a formação da escola inolvidável, onde o divino Mestre exemplificaria os seus ensinos.

Em todas as cidades da região havia sinagogas, para que as lições da Lei fossem ministradas aos sábados, dia que todos os indivíduos deveriam dedicar exclusivamente ao descanso do corpo e às meditações do espírito. Nessas pequenas sinagogas, franqueava-se a palavra a quantos desejassem utilizá-la, mas Jesus preferia o templo suave da Natureza para a difusão dos seus ensinos.

Todas as classes humildes acorriam às suas prédicas ao ar livre, cuja extraordinária e encantadora beleza seduzia os corações mais empedernidos.

Antiga convenção, entre os senhores, determinava o repouso dos servos no dia consagrado aos estudos da Lei, e os próprios romanos procuravam cultivar aquelas tradições regionais, buscando a simpatia do povo conquistado.

Nessa época, grande era a afluência dos escravos às pregações consoladoras do Messias de Nazaré.

Uma semana havia decorrido após o recebimento das notícias de Roma e, nesse sábado, às primeiras horas da tarde, vamos encontrar Lívia e Ana em conversação íntima e carinhosa.

— Sim — dizia a jovem patrícia à serva, que se encontrava em trajes de sair —, se te for possível, hoje, agradecerás de viva voz ao Profeta, em meu nome, já que me sinto tão feliz, graças à sua infinita bondade. E dize-lhe que, se eu puder, nas vésperas de partir para Roma, procurarei conhecê-lo, a fim de lhe beijar as mãos generosas, em testemunho do meu reconhecimento!...

— Não esquecerei vossas ordens e espero que possais ir até a casa de Simão para visitá-lo, antes de vos retirardes destes lugares... Ainda hoje — prosseguiu em tom confidencial — devo encontrar na cidade o velho tio Simeão, que veio de Samaria especialmente para receber a sua bênção e os seus ensinos. Não sei se a senhora sabe que entre os samaritanos e os galileus há rixas muito antigas, mas o Mestre, muitas vezes, nas suas lições de amor e fraternidade, tem louvado os primeiros pela sua caridade leal e sincera. Numerosos milagres já foram efetuados por Ele, na Samaria, e meu tio é um desses beneficiados que hoje virá receber a bênção de suas mãos consoladoras!...

Uma doce e comovente fé ungia a alma daquela mulher do povo, intensificando em Lívia o desejo de conhecer aquele homem extraordinário que sabia iluminar, com as suas graças, os corações mais ignorantes e mais singelos.

— Ana, espera um pouco — disse sensibilizada, dirigindo-se aos seus aposentos. E voltando com a fisionomia radiante, satisfeita por começar ali mesmo a sua fraternização cristã, deu à empregada algumas moedas, exclamando com a maior alegria:

— Leva este dinheiro ao tio Simeão, em meu nome... Ele veio de longe para ver o Messias e tem necessidade de recursos!

Ana recebeu a importância, que era de alguns denários, e agradeceu, radiante, aquela dádiva considerada como verdadeira fortuna e, daí a minutos, em companhia de Sêmele e outras companheiras, dirigiu-se pela estrada de Cafarnaum, em demanda do lago, onde aguardariam o cair da tarde, quando a barca de Simão Barjonas trouxesse o Messias para as pregações costumeiras.

Na cidade, seu primeiro cuidado foi correr a uma choupana pobre e antiga, onde o velho Simeão a estreitou carinhosamente nos braços, chorando de alegria. Grande júbilo alvoroçou em seguida aqueles corações desprotegidos da sorte, em face da generosa oferta de Lívia, a qual significava para eles um pequeno tesouro.

Deixando as companheiras no local do costume, em virtude daquela circunstância, Ana não pôde reparar que, logo após a sua ausência, Sêmele se retirou apressadamente em demanda de uma casa oculta entre oliveiras numerosas, ao fim de uma viela quase completamente abandonada.

Algumas pancadas na porta e uma senhora de boa aparência veio atendê-la solícita.

— Chegou o nosso amigo? — perguntou a empregada, fingindo despreocupação.

— Sim, o senhor André aqui está desde ontem, à sua espera. Faça o favor de esperar um pouco.

Daí a minutos, uma personagem de nosso conhecimento vinha ter com Sêmele, num dos ângulos da sala, abraçando-a com efusão, como se fosse pessoa de sua profunda estima.

Era André de Gioras, que vinha a Cafarnaum para o golpe de represália, favorecido por uma aliada que a sua sede de vindita conseguira colocar, em Jerusalém, na casa de Publius Lentulus, por uma sagacidade cruel.

Depois de longa palestra em voz muito baixa, ouçamos a serva do senador, que lhe fala nestes termos:

— Não há dúvida... Já consegui captar toda a confiança dos patrões e a simpatia do pequeno. Pode, pois, ficar tranquilo, porque o momento é oportuno, visto que o senador pretende voltar para Roma em breves dias!

— Infame! — exclamou André cheio de cólera. — Já pensa, então, no regresso? Muito bem!... Aquele maldito romano conseguiu escravizar para sempre o meu pobre filho, desatendendo às minhas súplicas paternas, mas há de pagar muito caro a sua ousadia de conquistador, porque seu filho há de ser um servo da minha casa! Um dia, hei de mostrar-lhe a minha desforra, provando-lhe que também sou um homem!...

Estas palavras, ele as disse entre dentes, em voz soturna, de olhos parados e brilhantes, como que se apostrofasse seres invisíveis e desconhecidos.

— Então, tudo pronto? — perguntou a Sêmele, denunciando uma resolução definitiva.

— Perfeitamente — respondeu a serva com a maior serenidade.

— Pois bem; de hoje a três dias irei até lá, a cavalo, nas primeiras horas da madrugada.

E entregando-lhe um frasco minúsculo, que ela ocultou cuidadosamente nas próprias vestes, continuou em voz abafada:

— Bastam 20 gotas para que a criança adormeça e não desperte senão ao fim de doze horas... Quando for noite alta, aplique-lhe a beberagem num pouco de água levemente misturada de vinho fraco e espere o meu sinal. Estarei nas proximidades da casa, que desde ontem fiquei conhecendo, a aguardar a preciosa carga. Abrigará você a criança adormecida, de tal maneira que o volume não denuncie o conteúdo, visto a alguma distância, e, como em assuntos dessa natureza há de contar com a possibilidade do testemunho de olhos estranhos, irei trajado à romana, esperando que você consiga vestir uma das túnicas da patroa, de modo a evitarmos que a culpa deste rapto venha a recair sobre alguém da nossa raça, caso surja alguma testemunha inoportuna e imprevista... Dado o sinal de minha presença na estrada que margina o pomar, virá você ter comigo, entregando-me o precioso fardo.

E, de olhos perdidos na visão antecipada da sua vingança, André de Gioras exclamou, cerrando os punhos:

— Se os malditos romanos nos escravizam os filhos, sem piedade, podemos também escravizar os seus desgraçados descendentes!... Os homens nasceram com iguais direitos neste mundo...

Ouvindo-lhe as palavras atenciosamente, objetou Sêmele algo amedrontada:

— E eu? Não acompanharei o pequenino Marcus na mesma noite?

— Seria grande imprudência. Você deverá ficar em Cafarnaum todo o tempo necessário, até que se percam todas as pistas do futuro senador, que não passará, aliás, de futuro escravo. Sua fuga seria indício seguro, agora ou mais tarde, e nós precisamos obstruir esse caminho certo.

"Como sabe, tenho parentes afortunados na Judeia, e não é demais esperar que um golpe da sorte me conceda o lugar proeminente a que aspiro, no Templo de Jerusalém. Não podemos, portanto, manter complicações com a justiça, podendo você ficar tranquila, pois, mais tarde, o seu esforço de hoje será largamente recompensado."

A serva suspirou resignada, acedendo a todas as sugestões daquele espírito vingativo.

Daí a horas, ao cair da noite, voltavam à herdade os servos de Publius, em palestra animada e alegre, comentando os pequeninos incidentes e preocupações do dia.

Sêmele não parecia preocupada, mesmo porque, havia muito, vinha sendo instruída pacientemente por André, de modo a colaborar decididamente naquele plano de vingança. Numerosos laços ligavam-na à família de Gioras, e, cooperando naquela trama sinistra em favor da desforra, mais não fazia, segundo supunha, que resgatar numerosas dívidas de ordem material.

Afinal, pensava ela consigo, liquidado o caso do pequenino, regressaria a Jerusalém quando muito bem lhe aprouvesse, consciente de haver cumprido um dever, obedecendo as tremendas exigências de André.

No dia seguinte, calculou todas as possibilidades de êxito do cometimento, e, na data aprazada, tomou todas as providências precisas.

A obtenção de uma túnica do uso particular de Lívia não lhe era difícil. A senhora as possuía em grande número e quase que diariamente Ana se incumbia de preparar as que se encontravam fora de seus apartamentos privados, para o necessário serviço de higiene; e foi assim que, burlando a dedicação e vigilância da colega, conseguiu Sêmele uma túnica elegante e discreta, da senhora, de modo a observar, integralmente, as advertências daquele de quem se fizera cúmplice.

Em casa, nunca o senador e sua mulher haviam vivido momentos de tanta paz e tantas esperanças, desde que chegaram à Palestina. A cura da filha era a doce felicidade de cada instante, ensejando os mais carinhosos planos de ventura para os dias do porvir.

Lívia já organizava todos os seus apetrechos de viagem, considerando que em poucos dias estariam no antigo porto de Jope, de regresso à metrópole querida.

Uma serenidade, que parecia imperturbável, descansava agora sobre o casal, fazendo-lhe os corações tranquilos e ditosos.

Publius havia esquecido totalmente as advertências do sonho, que considerava tão somente resultado da sua palestra impressionante com o Profeta de Nazaré, e o coração se lhe desanuviara, ponderando o valor dos poderes humanos, dentro da vaidade orgulhosa que lhe abafava todas as preocupações de ordem espiritual. Um pensamento único lhe dominava o coração — voltar a Roma, dentro de poucos dias.

Nessa noite, porém, iam desmoronar-se todas as suas esperanças e modificar-se, para sempre, as linhas do seu destino na Terra.

Quem conhecesse a trama urdida na sombra pelo espírito vingativo de André, depois da meia-noite poderia ouvir um longo silvo que se repetiu por três vezes, no soturno silêncio do arvoredo.

Um homem trajado à romana apeara de fogoso corcel, a alguns metros da casa, no largo caminho que separava a vegetação do campo das árvores frutíferas. Em seguida, uma porta abriu-se furtivamente e uma mulher trajada à moda patrícia veio ter com o cavaleiro que a esperava ansioso, depondo-lhe nas mãos, com o máximo cuidado, um embrulho volumoso.

— Sêmele — exclamou ele baixinho —, esta hora é decisiva em nossos destinos!

A serva de Lentulus nada pôde responder, sentindo o peito opresso.

Nesse instante, os atores de cena não observaram a aproximação de um homem que estacara, à distância de alguns passos, na espessura das ramagens sombrias.

— Agora — tornou a dizer o cavaleiro, antes de partir em desabalada carreira — não se esqueça que o silêncio é ouro e que, se algum dia você for ingrata, pode pagar com a vida a descoberta do nosso segredo!...

Dito isso, André de Gioras partiu precipitadamente, a largo trote, pelos caminhos ensombrados, levando consigo o volume para ele tão precioso.

A serva ainda o acompanhou com a vista por alguns instantes, entre assustada e compungida, recolhendo-se a passos cambaleantes.

Ambos não sabiam que os olhos de um caluniador são piores que os braços de um ladrão e que esses olhos os espreitavam na solidão da noite.

Era Sulpício que, por coincidência, se recolhia tarde naquela noite, surpreendendo a cena palidamente iluminada pelos raios da lua.

Observando, de longe, que um homem e uma mulher, trajados à romana, se encontravam na estrada em hora tão imprópria, amorteceu os passos de felino, entre as árvores, com o fim de identificá-los mais de perto.

A cena fora, todavia, muito rápida, chegando-lhe tão somente aos ouvidos as últimas palavras "nosso segredo", proferidas por André, na sua promessa odiosa e ameaçadora.

Em seguida, observou que a mulher, com a retirada do cavaleiro, regressava ao interior a passos vacilantes, como que presa de incoercível abatimento. Estugou então os passos para surpreendê-la, reparando-lhe o vulto a poucos metros de distância. Todavia, não se atreveu a aproximar-se, apenas identificando as características da vestimenta, à luz fraca da noite. Aquela túnica era-lhe conhecida. Aquela mulher, a seu ver, era Lívia, a única que podia trajar de tal modo, naquelas cercanias.

Num instante, suas ideias rápidas de homem experimentado nas piores ações do mundo, associaram fatos, personalidades e coisas. Lembrou, em seus íntimos pormenores, a cena que tivera ocasião de presenciar no jardim de Pilatos, crendo que a esposa de Publius se fizera amada pelo governador, cujo coração ela avassalara em poucos minutos, em virtude da sua peregrina beleza; recordou, por último, a estada do procurador da Judeia, em Nazaré, e concluiu, monologando:

— Um governador, na sua alta posição, não deixará, por isso, de ser um homem, e um homem é muito capaz de cobrir toda a noite, em boa montaria, uma distância como a que vai de Cafarnaum a Nazaré, para se encontrar com a mulher amada... Ora esta!... temos agora de prosseguir, observando um casal de apaixonados... O único acontecimento estranhável é a facilidade com que essa mulher, aparentemente tão austera, se deixou dominar dessa maneira! Mas como tenho os meus interesses com Fúlvia, vamos examinar o melhor modo de cientificar esse pobre homem que, senador, tão jovem e tão rico, é um marido tão desventurado!...

E depois de assim monologar cautelosamente, Sulpício recolheu-se intimamente satisfeito, por se ver dono da situação, já antegozando o instante em que faria Publius conhecedor do seu segredo, a fim de exigir mais tarde, em Jerusalém, o preço ignominioso da sua perversidade, segundo as promessas de Fúlvia.

O dia imediato constituiu dolorosa surpresa para o senador e sua mulher, aturdidos com o inopinado acontecimento.

Ninguém conhecia as circunstâncias em que se verificara o rapto da criança, no silêncio da noite.

Como louco, Publius Lentulus tomou todas as providências possíveis, junto às autoridades de Cafarnaum, sem lograr resultado favorável. Numerosos servos de sua confiança foram expedidos a fim de bater os arredores, improficuamente, e, enquanto o marido se multiplicava em ordens e providências, Lívia recolhia-se ao leito, tomada de indefinível angústia.

Sêmele, que fingia a mais profunda consternação, auxiliava os desvelos de Ana, junto da senhora, sucumbida de dor.

Naquela mesma tarde, Publius ordenou a Comênio, então com as honras de capataz de todos os trabalhos da herdade, a reunião geral dos servos da casa, a fim de que aprendessem no castigo severo, infligido aos escravos incumbidos do serviço noturno de vigilância, e, durante todas as horas do crepúsculo, trabalhou o açoite na carne de três homens robustos, que debalde imploravam clemência e misericórdia, protestando a sua inocência. Somente diante daquelas criaturas injustamente castigadas, considerou Sêmele a extensão do seu procedimento, mas, intimamente apavorada com as consequências que poderiam advir do delito, cobrou ânimo para ocultar, ainda mais, a culpa e o terrível segredo.

Prosseguiam as ações punitivas, até que Lívia, atormentada por aqueles gritos lancinantes e comovedores, se levantou com extrema dificuldade e, chamando o esposo a um canto da varanda, de onde ele assistia impassível ao horrível sacrifício daquelas míseras criaturas, falou-lhe súplice:

— Publius, basta de castigo para esses homens fracos e infelizes!... Não seria um excesso de rigor da nossa parte para com os nossos servos a causa de tão dolorosa punição dos deuses para conosco? Esses escravos não são também filhos de criaturas que muito os amaram neste mundo? Na minha angústia materna, considero que ainda possuímos direitos e recursos para manter junto de nós os filhinhos idolatrados, mas como será torturante o martírio da mãe de um desventurado, e que o vê arrebatado de seus braços carinhosos para ser vendido por ignóbeis mercadores de consciências humanas!...

— Lívia, o sofrimento sugeriu-te singulares desvarios do coração — exclamou o senador com serena energia.

"Como poderias pensar numa igualdade absurda de direitos, entre a cidadã romana e a serva miserável? Não vês que entre ti e a mãe de um cativo existem consideráveis diferenças de sentimento?"

— Penso que te enganas — revidou a esposa com intraduzível amargura —, porque os próprios animais possuem os mais elevados instintos, se tratando de maternidade...

"E ainda assim, querido, mesmo que eu não tivesse nenhuma razão, manda o raciocínio que examinemos a nossa posição de pais, para considerarmos que ninguém, mais que nós próprios, é passível de culpa pelo acontecido, visto que os filhos são um depósito sagrado dos deuses, que no-los confiam ao coração, impondo-nos como dever de cada minuto a multiplicação do carinho e vigilância necessários; se sofro amargamente, é por considerar o amor sublime que nos une aos filhos, sem poder atinar com a causa deste crime misterioso, sem poder imputar aos nossos servos a culpa desse tenebroso acontecimento..."

A voz de Lívia, porém, extinguia-se rapidamente. Um delíquio foi o resultado de suas palavras veementes, ao findar daquele dia de tantas e tão amarguradas emoções. Amparada pelas mãos carinhosas e desveladas de Ana, a pobre senhora recolheu-se ao leito com febre alta. Quanto a Publius, porque sentia que as verdades amargas da mulher lhe doíam fundo no coração, mandou cessar imediatamente o castigo, com alívio geral, recolhendo-se ao gabinete para meditar a situação.

Naquela mesma noite, recebeu a visita de Sulpício, que lhe veio trazer o infrutífero resultado de suas indagações, na pista do pequeno Marcus.

Ao despedir-se, exclamou o lictor, com grande surpresa de Publius, que lhe observara o tom enigmático das palavras:

— Senador, eu não posso decifrar esse doloroso enigma do desaparecimento do vosso filhinho, mas talvez possa orientar-vos nalguma pista segura, com as minhas observações pessoais, relativas ao assunto.

— Se tens semelhantes elementos, abre-te sem receios — exclamou Publius com o máximo interesse.

— Meus elementos de observação não são pontos de aclaramento positivo, e, como existem alguns remédios que em vez de curarem uma ferida produzem outras úlceras incuráveis, acho melhor adiar para amanhã à noite as minhas impressões individuais sobre os fatos.

Gozando com a atitude de estupefação do interlocutor profundamente impressionado com as suas insinuações criminosas, Sulpício rematou as despedidas, acrescentando intencionalmente:

— Amanhã aqui estarei a estas mesmas horas e, se hoje não vos satisfaço ao desejo, aqui permanecendo até mais tarde, é que me esperam alguns afazeres no meu gabinete de trabalho, em vista de alguns pedidos de informações das nossas autoridades administrativas.

Dominado pelas expressões daquele enigma, Publius Lentulus apresentou-lhe as despedidas da noite, tendo forças para murmurar:

— Então, até amanhã. Esperarei o cumprimento da tua promessa, de modo a aliviarem-se-me os receios do coração.

Ficando a sós, o senador submergiu-se no mar profundo de suas inquietações e receios.

Justamente quando contava regressar a Roma, eis que surge o inesperado, com piores características que a própria moléstia da filha, tantos anos suportada com serenidade e resignação, porque, agora, era o rapto inexplicável de uma criança, envolvendo sérias questões da moralidade de sua casa, e a própria honra da família.

No íntimo, sentia-se como um homem sem inimigos na Palestina, porquanto, com exceção do jovem Saul, filho de André, que, a seu ver, deveria estar tranquilo no lar paterno, nunca humilhara os brios de nenhum israelita, visto que a todos dispensava o máximo de sua pessoal atenção.

Onde a causa daquele crime misterioso?

Em suas reminiscências aflorou a palavra segura de Flamínio Severus, quando lhe aconselhou muita prudência e valor individual, na Palestina, em razão de certos malfeitores que infestavam a região, mas, por outro lado, recordava o sonho simbólico e, com os olhos da imaginação, parecia lobrigar o vulto venerando daquele juiz austero e incorrupto, que lhe profetizara existência fértil de amarguras, dado o seu desprezo e indiferença pelas verdades salvadoras de Jesus de Nazaré.

Trabalhado pela dor de angustiados pensamentos, debruçou-se à mesa de trabalho e deixou que o orgulho ferido chorasse copiosamente, considerando a sua impotência para conjurar as forças ocultas e impiedosas que conspiravam contra a sua ventura, nos caminhos ensombrados do seu doloroso destino.

Alta noite, procurou desabafar o coração, junto à carinhosa solicitude da esposa, trocando ambos as suas lamentações e as suas lágrimas.

— Publius — exclamava ela, com a ternura característica do seu coração —, procuremos reanimar nossas energias em favor de nós mesmos... Nem tudo está perdido!... Com os direitos que nos competem, podemos determinar todas as providências precisas, em busca do nosso anjinho. Adiaremos o regresso a Roma, indefinidamente, se tanto for necessário, e o resto os deuses farão por nós, reconhecendo nossa angústia e abnegação.

"O que não é justo é que nos entreguemos, irremediavelmente, ao nosso desespero, inutilizando as derradeiras forças para a luta."

A pobre senhora mobilizava os últimos recursos de suas energias maternas ao proferir aquelas palavras de esperança e consolação. Sabia Deus, porém, das suas inenarráveis torturas íntimas, naqueles momentos angustiosos, e apenas o seu sentimento acrisolado, de renúncia e de amor, transformaria em forças as fragilidades da mulher, para poder confortar o coração angustiado do esposo, em tão penosas conjunturas.

— Sim, minha querida, farei tudo que estiver ao meu alcance para esperar a providência dos deuses — disse o senador, mais ou menos reanimado em face do valor de que lhe dava ela testemunho.

O dia seguinte decorreu nas mesmas expectativas angustiosas, com os mesmos movimentos incertos de buscas infrutíferas.

À noite, segundo prometera, lá estava Sulpício Tarquinius esperando o seu momento decisivo.

Após o jantar, a que Lívia não pôde comparecer, em virtude do seu profundo abatimento físico, Publius recebeu o lictor com toda a intimidade, ali mesmo no triclínio, em cujos leitos macios ambos se estiraram para a palestra costumeira.

— Então, ainda ontem — exclamou o senador, dirigindo-se ao suposto amigo —, despertaste o meu paternal interesse, falando-me de tuas observações pessoais, que somente hoje me poderias transmitir...

— Ah! sim — redarguiu o lictor com fingida surpresa —, é bem verdade que desejaria solicitar vossa atenção para as ocorrências misteriosas destes últimos dias. Tendes algum inimigo, aqui na Palestina, interessado na continuidade de vossa permanência em regiões pouco adaptáveis aos hábitos de um patrício romano?

— De modo algum — revidou o senador eminentemente surpreendido. — Suponho encontrar-me num ambiente de amizades sinceras, tratando-se das nossas autoridades administrativas, e acredito que ninguém haja interessado na minha ausência de Roma. Ficaria muito satisfeito se esclarecesses melhor as tuas observações.

— É que na Judeia, há alguns anos, houve um caso idêntico ao vosso.

"Conta-se que um dos antecessores do governador atual se deixou apaixonar perdidamente pela esposa de um patrício romano, que teve a pouca sorte de se fixar em Jerusalém e, conquistados seus objetivos, tudo fez por obstar o regresso de suas vítimas à sede do Império. E quando notou que de nada valiam os empecilhos de sua autoridade, cometeu o crime de sequestrar um filhinho do casal, fazendo acompanhar o feito de outras atrocidades, que ficaram impunes, dado o seu prestígio político perante o Senado."

Publius ouviu essas observações com o pensamento em brasa.

Em razão da sua intensidade emotiva, o sangue afluiu-lhe ao cérebro, parecendo represar-se em largas correntes junto ao dique das têmporas. Uma palidez de cera cobriu, em seguida, o seu rosto, numa fácies cadavérica, sem poder definir a emoção que lhe assaltava o íntimo, em face de tais insinuações contra a sua dignidade pessoal e contra as honrosas tradições da família.

Num instante, reviveu todas as acusações de Fúlvia e, julgando os seus semelhantes pelo estalão dos próprios sentimentos, não podia admitir no espírito de Sulpício uma ferocidade de tal quilate.

Enquanto mergulhava o pensamento em cismas atrozes, sem responder ao lictor, que o observava gozando o efeito de suas tenebrosas revelações, prosseguia o caluniador com fingida humildade:

— Bem reconheço o alcance de minhas palavras, para as quais, aliás, suplico a benevolência de vossa discrição, mas eu não abriria o coração neste sentido, senão tocado pelo profundo interesse que a vossa amizade conseguiu inspirar à minha alma dedicada e sincera. Francamente, não desejava constituir-me delator de quem quer que seja, perante o vosso espírito justo e generoso, todavia, passarei a narrar-vos o que vi com os próprios olhos, de modo a orientar com mais segurança o esforço de vossas pesquisas em busca do menino.

E Sulpício Tarquinius, com a falsa modéstia de suas palavras venenosas, desfiou um rosário longo de calúnias, entremeando os argumentos de consecutivos goles de vinho, o que exaltava ainda mais a fonte prodigiosa das suas fantasias.

Contou ao seu interlocutor, que o ouvia atônito, pela coincidência de suas observações com as denúncias de Fúlvia, os mais íntimos pormenores da cena do jardim em casa de Pilatos, e, em seguida, narrou o que observara na noite do rapto, salientando a coincidência da estada do governador em Nazaré.

O senador ouvia-lhe a narrativa, ocultando, a muito custo, o seu espanto doloroso. A prevaricação da esposa, segundo aquela denúncia espontânea, era um fato indubitável. Entretanto, ele queria acreditar o contrário. Durante todo o tempo da vida conjugal, Lívia manifestara o mais pronunciado retraimento dos ambientes sociais, vivendo tão somente para ele e para os filhinhos idolatrados. Era na sua palavra criteriosa e sincera que o seu espírito ia buscar as necessárias inspirações para o êxito nas lutas da vida, mas aquela denúncia lhe atordoava o coração e anulava todos os fatores da antiga confiança. Além disso, penosas coincidências vinham ferir o seu raciocínio, despertando-lhe amarguradas suspeitas no íntimo da alma.

Não fora ela que intercedera a favor dos escravos, no momento do castigo, súplice, como se a culpa do acontecido também lhe pesasse no coração?

Ainda na véspera, sugerira a continuidade da permanência de ambos na Palestina, demonstrando um valor pouco vulgar. Não seria isso um gesto de suposta consolação para o marido ultrajado, visando prosseguir na Ásia Menor, indefinidamente, obedecendo a intuitos inconfessáveis?

Um turbilhão de ideias antagônicas entrechocava-se no mar de suas meditações dolorosas.

Por outro lado, considerou, num relance, a sua posição de homem de Estado, as responsabilidades austeras que lhe competiam no organismo social.

O cargo proeminente, as severas obrigações a que se consagrara no mecanismo das relações de cada dia, o orgulho do nome e as tradições de família amalgamaram a energia precisa para o domínio das emoções do momento, e, escondendo o homem sentimental que era por natureza, para tão somente revelar o homem público, teve forças para exclamar:

— Sulpício, agradeço o teu interesse, desde que as tuas palavras sejam reflexo da tua generosidade sincera, mas devo considerar, perante o conceito que acabas de expender sobre minha mulher, que não aceito nenhum argumento que lhe fira a dignidade e austera nobreza, predicados esses que ninguém, mais que eu, deve conhecer.

"A entrevista no jardim de Pilatos, a que te referes, foi por mim autorizada, e as tuas observações na noite do rapto não estão bem definidas, dado o caráter positivo que se requer das nossas investigações.

"Assim, pois, agradeço-te a dedicação em meu favor, mas a tua opinião abre entre nós, doravante, uma linha divisória que a minha confiança não mais ousará transpor.

"Ficas, assim, dispensado do serviço que te retinha junto de minha família, mesmo porque a perspectiva da minha volta a Roma se desvaneceu com o desaparecimento do pequeno. Não poderemos regressar à sede do Império, enquanto não lograrmos o seu reaparecimento ou a certeza dolorosa da sua morte.

"Deste modo, eu seria imprudente exigindo a continuidade dos teus préstimos em Cafarnaum, sacrificando decisões de teus superiores hierárquicos, razão por que serás demitido de minha casa sem escândalos que prejudiquem a tua carreira profissional.

"Aguardarei o ensejo de me comunicar com o governador, a teu respeito, quando então serás desligado oficialmente do meu serviço, sem nenhum prejuízo para o teu nome.

"Vês, assim, que, como homem de Estado, agradeço o teu interesse e sei apreciar a tua dedicação, mas, como amigo, não me é mais possível depositar em ti o mesmo grau de confiança."

O lictor, que não esperava semelhante resposta, ficou lívido no seu indisfarçável desapontamento, mas atreveu-se ainda a revidar fingidamente:

— Senhor senador, chegará o instante em que havereis de valorizar o meu zelo não só como servidor de vossa casa, mas também como amigo desvelado e sincero. E já que não tendes outra recompensa melhor que o desprezo injusto para corresponder ao meu impulso de amizade, é com prazer que me sinto desligado das obrigações que me prendiam junto de vossa autoridade.

Em seguida, Sulpício pronunciou algumas palavras de despedida, a que Publius respondeu secamente, atormentado pelos mais profundos desgostos.

No silêncio do seu gabinete, examinou o quanto de energia as circunstâncias haviam exigido do seu coração em tão penosas conjunturas. Bem reconhecia que adotara para com o lictor a atitude mais conveniente e consentânea com a situação, mas, no íntimo, guardava angustiosa incerteza, acerca da conduta de Lívia. Tudo conspirava contra ela, tendendo a apresentá-la, ao seu coração de marido pundonoroso, como a personificação da falsa inocência.

Naquele tempo, ainda não se vulgarizara no mundo o "orai e vigiai" dos ensinamentos eternamente doces do Cristo, e o senador, entregando-se quase que totalmente ao império das amargas emoções que o acabrunhavam, debruçou-se sobre numerosos rolos de pergaminho, entrando a chorar convulsivamente.

VII
As pregações do Tiberíades

Alguns dias haviam decorrido sobre os fatos que acabamos de narrar.

Em Cafarnaum, não somente o cenário, mas também os atores, guardavam a mesma fisionomia.

Compelido pela atitude irrevogável e enérgica do senador, Sulpício Tarquinius regressara a Jerusalém, obedecendo às ordens de Pilatos que, por sua vez, recebera a notificação de Publius Lentulus, referente à dispensa do lictor.

Não devemos esquecer que Publius permanecia na Palestina com poderes amplos, na qualidade de emissário de César e do Senado, e a quem todas as autoridades da província, inclusive o governador, eram obrigados a acatar com especial atenção e máximo respeito.

O procurador da Judeia não se esquecera, portanto, de substituir Sulpício, do melhor modo possível, buscando conhecer, com interesse, os motivos do seu afastamento, assunto que o senador solucionou com o mais largo espírito de superioridade, do ponto de vista político. Pilatos coadjuvou, com a melhor boa vontade, o serviço de pesquisa, quanto ao paradeiro do pequeno Marcus, movimentando funcionários de sua inteira confiança, e vindo pessoalmente a Cafarnaum, a fim de conhecer na sua intimidade as diligências efetuadas.

O senador recebeu-lhe a visita com as mais altas mostras de consideração e aceitou-lhe a cooperação, sinceramente confortado, em vista de os acontecimentos desmentirem, perante o seu foro íntimo, as caluniosas acusações de que era vítima a esposa.

Sua vida doméstica, porém, sofrera as mais profundas alterações. Não sabia mais viver aquelas horas de colóquio feliz com a esposa, da qual o separava um véu de dúvidas amargas e infinitas.

Várias vezes tentou, improficuamente, readquirir a antiga confiança e a sua espontaneidade afetiva.

Rugas de pesar vincaram-lhe então o semblante, ordinariamente altivo e orgulhoso, esfumando-lhe os traços fisionômicos num nevoeiro de preocupações angustiosas.

Todos os seus íntimos, inclusive a esposa, atribuíam ao desaparecimento do filhinho tão singular metamorfose.

Nas horas habituais das refeições, notava-se-lhe o esforço para desanuviar a fisionomia.

Dirigia-se, então, à mulher ou respondia às suas perguntas carinhosas com monossílabos apressados, acentuando as palavras com laconismo incompreensível.

Sofrendo amargamente com aquela situação, Lívia apresentava-se cada vez mais abatida, tentando em vão decifrar o motivo de tantas provações e infortúnios.

Muitas vezes procurou sondar o espírito de Publius, de modo a levar-lhe um pouco de carinho e consolação, mas ele evitava as expansões afetuosas, com pretextos decisivos. Quase que lhe aparecia tão somente no triclínio e, feita a refeição costumeira, retirava-se, abruptamente, para o grande salão do arquivo, onde passava todas as suas horas de inquietadoras meditações.

De Marcus, nenhuma notícia havia, que lhe proporcionasse a mais ligeira sombra de esperança.

Por uma formosa manhã da Galileia, vamos encontrar Lívia em palestra íntima com a serva dedicada e amiga fiel, a quem replica nestes termos, depois de carinhosamente inquirida, acerca do seu estado de saúde:

— Sinto-me bem mal, minha boa Ana!... À noite, o coração bate-me descompassadamente e, hora a hora, vejo crescer-me no íntimo dolorosa impressão de amargura. Não poderia bem definir meu estado, ainda que o quisesse... O desaparecimento do pequeno enche-me a alma de lúgubres presságios, multiplicando o peso das minhas aflições maternas quando não posso vislumbrar, nem de leve, a causa de tamanhos padecimentos...

"E agora é, sobretudo, o estado de Publius o que mais me acabrunha. Ele foi sempre um homem puro, leal e generoso, mas, de algum tempo a esta parte, noto-lhe singulares diferenças no temperamento, agravando-se-lhe os sintomas doentios com maior intensidade, após o incompreensível desaparecimento do nosso filhinho.

"A mim se me figura que ele vem sofrendo os mais fortes distúrbios sentimentais, com sérios prejuízos para a saúde..."

— Bem vejo, senhora, quanto sofreis! — aventou a serva carinhosa. — Sei que sou uma criatura humilde e sem nenhum valor, mas pedirei a Deus que vos proteja incessantemente, restabelecendo a paz do vosso coração.

— Criatura humilde e sem valor? — diz a pobre senhora, buscando demonstrar-lhe o grau de sua estima sincera. — Não digas isso, mesmo porque não sou dessas almas que aferem o valor de cada um pelas posições que desfruta ou pelas honras que recebe.

"Filha única de pais que me legaram considerável fortuna, cidadã romana, com as prerrogativas de mulher de um senador, vês quanto sofro nos trabalhos amargos deste mundo.

"Os títulos que o berço me outorgou não conseguiram eliminar as provações que o destino também me trouxe, com a mocidade e a fortuna fácil.

"Reconhece, pois, que, sendo eu patrícia e tu uma serva, não possuímos um coração diverso, mas sim o melhor sentimento de fraternidade, que nos abre a porta de uma compreensão carinhosa, a valer por asilo suave nos dias tristes da vida.

"De mim para comigo, sempre supus, contrariamente à educação recebida, que todas as criaturas são irmãs, filhas de uma origem comum, sem conseguir atinar com as linhas divisórias entre aqueles que possuem muitos haveres e muitos títulos e os que nada possuem neste mundo além do coração, no qual costumo localizar os valores de cada um nesta vida."

— Senhora — exclamou a serva, tocada da mais grata surpresa —, vossas palavras me comovem, não somente por partirem dos vossos lábios, dos quais me habituei a ouvir-vos sempre com carinho e veneração, mas também porque o Profeta de Nazaré nos tem dito a mesma coisa em suas prédicas.

— Jesus?!... — perguntou Lívia de olhos brilhantes, como se aquela referência fosse avivada mediante apelo superior a uma fonte de consolação, da qual se houvesse momentaneamente esquecido.

— Sim, minha senhora, e por falar nele, por que não buscardes um pouco de conforto nas suas divinas palavras? Juro-vos que as suas expressões, sábias e amorosas, vos consolariam no meio de todos os pesares, proporcionando-vos sensação de vida nova!... Se quisésseis, eu poderia conduzir-vos à casa de Simão, discretamente, a fim de receberdes o benefício de suas lições carinhosas. Receberíeis, assim, a alegria da sua bênção, sem vos expordes às críticas alheias, nutrindo o vosso coração dos seus luminosos ensinamentos.

Lívia pensou intensamente naquele alvitre, que se lhe figurava providência salvadora, respondendo, por fim:

— Os sofrimentos da vida muitas vezes me têm dilacerado o coração, renovando os meus raciocínios acerca dos princípios que me foram ensinados desde o berço, e é por isso que, acolhendo a tua ideia, acho de meu dever procurar a Jesus publicamente, como o fazem outras mulheres destes lugares.

"Era minha intenção procurá-lo antes do nosso regresso a Roma, para lhe manifestar meu reconhecimento pela cura de Flávia, fato que me deixou profundamente impressionada, mas que não nos foi possível comentar, em razão da atitude hostil de meu marido; agora, novamente desamparada, no estuar das minhas dores, recorrerei ao Profeta para obter um lenitivo ao coração opresso e torturado.

"Mulher de um homem que, por força da sua carreira política, ocupa agora o mais alto cargo desta província, irei a Jesus como criatura deserdada da sorte, em busca de amparo e consolação."

— Senhora, e vosso esposo? — perguntou Ana, antevendo as consequências daquela atitude.

— Procurarei cientificá-lo da minha resolução, mas, se Publius esquivar-se, ainda uma vez, à minha presença para um entendimento mais íntimo, irei mesmo sem ouvi-lo, com respeito ao assunto. Vestirei os trajes humildes desta região de criaturas simples, irei a Cafarnaum, hospedando-me com os teus parentes, nas horas necessárias, e, no momento das práticas, quero ouvir a palavra do Messias, de coração contrito e alma compadecida pelos infortúnios dos meus semelhantes...

"Sinto-me profundamente insulada nestes últimos dias e tenho necessidade de conforto espiritual para o meu coração combalido nas provas ásperas."

— Senhora, Deus abençoe os vossos bons propósitos. Em Cafarnaum, os meus parentes são muito pobres e muito humildes, mas vossa figura está ali no santuário da gratidão de todos, bastando uma palavra vossa para que se ponham à vossa disposição, como escravos.

— Para mim não existe fortuna que se iguale a essa, da paz e do sentimento.

"Não procurarei o Profeta para solicitar-lhe atenções especiais, porque basta a sua caridade, no caso de minha filha, hoje sadia e forte, graças à sua piedade de justo, mas tão somente para buscar conforto ao meu coração dilacerado.

"Pressinto que, lhe ouvindo as exortações carinhosas e amigas, alcançarei energias novas para enfrentar as provações mais amargas e rudes.

"Sei que Ele me conhecerá nos trajes pobres da Galileia, todavia, na sua intuição divinatória, compreenderá que, dentro do peito da romana, pulsa um coração amargurado e infeliz."

As duas combinaram, então, ir juntas à cidade, na tarde do primeiro sábado.

Embalde, procurou Lívia uma oportunidade para solicitar a ambicionada permissão do marido, a favor da sua pretensão. Inúmeras vezes buscou, improficuamente, sondar o espírito de Publius, cuja frieza lhe afugentava a coragem para a necessária consulta.

Ela, porém, havia resolvido procurar o Mestre, de qualquer maneira. Abandonada numa região em que somente o marido podia compreendê-la integralmente, dentro da sua esfera de educação, e rudemente provada nas fibras mais sensíveis da sua alma feminina, de esposa e mãe, a pobre senhora assim deliberou com pleno assentimento da sua consciência honesta e pura.

Talhou uma roupa nova, de conformidade com os usos galileus, de maneira a não se fazer notada na multidão comum nas prédicas do lago, e, cientificando a Comênio da necessidade que tinha de sair naquele dia, a fim de que o marido fosse avisado à hora do jantar, dirigiu-se, na data previamente determinada, pelos caminhos que já conhecemos, em companhia da serva de confiança.

Na residência humilde de pescadores, onde se abrigavam os familiares de Ana, Lívia sentiu-se envolvida em radiosas vibrações de serenidade amiga e doce. Era como se o seu coração desalentado encontrasse uma claridade nova naquele ambiente de pobreza, de humildade e ternura.

A figura patriarcal do velho Simeão, da Samaria, porém, destacava-se a seus olhos entre todos os que a receberam com as mais elevadas demonstrações de carinhosa bondade. Do seu olhar profundo e das cãs veneráveis emanavam as doces irradiações da maravilhosa simplicidade do antigo povo hebreu, e a sua palavra, ungida de fé, sabia tocar os corações nas cordas mais sensíveis, quando narrava as ações prodigiosas do Messias de Nazaré.

Lívia, acolhida por todos com simpatia franca, parecia devassar um mundo novo, até então desconhecido, na sua existência. Confortava-lhe, sobremaneira, a expressão de sinceridade e candura, daquela vida simples e humilde, sem atavios nem artifícios sociais, mas também sem preconceitos nem fingimentos perniciosos.

À tardinha, confundida com os pobres e os doentes que iam receber as bênçãos do Senhor, vamos encontrá-la de coração aliviado e sereno, esperando o momento ditoso de ouvir do Mestre uma palavra de amor e consolação.

O crepúsculo de um dia claro e quente emprestava um reflexo de luz dourada a todas as coisas e a todos os contornos suaves da paisagem. Encrespavam-se as águas mansas de Tiberíades ao sopro carinhoso dos favônios da tarde, que se impregnavam do perfume das flores e das árvores. Brisas frescas eliminavam o calor ambiente, espalhando sensações agradáveis de vida livre, no seio robusto e farto da Natureza.

Afinal, todos os olhares se dirigiam para um ponto escuro que se desenhava no espelho cristalino das águas, muito ao longe, no horizonte.

Era a barca de Simão, que trazia o Mestre para as dissertações costumeiras.

Um sorriso de ansiedade e de esperança clareou, então, todos aqueles semblantes que o aguardavam, no desconforto de seus sofrimentos.

Lívia reparou aquela turba que, por sua vez, também lhe notara a estranha presença. Operários humildes, pescadores rudes, mães numerosas em cujos rostos macerados se podiam ler as histórias amargas dos mais incríveis padecimentos, criaturas da plebe anônima e sofredora, mulheres adúlteras, publicanos gozadores da vida, enfermos desesperados e crianças numerosas, que traziam consigo os estigmas do mais doloroso desamparo.

Conservava-se Lívia ao lado do velho Simeão, cuja expressão fisionômica de firmeza e doçura inspirava o mais profundo respeito aos que se lhe aproximavam; e quantos lhe notavam o delicado perfil romano, enfiada na simplicidade do traje galileu, presumiam na sua figura alguma jovem de Samaria da Judeia, que tivesse vindo igualmente de longe, atraída pela fama do Messias.

A barca de Simão acostara brandamente à margem, ensejando a que o Mestre se dirigisse ao local costumeiro de suas lições divinas. Sua fisionomia parecia transfigurada em resplendente beleza. Os cabelos, como de costume, caíam-lhe aos ombros, à moda dos nazarenos, esvoaçando levemente aos ósculos cariciosos dos ventos brandos da tarde.

A esposa do senador não pôde mais despregar os olhos deslumbrados daquela figura simples e maravilhosa.

Começara o Mestre um sermão de beleza inconfundível e suas palavras pareciam tocar os espíritos mais empedernidos, figurando-se que os ensinamentos ressoavam nas devesas de toda a Galileia, ecoando pelo mundo inteiro, previamente modelados para caminhar no mundo com a própria eternidade.

"Bem-aventurados os pobres de espírito, porque a eles pertencerá o reino de meu Pai que está nos céus!...

Bem-aventurados os pacíficos, porque possuirão a Terra!...

Bem-aventurados os sedentos de justiça, porque serão saciados!...

Bem-aventurados os que sofrem e choram, porque serão consolados nas alegrias eternas do Reino de Deus!..."[14]

E a sua palavra enérgica e branda disse da misericórdia do Pai celestial; dos bens terrestres e celestes; do valor das inquietações e angústias humanas, acrescentando que viera ao mundo não para os mais ricos e mais felizes, mas para consolar os mais pobres e deserdados da sorte.

A assembleia heterogênea escutava-o embevecida nos seus transportes de esperança e gozo espiritual.

Uma luz serena e cariciosa parecia vir do Hebron, clarificando a paisagem em tonalidade de opalas e safiras eterizadas.

---

[14] N.E.: *Mateus*, 5.

A hora ia adiantada e alguns apóstolos do Senhor resolveram trazer alguns pães aos mais necessitados de alimento. Dois grandes cestos de merenda frugal foram trazidos, mas os ouvintes eram em demasia numerosos. Jesus, porém, abençoou-lhes o conteúdo e, como num suave milagre, a escassa provisão foi repartida em pequenos pedaços, que foram religiosamente distribuídos por centenas de pessoas.

Lívia recebeu igualmente a sua parte e, ao ingeri-la, sentiu um sabor diferente, como se houvera sorvido um remédio apto a lhe curar todos os males da alma e do corpo, porque uma certa tranquilidade lhe anestesiou o coração flagelado e desiludido. Comovida até as lágrimas, viu que o Mestre atendia, caridosamente, a numerosas mulheres, entre as quais muitas, segundo o conhecimento do povo de Cafarnaum, eram de vida dissoluta e criminosa.

O velho Simeão quis também aproximar-se do Senhor, naquela hora memorável da sua passagem pelo planeta. Lívia acompanhou-o automaticamente, e, em poucos minutos, achavam-se ambos diante do Mestre, que os acolheu com o seu generoso e profundo sorriso.

— Senhor — exclamou, respeitosamente, o ancião de Samaria —, que deverei fazer para entrar, um dia, no vosso reino?

— Em verdade te digo — replicou-lhe Jesus carinhosamente — que muitos virão do Ocidente e do Oriente, procurando as portas do Céu, mas somente encontrarão o Reino de Deus e de sua Justiça aqueles que amarem profundamente, acima de todas as coisas da Terra, ao nosso Pai que está nos céus, amando o próximo como a si mesmos.

E espraiando o olhar compassivo e misericordioso por sobre a assembleia vasta, continuou com doçura:

— Muitos, também, dos que foram aqui chamados, serão escolhidos para o grande sacrifício que se aproxima!... Esses me encontrarão no Reino Celestial, porque as suas renúncias hão de ser o sal da Terra e o Sol de um novo dia!...

— Senhor — aventurou o ancião, com os olhos rasos de lágrimas —, tudo faria eu por ser um dos vossos escolhidos!...

Jesus, porém, fitando fixamente o patriarca de Samaria, murmurou com infinita ternura:

— Simeão, vai em paz e não tenhas pressa, porque, em verdade, aceitarei o teu sacrifício no momento oportuno...

E estendendo o raio de luz dos seus olhos até a figura de Lívia, que lhe devorava as palavras com a sede ardente da sua atenção, exclamou com as claridades proféticas de suas exortações:

— Quanto a ti, regozija-te em nosso Pai, porque as minhas palavras e ensinamentos te tocaram para sempre o coração. Vai e não descreias, porque tempo virá em que saberei aceitar as tuas abnegações santificantes!

Essas palavras foram ditas numa tal atitude, que a esposa do senador não teve dificuldade em lhes apreender o sentido profundo, para um futuro distante.

Aos poucos, dispersou-se a grande assembleia dos pobres, dos enfermos e dos aflitos.

Era noite quando Lívia e Ana regressaram à casa solarenga, confortadas pelas graças recebidas das mãos caridosas do Messias.

Profunda sensação de alívio e conforto inundava-lhe a alma.

Penetrando, porém, nos seus aposentos, Lívia encontrou de frente a figura enérgica do marido, que deixava transparecer na fisionomia carregada os mais intensos sinais de irritação, como acontecia nos momentos de seu mais ríspido mau humor. Ela notou-lhe a exacerbação de ânimo, mas, ao contrário de outras vezes, parecia inteiramente preparada para vencer as mais tremendas lutas do coração, porque, com serenidade imperturbável, o encarou face a face, enfrentando-lhe o olhar suspeitoso. Afigurava-se-lhe que a flor de eterna paz espiritual lhe desabrochara no íntimo, ao suave calor das palavras do Cristo, porquanto lhe parecia haver atingido o terreno, até então desconhecido, de serenidade estranha e superior.

Depois de fitá-la de alto a baixo com o seu olhar duro e inquiridor, exclamou Publius, mal sopitando a cólera incompreensível:

— Então, que é isso? Que poderosas razões levariam a senhora a ausentar-se de casa em horas tão impróprias para as mães de família?

— Publius — respondeu com humildade, estranhando aquele tratamento cerimonioso —, por mais que buscasse comunicar-te minha resolução de sair na tarde de hoje, fugiste sempre de minha presença, esquivando-te à minha consulta e eu necessitava procurar o Messias de Nazaré, de modo a acalmar meu coração desventurado...

— E precisavas de disfarce para encontrar o Profeta do povo? — atalhou o senador com ironia.

"É a primeira vez que noto uma patrícia usando tais artifícios para consolar o coração. Vai a tanto, assim, o seu menosprezo pelas nossas mais sagradas tradições familiares?"

— Supus não me ficasse bem fazer-me notada na multidão das pessoas pobres e infelizes que procuram a Jesus nas margens do lago, e, identificando-me com os sofredores, não presumi desacatar nossos costumes familiares, mas sim acreditei agir em favor do nosso nome, considerando a circunstância de ocupares, no momento, nesta província, a mais alta expressão política do Império.

— A menos que esteja disfarçando algum outro sentimento, como dissimula a posição social com a indumentária, muito errou procurando o Messias nesses trajes, porque, afinal, estou investido de poderes para requisitar a presença de qualquer pessoa da região em minha casa!

— Mas Jesus — revidou Lívia corajosamente — deve estar para nós muito acima dos poderes humanos, que sabemos tão precários, por vezes. Acho que a cura da nossa filhinha, diante da qual todos os nossos recursos foram impotentes, é o bastante para fazê-lo credor da nossa gratidão imperecível.

— Ignorava que a sua organização mental fosse tão frágil em face dos sucessos do Mestre de Nazaré, aqui em Cafarnaum — continuou o senador asperamente.

"A cura de nossa filha? Como assegurar uma coisa que a sua argumentação pessoal não pode provar com dados positivos? E ainda que esse homem, revestido de forças divinas para o espírito simples e ignorante dos pescadores galileus, tivesse operado essa cura com a sua intervenção sobrenatural, vindo a este mundo da parte dos deuses, poderíamos chamar-lhe impiedoso e cruel, sarando uma menina enferma de tantos anos e permitindo que os gênios do mal e da perversidade nos arrebatassem o filhinho sadio e carinhoso, em cuja fronte colocava a minha ternura de pai todo um futuro brilhante e promissor!"

— Cala-te, Publius! — revidou ela, tomada de uma força superior que lhe conservava toda a serenidade do coração. — Recorda-te que os deuses podem humilhar-nos, com dureza, a vaidade absurda e orgulhosa... Se Jesus de Nazaré nos curou a filhinha bem-amada, que apertávamos nos braços frágeis contra os poderes imensos da morte, podia permitir que fôssemos tocados no mais sagrado sentimento de nossa alma, com o incompreensível desaparecimento do nosso Marcus, para que nos sentíssemos inclinados à piedade e à comiseração pelos nossos semelhantes!...

— A senhora se compromete com essa demasiada tolerância, que vai ao absurdo da fraternização com os escravos — disse Publius com rispidez e austera severidade.

"Tal atitude de sua parte me fez pensar, seriamente, que a sua personalidade mudou no decurso deste ano, porque as suas ideias, longe do nível social da sede do Império, baixaram ao terreno dos sentimentos mais relaxados, em face da compostura que se exige da mulher de um senador, ou da matrona romana."

Lívia ouvira, angustiadamente, as palavras injustificáveis do marido. Nunca o vira tão irritado, em todo o transcurso da vida conjugal, mas verificara, em si própria, uma renovação singular, como se o pão rústico, abençoado pelo Mestre, lhe transfigurasse as mais recônditas fibras da consciência. Seus olhos se enchiam de lágrimas, não por orgulho ferido ou pela ingratidão que aquelas admoestações injustas revelavam, mas com profunda compaixão do esposo, que não a compreendia, e adivinhando a dolorosa tempestade que lhe fustigava o coração generoso, porém arbitrário, no plano de suas resoluções. Serena e silenciosa, não se justificou perante as severas reprimendas.

Foi quando, então, compreendendo que aquele atrito não deveria prosseguir, dirigiu-se o senador para a porta de saída do apartamento, abrindo-a com estrépito, a exclamar:

— Jamais fiz uma viagem tão penosa e tão infeliz! Gênios malditos parecem presidir às minhas atividades na Palestina, porque se curei uma filha, perdi um filhinho no desconhecido e começo a perder a mulher no abismo das irreflexões e da incoerência; e acabarei, também, perdendo-me para sempre.

Dizendo-o, bateu a porta com toda a força dos seus movimentos instintivos, encaminhando-se ao gabinete, enquanto a esposa, de coração genuflexo, dirigiu o pensamento para aquele Jesus carinhoso e terno, que veio ao mundo para salvar todos os pecadores. Lágrimas dolorosas fluíam-lhe dos olhos, fixos ainda na paisagem do lago de Genesaré, aonde parecia haver regressado em espírito novamente. Lá estava o Mestre, em atitudes doces de prece, cravando nas estrelas do céu os olhos fulgurantes.

Figurou-se-lhe que Jesus também lhe notara a presença naquela hora sombria da noite, porque desviara o olhar fúlgido do firmamento constelado e estendia-lhe os braços compassivos e misericordiosos, exclamando com infinita doçura:

— Filha, deixa que chorem os teus olhos as imperfeições da alma que o nosso Pai destinou para gêmea da tua!... Não esperes deste mundo mais que lágrimas e padecimentos, porque é na dor que os corações se lucificam para o Céu... Um momento chegará em que te sentirás no acume das aflições, mas não duvides da minha misericórdia, porque no momento oportuno, quando todos te desprezarem, Eu te chamarei ao meu reino de divinas esperanças, onde poderás aguardar teu esposo, no curso incessante dos séculos!...

Pareceu-lhe que o Mestre continuaria a embalar-lhe o coração com suaves e carinhosas promessas de bem-aventurança, mas um ruído qualquer a separara daquela visão de luz e de felicidade indefiníveis.

Quebrara-se o quadro da sua recordação espiritual, como se feito de tenuíssimas filigranas.

Todavia, a esposa do senador compreendeu que não fora vítima de uma perturbação alucinatória, e guardou, com amor, no âmago do coração, as doces palavras do Messias. E, enquanto despia os trajes galileus, a fim de retomar o curso de suas obrigações domésticas, de alma límpida e consolada, parecia, ainda, lobrigar o vulto sereno e amado do Senhor, nas eminências verdejantes das margens do Tiberíades, através da neblina suave, que lhe embaciava os olhos úmidos de pranto.

VIII
No grande dia do Calvário

Desde a sua altercação com a esposa, fechara-se Publius Lentulus na mais penosa taciturnidade.

Dolorosas suspeitas lhe vergastavam o coração impulsivo, acerca do procedimento daquela que o destino algemara ao seu espírito, para sempre, no instituto da vida conjugal. Não pudera compreender o disfarce de que Lívia se utilizara para o encontro com o Profeta de Nazaré, pois seu temperamento orgulhoso rebelava-se contra aquela atitude da mulher, considerando a sua posição social um penhor da veneração e do respeito de todos e dando guarida, assim, às mais penosas desconfianças, intoxicado pelas calúnias de Fúlvia e Sulpício.

Algum tempo decorrera e, enquanto ele se enclausurava no seu mutismo e na sua melancolia, Lívia abroquelava-se na fé, nas palavras carinhosas e persuasivas do Nazareno. Nunca mais voltara ela a Cafarnaum, com o fim de ouvir as consoladoras prédicas do Messias, mas, por intermédio de Ana, que lá comparecia pontualmente, procurou auxiliar, sempre que possível, os pobres que buscavam a palavra de Jesus, na medida dos seus recursos materiais. Profunda tristeza lhe invadia o coração sensível e generoso, ao observar as atitudes incompreensíveis do companheiro, mas a verdade é que já não colocava suas esperanças em qualquer realização do orbe terrestre, volvendo as mais ardentes aspirações para aquele Reino de Deus, maravilhoso e sublime, onde tudo devia transpirar amor, ventura e paz, no seio farto de soberanas consolações celestes.

Aproximava-se a Páscoa no ano 33. Numerosos amigos de Publius haviam aconselhado a sua volta temporária a Jerusalém, a fim de intensificar os serviços da procura do filhinho, no curso das festividades que concentravam, na época, as maiores multidões da Palestina, estabelecendo possibilidades mais amplas ao reencontro do desaparecido. Peregrinos incontáveis, de todas as regiões da província, dirigiam-se para Jerusalém, a participar dos grandes festejos, oferecendo, simultaneamente, os tributos de sua fé, no suntuoso templo. A nobreza indígena também se fazia notar ali, em tais circunstâncias, por intermédio de seus elementos mais representativos. Todos os partidos políticos se arregimentavam para os serviços extraordinários das solenidades que reuniam as maiores massas do Judaísmo, encaminhando-se para lá os homens mais importantes do tempo. As autoridades romanas, por sua vez, concentravam-se, igualmente, em Jerusalém, na mesma ocasião, reunindo-se na cidade quase todos os centuriões e legionários, destacados a serviço do Império, nas paragens mais remotas da província.

Publius Lentulus não desdenhou o alvitre e, antes que a cidade se enchesse de romeiros e exploradores, já ali se encontrava com a família, fornecendo instruções aos servos de confiança, conhecedores do pequenino Marcus, de maneira a estabelecer um cordão de investigadores atentos e permanentes, enquanto perdurassem os festejos.

Em Jerusalém, o convencionalismo social não se modificara, notando-se apenas a circunstância de Publius haver dispensado a residência do tio Sálvio, adquirindo uma vila confortável e graciosa em plena rua movimentada, de onde pudesse observar, igualmente, as manifestações populares.

As vésperas da Páscoa chegaram com a volumosa preamar de peregrinos de todas as classes e de todas as localidades provinciais. Interessante observar-se, naqueles blocos heterogêneos de povo, os hábitos mais díspares entre si.

Caravanas sem conto, revelando os mais esquisitos costumes, atravessavam as portas da cidade, patrulhadas por numerosos soldados pretorianos.

E ao passo que o senador fazia comparações de ordem econômica, social e política, observando as massas de povo que afluíam às ruas movimentadas, vamos encontrar Lívia em palestra íntima com a serva de sua amizade e confiança.

— Sabeis, senhora, que também o Messias chegou ontem à cidade? — exclamava Ana com um raio de alegria nos grandes olhos.

— Verdade? — perguntou Lívia surpresa.

— Sim, desde ontem, chegou Jesus a Jerusalém, saudado por grandes manifestações populares.

"A ressurreição de Lázaro, em Betânia, confirmou suas divinas virtudes de Filho de Deus, entre os homens mais descrentes desta cidade, e acabo de saber que sua chegada foi objeto de imensas alegrias da parte do povo. Todas as janelas se enfeitaram de flores para a sua passagem triunfal, as crianças espalharam palmas verdes e perfumadas no caminho, em homenagem a Ele e aos seus discípulos!... Muita gente acompanhou o Mestre desde as margens do lago de Genesaré, seguindo-o até aqui, através de todas as localidades.

"Quem me trouxe a notícia foi um conhecido pessoal, portador do tio Simeão, que também veio a Jerusalém, nessa grande caminhada, apesar da sua idade avançada..."

— Ana, essa notícia é muito confortadora — disse-lhe a senhora com bondade — e se eu pudesse iria ouvir a palavra do Mestre, onde quer que fosse, mas bem sabes as dificuldades para a consecução deste intento. Entretanto, ficas livre de tuas obrigações e trabalhos, durante a permanência de Jesus em Jerusalém, de modo a bem aproveitares as festas da Páscoa, ouvindo, ao mesmo tempo, as prédicas do Messias, que tanto bem nos fazem ao coração.

E, entregando à criada o indispensável auxílio pecuniário, observava que Ana partia satisfeita em demanda das cercanias do Monte das Oliveiras, onde estacionavam massas compactas de peregrinos, entre os quais se notava a presença do velho Simeão, de Samaria, romeiro desassombrado que não trepidara, apesar da idade avançada, em aderir ao movimento das peregrinações pelos mais escabrosos e longos caminhos.

Em casa de Lentulus não havia tanto interesse pelas grandes festividades do Judaísmo.

Um único motivo justificava a presença do senador em Jerusalém, naqueles dias turbulentos: o da busca incessante do filho, que parecia perdido para sempre.

Diariamente ouvia os servos de confiança, após as diligências empreendidas e, de instante a instante, sentia-se mais acabrunhado por acerbas desilusões, considerando a luta inútil naquelas pesquisas exaustivas e infrutíferas.

Na vivenda clara e ajardinada, as horas passavam vagarosas e tristes. Embalde se movimentavam as ruas, patrulhadas por soldados e cheias de criaturas de todos os matizes sociais. O vozerio das ruidosas manifestações populares transpunha aquelas portas quase silenciosas, como ecos apagados de rumores longínquos.

A penosa situação conjugal, em que se colocara, separava o senador da mulher, como se estivessem irremediavelmente distantes um do outro e destruídos os laços sagrados do coração.

Foi a esse retiro de calma aparente que Ana voltou, certa manhã, passados alguns dias, a fim de cientificar a senhora da inesperada prisão do Messias.

Com a simplicidade espontânea e sincera da alma popular, que ela encarnava, a serva humilde historiou, com os mais íntimos pormenores, a cena provocada pela ingratidão de um dos discípulos, em virtude do despeito e da ambição dos sacerdotes e fariseus do templo da grande cidade israelita.

Amargamente compungida em face do acontecimento, Lívia considerou que, se fosse noutro tempo, recorreria imediatamente à proteção política do marido, de modo a evitar ao Profeta de Nazaré os ataques das ambições desmesuradas. Agora, porém, reconhecia não lhe ser possível socorrer-se do prestígio do companheiro, em tais circunstâncias. Mesmo assim, procurou aproximar-se dele, por todos os modos, embora improficuamente. De uma sala contígua ao seu gabinete, notou que Publius atendia a numerosas pessoas que o procuravam particularmente, em atitude discreta; e o interessante é que, segundo as suas observações, todos expunham ao senador o mesmo assunto, isto é, a prisão inesperada de Jesus Nazareno — acontecimento que desviara todas as atenções das festividades da Páscoa, tal o interesse despertado pelos feitos do Mestre, em todos os espíritos. Alguns solicitavam a sua intervenção no processo do acusado; outros, da parte dos fariseus ligados aos sacerdotes do Sinédrio, encareciam aos seus olhos o perigo das pregações de Jesus, apresentado por muitos como revolucionário inconsciente, contra os poderes políticos do Império.

Debalde esperou Lívia que o marido lhe concedesse dois minutos de atenção, no compartimento próximo do seu gabinete privado.

Sua ansiedade tocava o apogeu, quando lobrigou a figura de Sulpício Tarquinius, que vinha da parte de Pilatos solicitar ao senador o obséquio da sua presença, imediatamente, no palácio do governo provincial, a fim de resolver um caso de consciência.

Publius Lentulus não se fez rogado.

Ponderando os deveres de homem de Estado, concluiu que deveria esquecer quaisquer prevenções da sua vida particular e privada, marchando ao encontro das obrigações que devia ao Império.

Lívia perdeu, então, toda a esperança de implorar-lhe auxílio para o Mestre, naquele dia. Sem saber o porquê, intensa amargura invadia-lhe o mundo íntimo. E foi com a alma envolta em sombras que elevou ao Pai celestial as suas preces fervorosas e sinceras, por aquele que seu coração considerava lúcido Emissário dos céus, suplicando, a todas as forças do bem, livrassem o Filho de Deus da perseguição e da perfídia dos homens.

Ao chegar à Corte provincial romana, naquele dia inesquecível de Jerusalém, Publius Lentulus foi tomado de extraordinária surpresa.

Ondas compactas de povo se adensavam na praça extensa, em gritaria ensurdecedora.

Pilatos recebeu-o com deferência e solicitude, conduzindo-o a um gabinete amplo, onde se reunia pequeno número de patrícios, escolhidos a dedo em Jerusalém. O pretor Sálvio, funcionários de destaque, militares graduados e alguns poucos romanos civis, de nomeada, que passavam eventualmente pela cidade, ali se aglomeravam, convocados pelo governador, que se dirigiu a Publius Lentulus, nestes termos:

— Senador, não sei se tivestes ensejo de conhecer, na Galileia, um homem extraordinário que o povo se habituou a chamar Jesus Nazareno. Esse homem foi agora preso, em virtude da condenação dos membros do Sinédrio, e a massa popular que o havia recebido, nesta cidade, com palmas e flores, pede agora, nesta praça, o seu imediato julgamento por parte das autoridades provinciais, em confirmação da sentença proferida pelos sacerdotes de Jerusalém.

"Eu, francamente, não lhe vejo culpa alguma, senão a de ardente visionário de coisas que não posso ou não sei compreender, surpreendendo-me amargamente o seu penoso estado de pobreza."

Neste comenos, penetraram na sala as duas irmãs, Cláudia e Fúlvia, que tomaram assento nesse conselho íntimo de patrícios.

— Ainda esta noite — continuou Pilatos, apontando para a esposa —, parece que os augúrios dos deuses se manifestaram para a minha orientação, pois Cláudia sonhou que uma voz lhe recomendava que eu não deveria arriscar minha responsabilidade no julgamento desse homem justo.

"Resolvi, portanto, agir em consciência, aqui reunindo todos os patrícios e romanos notáveis de Jerusalém, para examinarmos o assunto, de modo que o meu ato não prejudique os interesses do Império, nem colida com o meu ideal de justiça.

"Que dizeis, pois, dos meus escrúpulos, na qualidade de representante direto do Senado e do Imperador, entre nós, neste momento?"

— Vossa atitude — respondeu o senador, compenetrado de suas responsabilidades — revela o máximo critério nas questões administrativas.

E, recordando, no íntimo, os bens que havia recebido do Profeta com a cura da filhinha, embora as dúvidas levantadas por seu orgulho e vaidade, continuou:

— Conheci de perto o Profeta de Nazaré, em Cafarnaum, onde ninguém o tinha na conta de conspirador ou revolucionário. Suas ações, ali, eram as de um homem superior, caridoso e justo, e jamais tive conhecimento de que sua palavra se erguesse contra qualquer instituto social ou político do Império. Certamente, alguém o toma aqui como pretendendo a autoridade política da Judeia, cevando-se no seu nome as ambições e o despeito dos sacerdotes do templo. Mas já que guardais no coração os melhores escrúpulos, porque não enviais o prisioneiro ao julgamento de Ântipas, a quem, com mais propriedade, deve interessar a solução de semelhante assunto? Representando, nestes dias, o governo da Galileia aqui em Jerusalém, acho que ninguém, melhor que Herodes, pode resolver em sã consciência um caso como este, considerando-se a circunstância de que julgará um compatrício seu, já que não vos julgais de posse de todos os elementos para proferir sentença definitiva nesse processo insólito.

A ideia foi unanimemente aceita, sendo o acusado conduzido à presença de Herodes Ântipas, por alguns centuriões, obedecendo-se, rigorosamente, as determinações de Pilatos nesse sentido.

Todavia, no palácio do tetrarca da Galileia, foi Jesus de Nazaré recebido com profundo sarcasmo.

Apelidado pela gente simples como "Rei dos Judeus" e simbolizando a esperança de certas reivindicações políticas para numerosos de seus seguidores, entre os quais se incluía o famoso discípulo de Queriote, o Mestre de Nazaré foi tratado pelo príncipe de Tiberíades como vulgar conspirador, humilhado e vencido.

Ântipas, porém, para fazer sentir ao procurador da Judeia a conta de ridículo em que tomava os seus escrúpulos, mandou que se tratasse o prisioneiro com o máximo de ironia.

Vestiu-lhe uma túnica alva, igual à indumentária dos príncipes do tempo, colocando-lhe nos braços uma cana imunda à guisa de cetro, e coroou-lhe a fronte abatida com uma auréola de venenosos espinhos, devolvendo-o à sanção de Pilatos, no turbilhão de gritarias da populaça exacerbada.

Muitos soldados romanos cercavam o acusado, protegendo-o das investidas da massa furiosa e inconsciente.

Jesus, trajando, por irrisão, a túnica da realeza, coroado de espinhos e empunhando uma cana como símbolo do seu reinado no mundo, deixava transparecer, nos olhos profundos, indefinível melancolia.

Cientificado de que o prisioneiro era devolvido por Ântipas ao seu julgamento, o governador dirigiu-se novamente aos seus conterrâneos, exclamando:

— Meus amigos, não obstante nossos esforços, Herodes apela também para nós outros, a fim de se confirmar a peça condenatória do Profeta Nazareno, recambiando-o com a sua situação penosamente agravada perante o povo, porquanto, como suprema autoridade em Tiberíades, tratou o prisioneiro com revoltante sarcasmo, dando-nos a entender o desprezo com que supõe deva Ele ser encarado pela nossa justiça e administração.

"Tão amarga situação contrista-me bastante, porque o coração me diz que esse homem é um justo, mas que fazermos em semelhante conjuntura?"

Da câmara isolada, onde se reunia o apressado e reduzido conselho de patrícios, podiam observar-se os ecos rumorosos da turba amotinada, em espantosa gritaria.

Um ajudante de ordens do governador, de nome Polibius, homem sensato e honesto, penetrou no recinto, pálido e quase trêmulo, dirigindo-se a Pilatos:

— Senhor governador, a multidão enfurecida ameaça invadir a casa, se não confirmardes a sentença condenatória de Jesus Nazareno, dentro do menor prazo possível...

— Mas isso é um absurdo — retrucou Pilatos emocionado. — E, afinal, que diz o Profeta, em tais circunstâncias? Sofre tudo sem uma palavra de recriminação e sem um apelo oficial aos tribunais de justiça?

— Senhor — replicou Polibius igualmente impressionado —, o prisioneiro é extraordinário na serenidade e na resignação. Deixa-se conduzir pelos algozes com a docilidade de um cordeiro e nada reclama, nem mesmo o supremo abandono em que o deixaram quase todos os diletos discípulos da sua doutrina!

"Comovido com os seus padecimentos, fui falar-lhe pessoalmente e, inquirindo-o sobre os seus martírios, afirmou que poderia invocar as legiões de seus anjos e pulverizar toda a Jerusalém dentro de um minuto, mas que isso não estava nos desígnios divinos, e sim a sua humilhação infamante, para que se cumprissem as determinações das escrituras. Fiz-lhe ver, então, que poderia recorrer à vossa magnanimidade, a fim de se ordenar um processo dentro de nossos dispositivos judiciários, de maneira a comprovar sua inocência e, todavia, recusou semelhante recurso, alegando que prescinde de toda proteção política dos homens, para confiar tão somente numa justiça que diz ser a de seu Pai que está nos céus!"

— Homem extraordinário!... — revidava Pilatos, enquanto os presentes o acompanhavam estupefatos.

"Polibius" — continuou ele —, "que poderíamos fazer para evitar-lhe a morte nefanda, nas mãos criminosas da massa inconsciente?"

— Senhor, em vista da necessidade de resolução rápida, sugiro a pena dos açoites na praça pública, por ver se assim conseguimos amainar as iras populares, evitando ao prisioneiro a morte ignominiosa nas mãos de celerados sem consciência...

— Mas os açoites?! — diz Publius Lentulus admirado, antevendo as torturas do horrível suplício.

— Sim, meu amigo — redarguiu o governador, dirigindo-lhe a palavra com atenção respeitosa —, a ideia de Polibius é bem lembrada. Para evitarmos ao acusado a morte ignominiosa, temos de lançar mão deste recurso. Vivendo na Judeia há quase sete anos, conheço este povo e sei de suas temíveis atitudes, quando as suas paixões se desencadeiam.

O suplício foi, então, ordenado, no pressuposto de evitar maiores males.

Diante de todos, foi Jesus açoitado, de maneira impiedosa, aos berros estridentes da multidão amotinada.

Nesse instante doloroso, Publius e alguns romanos se ausentaram por momentos da câmara privada onde se reuniam, a fim de observarem os movimentos instintivos da massa fanática e ignorante. Não parecia que os peregrinos de Jerusalém haviam acorrido à cidade para as comemorações alegres da Páscoa, mas, tão somente, para procederem à condenação do humilde Messias de Nazaré. De quando em quando, fazia-se mister o concurso decidido de centuriões desassombrados, que dispersavam certos grupos mais exaltados, a golpes de chanfalho.

O senador fez questão de aproximar-se do supliciado, nas suas provações dolorosas e extremas.

Aquele rosto enérgico e meigo, em que os seus olhos haviam divisado uma auréola de luz suave e misericordiosa, nas margens do Tiberíades, estava agora banhado de suor sangrento a manar-lhe da fronte dilacerada pelos espinhos perfurantes, misturando-se de lágrimas dolorosas; seus delicados traços fisionômicos pareciam invadidos de palidez angustiada e indescritível; os cabelos caíam-lhe na mesma disposição encantadora sobre os ombros seminus e, todavia, estavam agora desalinhados pela imposição da coroa ignominiosa; o corpo vacilava, trêmulo, a cada vergastada mais forte, mas o olhar profundo saturava-se da mesma beleza inexprimível e misteriosa, revelando amargurada e indefinível melancolia.

Por um momento, seus olhos encontraram os do senador, que baixou a fronte, tocado pela imorredoura impressão daquela sobre-humana majestade.

Publius Lentulus voltou intimamente compungido ao interior do palácio, onde, daí a poucos minutos, retornava Polibius, cientificando o governador de que a pena do açoite não havia saciado, infelizmente, as iras da população enfurecida, que reclamava a crucificação do condenado.

Penosamente surpreendido, exclamou o senador, dirigindo-se a Pilatos com intimidade:

— Não tendes, porventura, algum prisioneiro com processo consumado, que possa substituir o Profeta em tão horrorosas penas? As massas possuem alma caprichosa e versátil e é bem possível que a de hoje se satisfaça com a crucificação de algum criminoso, em lugar desse homem, que pode ser um mago ou visionário, mas é um coração caridoso e justo.

O governador da Judeia concentrou-se por momentos, recorrendo à memória, com o fim de encontrar a desejada solução.

Lembrou-se então de Barrabás, personalidade temível, que se encontrava no cárcere aguardando a última pena, conhecido e odiado de todos pelo seu comprovado espírito de perversidade, respondendo afinal:

— Muito bem!... Temos aqui um celerado, no cárcere, para alívio de todos, e que poderia, com efeito, substituir o Profeta na morte infamante!...

E mandando fazer o possível silêncio, de uma das eminências do edifício, ordenou que o povo escolhesse entre o bandido e Jesus.

Com grande surpresa de todos os presentes, a multidão bradava com sinistro alarido, numa torrente de impropérios:

— Jesus!... Jesus!... Absolvemos Barrabás!... Condenamos a Jesus!... Crucificai-o!... Crucificai-o!...

Todos os romanos se aproximaram das janelas, observando a inconsciência da massa criminosa, no ímpeto de seus instintos desencadeados.

— Que fazer diante de tal quadro? — perguntou Pilatos emocionado ao senador que o ouvia atentamente.

— Meu amigo — respondeu Publius com energia —, se a decisão dependesse tão somente de mim, fundamentá-la-ia em nossos códigos judiciários, cuja evolução não comporta mais uma condenação tão sumária como esta, e mandava dispersar a multidão inconsciente à pata de cavalo, mas considero que as minhas atribuições transitórias, junto ao vosso governo, não me outorgam direito a tais desmandos e, além disso, tendes aqui uma experiência de sete anos consecutivos.

"De minha parte, suponho que tudo foi feito para que as decisões não fossem precipitadas.

"Antes de tudo, o prisioneiro foi enviado ao julgamento de Ântipas, que complicou a situação, diante da populaça irresponsável, dentro das suas infelizes noções da tarefa de um governo, deixando-vos a responsabilidade da última palavra sobre o assunto; em seguida, determinastes o suplício do açoite para satisfazer ao povo amotinado, e, agora, acabais de indicar outro criminoso para a crucificação, em lugar do acusado. Tudo inutilmente.

"Como homem, estou contra este povo inconsciente e infeliz e tudo faria por salvar o inocente, mas, como romano, acho que uma província, como esta, não passa de uma unidade econômica do Império, não nos competindo, a nós outros, o direito de interferência nos seus grandes problemas morais e presumindo, desse modo, que a responsabilidade desta morte nefanda deve caber agora, exclusivamente, a essa turba ignorante e desesperada, e aos sacerdotes ambiciosos e egoístas que a dirigem."

Pilatos enterrou a fronte nas mãos, como a refletir maduramente naquelas ponderações, mas antes que pudesse externar sua opinião, eis que Polibius aparece aflito, exclamando em atitude discreta:

— Senhor governador, é preciso apressar vossa decisão. Espíritos maldizentes começam a duvidar da vossa fidelidade aos poderes de César, compelidos pela intriga dos sacerdotes do templo, colocando a vossa dignidade em terreno equívoco para todos... Além disso, a populaça tenta invadir a casa, tornando-se necessário assumirdes atitude decisiva, sem perda de um minuto.

Pilatos ficou rubro de cólera, diante de semelhantes injunções, exclamando irritado, como se estivesse sob o jugo do mais singular dos determinismos:

— Está bem! Lavarei as mãos deste ignominioso delito! O povo de Jerusalém será satisfeito...

E, procedendo a esse ato que o celebrizaria para sempre, dirigiu algumas palavras ao condenado, mandando, em seguida, recolhê-lo a uma cela, onde pudesse permanecer alguns minutos, sem as grosseiras investidas da turba impetuosa, antes que a multidão o conduzisse ao Gólgota, que, na linguagem usual, deverá ser traduzido por Lugar da Caveira.

Um Sol abrasador tornara sufocante e insuportável a atmosfera.

Saciada, afinal, a fúria da multidão nos seus desvairamentos infelizes, numerosos soldados seguiram o prisioneiro, que demandava o monte da crucificação, a passos vacilantes sob o madeiro da ignomínia, que a justiça da época destinava aos bandidos e aos ladrões.

Até o momento de sua saída sob a cruz, ninguém se interessara por Ele, junto à autoridade do governador da Judeia.

Depreendia daí o senador que, quantos seguiam o Mestre de Nazaré nas margens do lago, em Cafarnaum, o haviam abandonado inteiramente.

De uma das janelas do palácio, considerou, penalizado, o desprezo infligido àquele homem que, um dia, o dominara com a força magnética da sua personalidade incompreensível, observando a ondulação da turba enfurecida ao sair o inesquecível cortejo.

Ao lado do Mestre não se via mais a carinhosa assistência dos discípulos e seus numerosos seguidores. Apenas algumas mulheres — entre as quais se destacava o vulto impressionante e agoniado de sua mãe — o amparavam afetuosamente no doloroso e derradeiro transe.

Aos poucos, a praça extensa aquietou-se ao calor sufocante da tarde que se avizinhava.

A distância, ouvia-se ainda a vozearia da plebe, aliada ao relinchar dos cavalos e ao tinir das armaduras.

Impressionados com o espetáculo que, aliás, não era incomum na Palestina, reuniram-se os romanos em uma das salas amplas do palácio governamental, em animada palestra, comentando os instintos e paixões ferozes da plebe enfurecida.

Daí a minutos, Cláudia mandava servir doces, vinhos e frutas, e, enquanto a conversação timbrava os problemas da província e as intrigas da Corte de Tibério, mal imaginava aquele punhado de criaturas que, na cruz grosseira e humilde do Gólgota, ia acender-se uma gloriosa luz para todos os séculos terrestres.

IX
A calúnia vitoriosa

Se Jesus de Nazaré havia sido abandonado por seus discípulos e seguidores mais diretos, o mesmo não se verificara quanto ao grande número de criaturas humildes que o acompanhavam com devoção purificada e sincera.

É verdade que essas almas, raras, não revelaram francamente as suas simpatias perante a turba desvairada, temendo-lhe as sanhas destruidoras, mas muitos espíritos piedosos, como Ana e Simeão, contemplaram de perto os martírios do Senhor sob o açoite infamante, cheios de lágrimas angustiosas e esperando que, a cada momento, se pudesse manifestar a Justiça de Deus contra a perversidade dos homens, a favor do Messias.

Contudo, esvaeceram-se-lhes as derradeiras esperanças, quando, sob o peso da cruz, o supliciado caminhou a passos cambaleantes, para o monte da última injúria, depois de confirmada a ignóbil sentença.

Foi assim que Ana e seu tio, reconhecendo inevitável o martírio da crucificação, deliberaram seguir para a residência de Publius, para suplicar o patrocínio de Lívia junto ao governador.

Enquanto o cortejo sinistro e impressionante se punha em marcha nos seus movimentos vagarosos, ambos se desviavam da massa, encaminhando-se por uma viela ensolarada, em busca do almejado socorro.

Penetrando na residência, enquanto Simeão a esperava, pacientemente, numa calçada próxima, dirige-se Ana à esposa do senador, que a recebeu surpresa e angustiada.

— Senhora — diz, mal ocultando as lágrimas —, o Profeta de Nazaré já está a caminho da morte ignominiosa na cruz, entre os ladrões!...

Uma emoção mais forte embargara-lhe a voz, sufocada de pranto.

— Como? — respondeu Lívia penosamente surpreendida — se a prisão data de tão poucas horas?

— Mas é a verdade... — revidou a serva compungida. — E em nome daqueles mesmos sofredores que vistes consolados pela sua palavra carinhosa e amiga, junto às águas do Tiberíades, eu e meu tio Simeão vimos implorar o vosso auxílio pessoal perante o governador, a fim de fazermos um esforço derradeiro pelo Messias!...

— Mas uma condenação como essa, sem estudo, sem exame, é lá possível? Vive, então, aqui este povo sem outra lei que não a da barbaria? — exclamou a senhora, visivelmente revoltada com a inopinada notícia.

Como se desejasse arrancá-la a qualquer divagação incompatível com o momento, a serva insistiu com decisão e amargura:

— Entretanto, senhora, não podemos perder um minuto.

— Antes de tudo, porém, eu precisava consultar meu marido sobre o assunto... — monologou a esposa do senador, recordando-se, repentinamente, dos seus deveres conjugais.

Onde estaria Publius naquele instante? Desde a manhã, não regressara à casa, após o chamado insistente de Pilatos. Teria colaborado na condenação do Messias? Num relance, a pobre senhora examinou toda a situação nos seus mínimos detalhes, recordando, igualmente, os bens infinitos que o seu coração havia recebido das mãos caridosas e complacentes do Mestre Nazareno, e, como se estivesse iluminada por uma força superior que lhe fazia esquecer todas as questões transitórias da Terra, exclamou com heroica resolução:

— Está bem, Ana, irei em tua companhia pedir a proteção de Pilatos para o Profeta.

"Esperar-me-ás um momento, enquanto vou retomar aqueles trajes galileus que me serviram naquela tarde de Cafarnaum, dirigindo-me, deste modo, ao governador, sem provocar a atenção da turbamulta desenfreada."

Em poucos minutos, sem refletir nas consequências da sua desesperada atitude, Lívia estava na rua, novamente enfiada nos trajes simples da gente pobre da Galileia, trocando amarguradas impressões com o ancião de Samaria e sua sobrinha, acerca dos dolorosos acontecimentos daquela tarde inolvidável.

Aproximando-se da sede do governo provincial, seu coração palpitou com mais força, obrigando-a a mais demorados pensamentos.

Não seria uma temeridade da sua parte procurar o governador, sem prévio conhecimento do marido? Todavia, tudo não fizera ela, em vão, para aproximar-se do esposo arredio e irritado, de maneira a reerguer sua antiga confiança? E Pilatos? Na sua imaginação, guardava ainda os pormenores das amargas comoções daquela noite em que lhe fora ele mais franco, quanto aos sentimentos inconfessáveis que a sua figura de mulher lhe havia inspirado.

Lívia hesitou ao penetrar num dos ângulos da grande praça, agora adormecida por um Sol causticante, de brasas vivas.

Seu raciocínio contrariava a atitude que assumira aos apelos da serva, que representava, aos seus olhos, a súplica angustiada de inúmeros espíritos desvalidos; seu coração, porém, sancionava plenamente aquele derradeiro esforço em favor do Emissário Celeste que lhe havia curado as chagas da filhinha, enchendo de tranquilidade inalterável o seu coração atormentado de esposa e mãe, tantas vezes incompreendido. Além disso, nesse conflito interior da razão e do sentimento, este último lhe fazia lembrar que Jesus, nas margens do lago, lhe falara de amargurados sacrifícios pela sua grande causa, e não seria aquela a hora sagrada da gratidão de sua fé ardente e do seu testemunho de reconhecimento? Aliviada pela íntima satisfação do cumprimento do seu carinhoso dever, avançou então, desassombradamente, deixando os dois companheiros à sua espera, num dos largos recantos da praça, enquanto procurou ganhar as adjacências do edifício, com ligeiro desembaraço.

Batia-lhe o coração descompassadamente.

Como encontrar o governador da Judeia àquela hora? Um Sol ardente concentrava, em tudo, calor intolerável e sufocante.

O cortejo, em demanda do Gólgota, partira havia quase uma hora e o palácio parecia agora mergulhado numa atmosfera de silêncio e de sono, após as penosas confusões daquele dia.

Apenas alguns centuriões montavam guarda ao edifício e, quando Lívia alcançou menor distância das portas principais de acesso ao interior, eis que se lhe depara a figura de Sulpício, a quem se dirigiu com o máximo de confiança e de inocência, pedindo-lhe o obséquio de solicitar uma audiência privada e imediata ao governador, em seu nome, a fim de falar-lhe quanto à dolorosa situação de Jesus de Nazaré.

O lictor mirou-a de alto a baixo com o olhar de lascívia e cupidez que lhe eram características e, crendo piamente nas relações ilícitas daquela mulher com o procurador da Judeia, em virtude de suas observações pessoais, por coincidências que se lhe figuravam a realidade perfeita daquela suposta prevaricação, presumiu, naquele ato insólito, não o motivo apresentado, que lhe pareceu ótimo pretexto para afastar quaisquer desconfianças, mas o objetivo de se encontrar com o homem de suas preferências.

Criatura ignóbil, de que se utilizava o governador para instrumento de suas paixões malignas, entendeu que semelhante entrevista deveria ser levada a efeito na maior intimidade, e, sabendo que Publius Lentulus ainda lá se encontrava em animada palestra com os companheiros, conduziu Lívia a um gabinete perfumado, onde se alinhavam preciosos vasos de aromas do Oriente, saturados de fluidos sutis e entontecedores, e onde Pilatos recebia, por vezes, a visita furtiva das mulheres de conduta equívoca, convidadas a participar dos seus licenciosos prazeres.

Ignorando, por completo, o mecanismo de circunstâncias que a conduziam a uma penosíssima situação, Lívia acompanhou o lictor ao gabinete aludido, onde, embora estranhando a suntuosidade extravagante do ambiente, se demorou alguns minutos, a sós, aguardando ansiosamente o instante de implorar, de viva voz, ao procurador da Judeia a sua prestigiosa interferência a favor do generoso Messias de Nazaré.

Nem ela, nem Sulpício, todavia, chegaram a perceber que uns olhos perscrutadores os acompanharam com profundo interesse, desde o exterior do edifício ao gabinete privado a que nos referimos.

Era Fúlvia, que, conhecendo semelhante apartamento do palácio, surpreendera a esposa do senador, sob o disfarce daquela túnica humilde, da vida rural, enchendo-se-lhe o coração de pavorosos ciúmes, ao verificar aquela visita inesperada.

Enquanto Sulpício Tarquinius fazia um sinal familiar ao governador, a que este atendeu de pronto, indo imediatamente ao seu encontro num vasto corredor, onde murmuraram ambos algumas palavras em tom discreto, cientificando-se Pilatos da almejada entrevista em particular, aquela maliciosa criatura demandava alcovas do seu íntimo conhecimento, de maneira a certificar-se, positivamente, através dos reposteiros, da presença de Lívia na câmara privada do governador, destinada às suas expansões licenciosas.

Certificada, em absoluto, do acontecimento, a caluniadora antegozou o instante em que tomaria Publius pelas mãos, a fim de conduzi-lo à visão direta do suposto adultério de sua mulher e, quando regressava ao vasto salão, deixando transparecer levemente a satisfação sinistra da sua alma, ainda ouviu Pilatos exclamar com delicadeza para os seus convidados:

— Meus amigos, espero me concedam alguns minutos para atender a uma entrevista privada e urgente, que eu não esperava neste momento. Acredito que, consumada a condenação do Messias de Nazaré, batem já a estas portas os que não tiveram coragem para defendê-lo publicamente, no momento oportuno!... Vamos ver!

E retirando-se com o assentimento unânime dos presentes, o governador atingia o gabinete reservado, onde, eminentemente surpreendido, encontrou o vulto nobre de Lívia, mais bela e mais sedutora naqueles trajes despretensiosos e simples, e que lhe falou nestes termos:

— Senhor governador, embora sem o consentimento prévio de meu marido, resolvi chegar até aqui, em virtude da urgência do assunto, a suplicar o vosso amparo político para a absolvição do Profeta de Nazaré. Homem humilde e bom, caridoso e justo, que mal teria praticado para morrer assim, de morte aviltante, entre dois ladrões? É por isso que, conhecendo-o pessoalmente e tendo-o na conta de um inspirado do Céu, ouso invocar as vossas elevadas qualidades de homem público, em favor do acusado!...

Sua voz era trêmula, indicando as emoções que lhe iam na alma.

— Senhora — respondeu Pilatos, fazendo o possível para sensibilizar e seduzir-lhe o coração com a fingida ternura de suas palavras —, tudo fiz para evitar a Jesus a morte no madeiro infamante, vencendo todos os meus escrúpulos de homem de governo, mas, infelizmente, tudo está consumado. Nossa legislação foi vencida pelas iras da multidão delinquente, nas explosões injustificadas do seu ódio incompreensível.

— Então, não é lícito esperarmos nenhuma providência mais em benefício desse homem caridoso e justo, condenado como vulgar malfeitor? Será Ele, então, crucificado pelo crime de praticar a caridade e plantar a fé no coração dos seus semelhantes, que ainda não sabem adquiri-la por si próprios?

— Infelizmente, assim é... — replicou Pilatos contrafeito. — Tudo fizemos a fim de evitar os desatinos da plebe amotinada, mas os meus escrúpulos não conseguiram vencer, sendo obrigado a confirmar a pena de Jesus, a contragosto.

Por um momento, entregou-se Lívia às suas meditações dolorosas, como se estivesse inquirindo, a si mesma, qualquer providência nova a adotar sem perda de um minuto.

Quanto ao governador, depois de imprimir uma pausa às suas palavras, deixou que os instintos do homem surgissem, plenamente, naquelas circunstâncias.

Aquele dia havia sido de lutas penosas e intensas. Singular abatimento físico lhe dominava os centros mais poderosos da força orgânica, mas, diante dos seus olhos habituados à conquista e, muitas vezes, aos recursos da própria crueldade, estava aquela mulher, que lhe resistira... Poderosa algema parecia imantá-lo à sua personalidade simples e carinhosa, e ele, mais que nunca, desejou possuí-la, tornando-a, como as outras, um instrumento de suas transitórias paixões. O ambiente, sobretudo, conturbava-lhe as fontes mais puras do raciocínio. Aquele gabinete era destinado, exclusivamente, às suas extravagâncias noturnas, e fluidos entontecedores pairavam em todos os seus escaninhos, embotando os mais nobres pensamentos.

Via a mulher ambicionada, perdida por alguns segundos em graciosas cismas, diante da sua presença dominadora.

Aquela graça simples, saturada de generosidade quase infantil e aliada aos olhos límpidos e profundos de madona do lar, obscureceu-lhe o cavalheirismo que, por vezes, aflorava no modo brusco das suas injustiças e crueldades de homem da vida particular e da vida pública.

Avançando como tomado por força incoercível, exclamou inopinadamente, fazendo-lhe sentir o perigo da posição em que se colocara:

— Nobre Lívia — começou ele, na inquietação de seus impuros pensamentos —, nunca mais olvidei aquela noite, cheia de músicas e de estrelas, em que vos revelei pela primeira vez a ardência do meu coração apaixonado... Esquecei, por um momento, esses judeus incompreensíveis e ouvi, ainda uma vez, a palavra sincera dos profundos sentimentos que me inspirastes com as vossas virtudes e peregrina beleza!...

— Senhor!... — teve forças para exclamar a pobre senhora, procurando aliviar-se da afronta.

No entanto, o governador, com a ousadia dos homens impetuosos, não teve outro gesto senão o de obedecer aos seus caprichos impulsivos, tomando-lhe as mãos atrevidamente.

Lívia, todavia, movimentando todas as suas energias, alcançou recursos para se desvencilhar dos seus braços longos e fortes, redarguindo com energia:

— Para trás, senhor! Acaso será esse o tratamento de um homem de Estado para com uma cidadã romana e esposa de um senador ilustre do Império? E, ainda que me faltassem todos esses títulos, que me deveriam dignificar aos vossos olhos cúpidos e desumanos, suponho que não deveríeis faltar, neste momento, com o comezinho dever de cavalheirismo respeitoso, que qualquer homem é obrigado a dispensar a uma mulher!

O governador estacou ante aquele gesto heroico e imprevisto, tão habituado estava ele aos mais avançados processos de sedução.

A resistência daquela mulher espicaçava os desejos de vencer-lhe o orgulho nobre e a virtude incorruptível.

Tinha ímpetos de se atirar àquela criatura delicada e frágil, no turbilhão de lascívia e voluptuosidade que lhe obumbravam o raciocínio, no entanto, força incoercível parecia impor-se aos seus caprichos perigosos de apaixonado, inutilizando-lhe as forças necessárias à execução de semelhante cometimento.

Neste comenos, a esposa do senador, lançando-lhe um olhar doloroso no qual se podia ler toda a extensão do seu sofrimento e do seu desprezo em face do ultraje recebido, retirou-se profundamente emocionada, com o cérebro fervilhante dos mais desencontrados pensamentos.

Antes, porém, que a vejamos sair do gabinete, somos obrigados a retroceder alguns minutos, quando Fúlvia solicitou ao sobrinho de seu marido o obséquio de uma palavra em particular, pondo-o ao corrente de tudo o que se passava.

O senador experimentou um choque terrível no coração, pressentindo que a prevaricação da mulher estava prestes a confirmar-se diante dos seus próprios olhos, e, contudo, hesitou ainda acreditar em semelhante vilania.

— Lívia, aqui? — perguntou soturnamente à esposa do tio, dando a entender, pela inflexão da voz, que tudo não passava de criminosa calúnia.

— Sim — exclamou Fúlvia, ansiosa por fornecer-lhe a prova tangível de suas asserções —, ela está em colóquio com o governador, no seu compartimento privado, sem ajuizar da situação e das circunstâncias em que se verifica tal encontro, porque, afinal, Cláudia ainda está nesta casa e, perante a lei, minha irmã é a esposa legítima de Pilatos, mal habituado com os costumes dissolutos da Corte, de onde foi enviado para cá em virtude de sérios incidentes desta mesma natureza!

Publius Lentulus arregalou os olhos, na sua ingenuidade, dando guarida aos mais horríveis sentimentos, intoxicando-se com o veneno da mais acerba desconfiança, em vista de todas as circunstâncias operarem contra sua mulher, embora jogasse ele no assunto com os mais vastos cabedais da sua tolerância e liberalidade.

Sua atitude de expectativa revelava ainda o máximo de incredulidade, com respeito às acusações que ouvira, mas, observando a caluniadora o seu angustiado silêncio, acudiu ansiosa, exclamando:

— Senador, acompanhai-me através destas salas e vos entregarei a chave do enigma, porquanto verificareis a leviandade de vossa esposa com os vossos próprios olhos.

— Desvairais? — perguntou ele com serenidade terrível. — Um chefe de família da nossa estirpe social, a menos que uma confiança mais forte lhe outorgue esse direito, não deve conhecer as intimidades domésticas de uma casa que não seja a sua própria.

Percebendo que o golpe falhara, voltou Fúlvia a exclamar com a mesma firmeza:

— Está bem, já que não desejais fugir aos vossos princípios, aproximemo-nos de uma dessas janelas. Daqui mesmo, podereis observar a veracidade de minhas palavras, com a retirada de Lívia dos apartamentos privados deste palácio.

E quase a tomar o interlocutor pelas mãos, tal o abatimento moral que se apossara dele, a mulher do pretor aproximou-se do parapeito de uma janela próxima, seguida pelo senador, que a acompanhava, cambaleante.

Não foram necessários outros argumentos que melhor o convencessem.

Chegados ao local preferido de Fúlvia, como posto de observação, em poucos segundos viram abrir-se a porta do gabinete indicado, ao mesmo tempo que Lívia se retirava, nos seus disfarces galileus, deixando transparecer na fisionomia os sinais evidentes da sua emoção, como se quisesse fugir de situação que a acabrunhava penosamente.

Publius Lentulus sentiu a alma dilacerada para sempre. Considerou, num relance, que havia perdido todos os patrimônios de nobreza social e política, de envolta com as aspirações mais sagradas do seu coração. Diante da atitude de sua mulher, considerada por ele como indelével ignomínia que lhe infamava o nome para sempre, supôs-se o mais desventurado dos homens. Todos os seus sonhos estavam agora mortos e perdidas, terrivelmente, todas as esperanças. Para o homem, a mulher escolhida representa a base sagrada de todas as realizações da sua personalidade nos embates da vida, e ele experimentou que essa base lhe fugia, desequilibrando-lhe o cérebro e o coração.

Contudo, nesse turbilhão de fantasmas da sua imaginação superexcitada, que escarneciam de suas mentirosas venturas, lobriguou o vulto suave e doce dos filhinhos, que o fitavam silenciosos e comovidos. Um deles vagava no desconhecido, mas a filha esperava-lhe o carinho paternal e deveria ser, doravante, a razão da sua vida e a força de todas as suas esperanças.

— Que dizeis, agora — exclamou Fúlvia triunfante, arrancando-o do seu doloroso silêncio.

— Vencestes! — respondeu secamente, com a voz embargada de emoção.

E, dando à expressão fisionômica o máximo de energia, voltou ao salão extenso, a passos pesados e soturnos, despedindo-se heroicamente dos amigos, a pretexto de leve enxaqueca.

— Senador, esperai um momento. O governador ainda não voltou dos seus aposentos particulares — exclamou um dos patrícios presentes.

— Muito agradecido! — disse Publius gravemente. — Mas os prezados amigos hão de desculpar a insistência, apresentando minhas despedidas e agradecimentos ao nosso generoso anfitrião.

E, sem mais delongas, mandou preparar a liteira que o conduziria de regresso ao lar, pelas mãos fortes dos escravos, de modo a proporcionar algum repouso ao coração supliciado por emoções dolorosas e inesquecíveis.

Enquanto o senador se retira profundamente contrariado, acompanhemos Lívia, de volta à praça, a fim de notificar aos dois amigos o resultado improfícuo da sua tentativa.

Dolorosas amarguras lhe pungiam o coração.

Jamais pensara, na sua generosidade simples e confiante, que o procurador da Judeia pudesse receber-lhe a súplica com tamanha demonstração de indiferença e impiedade pela sua situação de mulher.

Procurou refazer-se daquelas emoções, se aproximando de Ana e do tio, porquanto lhe competia ocultar aquele desgosto no mais íntimo do coração.

Junto de ambos os companheiros humildes, da mesma crença, deixou expandir a sua angústia, exclamando pesarosa:

— Ana, infelizmente tudo está perdido! A sentença foi consumada e não há mais nenhum recurso!... O Profeta carinhoso de Nazaré nunca mais voltará a Cafarnaum para nos levar as suas consolações brandas e amigas!... A cruz de hoje será o prêmio, deste mundo, à sua bondade sem limites!...

Todos os três tinham os olhos orvalhados de lágrimas.

— Faça-se, então, a vontade do Pai que está nos céus — exclamou a serva, prorrompendo em soluços.

— Filhas — disse, porém, o ancião de Samaria com o olhar profundo e límpido, fito no céu, onde fulguravam as irradiações do Sol ardente —, o Messias nunca nos ocultou a verdade dos seus sacrifícios, dos martírios que o aguardavam nestes sítios, a fim de nos ensinar que o seu reino não está neste mundo! Nas sombras da minha velhice, estou apto a reconhecer a grande realidade das suas palavras, porque honras e vanglórias, mocidade e fortuna, bem como as alegrias passageiras do plano terrestre, de nada valem, pois tudo aqui vem a ser ilusão que desaparece nos abismos da dor e do tempo... A única realidade tangível é a de nossa alma a caminho desse reino maravilhoso, cuja beleza e cuja luz nos foram trazidas por suas lições inesquecíveis e carinhosas...

— Mas — obtemperou Ana entre lágrimas — nunca mais veremos a Jesus de Nazaré, confortando-nos o coração!...

— Que dizes, filha? — exclamou Simeão com firmeza. — Não sabes, então, que o Mestre afiançou que a sua presença consoladora é sempre inalterável entre os que se reúnem e se reunirão, neste mundo, em seu nome? Regressando, agora, a Samaria, erguerei uma cruz à porta da nossa choupana e reunirei, ali, a comunidade dos crentes que desejarem continuar as amorosas tradições do Messias.

E, depois de uma pausa em que parecia despertar sob o peso de pungentes preocupações, acentuou:

— Não temos tempo a perder... Sigamos para o Gólgota... Vamos receber, ainda uma vez, as bênçãos de Jesus!

— Muito grato me seria acompanhá-los — retrucou Lívia impressionada —, entretanto, urge volte a casa, onde me esperam os cuidados com a filha. Sei que hão de relevar minha ausência, porque a verdade é que estou, em pensamento, junto à cruz do Mestre, meditando nos seus martírios e inomináveis padecimentos... Meu coração acompanhará essa agonia indescritível, e que o Pai dos céus nos conceda a força precisa para suportarmos corajosamente o angustioso transe!...

— Ide, senhora, que os vossos deveres de esposa e mãe são também mais que sagrados — exclamou Simeão carinhosamente.

E enquanto o velho e a sobrinha se dirigiam para o Calvário, escalando as vias públicas que demandavam a colina, Lívia regressava ao lar apressadamente, buscando os caminhos mais curtos, por meio das vielas estreitas, de modo a voltar, quanto antes, não só pela circunstância inesperada de sair à rua em trajes diferentes, compelida pelos imperativos do momento, mas também porque inexplicável angústia lhe azorragava o coração, fazendo-lhe experimentar uma necessidade mais forte de preces e meditações.

Chegando ao lar, seu primeiro cuidado foi retomar a túnica habitual, buscando um recanto mais silencioso dos seus apartamentos, para orar com fervor ao Pai de infinita misericórdia.

Daí a minutos, ouviu os ruídos indicativos da volta do esposo, que, notou, se recolhia ao gabinete particular, fechando a porta com estrépito.

Lembrou-se, então, que de sua casa era possível avistar ao longe os movimentos do Gólgota, procurando um ângulo de janela, de onde conseguisse contemplar os penosos sacrifícios do Mestre de Nazaré. Bastou buscasse fazê-lo, para que enxergasse nas eminências do monte o grande ajuntamento de povo, quando levantavam as três cruzes famosas, daquele dia inesquecível.

A colina era estéril, sem beleza, e através da distância podiam seus olhos lobrigar os caminhos poeirentos e a paisagem desolada e árida, sob um Sol causticante.

Lívia orava com toda a intensidade emotiva do seu espírito, dominada por angustiosos pensamentos.

À sua visão espiritual, surgiam ainda os quadros suaves e encantadores do "mar" da Galileia, conhecendo que à memória lhe revinha aquele crepúsculo inolvidável, quando, entre criaturas humildes e sofredoras, aguardava o doce momento de ouvir a confortadora palavra do Messias, pela primeira vez. Via ainda a tosca barca de Simão, encostando-se às flores mimosas das margens, enquanto a renda branca das espumas lambia os seixos claros da praia... Jesus ali estava, junto da multidão dos desesperados e desiludidos, com seus grandes olhos ternos e profundos...

Todavia, aquela cruz que se levantava, no Monte da Caveira, trazia-lhe o coração em amargosas cismas.

Depois de orar e meditar longamente, examinou de longe os três madeiros, presumindo escutar o vozerio da multidão criminosa, que se acotovelava junto à cruz do Mestre, em terríveis impropérios.

De repente, sentiu-se tocada por uma onda de consolações indefiníveis. Figurava-se-lhe que o ar sufocante de Jerusalém se havia povoado de vibrações melodiosas e intraduzíveis. Extasiada, observou, na retina espiritual, que a grande cruz do Calvário estava cercada de luzes numerosas.

Ao calor invulgar daquele dia, nuvens escuras se haviam concentrado na atmosfera, prenunciando tempestade. Em poucos minutos, toda a abóbada celeste estava represada de sombras escuras. No entanto, naquele momento, Lívia notara que se havia rasgado um longo caminho entre o Céu e a Terra, por onde desciam ao Gólgota legiões de seres graciosos e alados. Concentrando-se, aos milhares, ao redor do madeiro, pareciam transformar a cruz do Mestre em fonte de claridades perenes e radiosas.

Atraída por aquele imenso foco de luz resplandecente, sentiu que sua alma desligada do corpo carnal se transportava ao cume do Calvário, a fim de prestar a Jesus o último preito do seu devotamento. Sim! via, agora, o Messias de Nazaré rodeado dos seus lúcidos mensageiros e das legiões poderosas de seus anjos. Jamais supusera vê-lo tão divinizado e tão belo, de olhos voltados para o firmamento, como em visão de gloriosas beatitudes.

Ela o contemplou, por sua vez, tocada de sua maravilhosa luz, alheia a todos os rumores que a rodeavam, implorando-lhe fortaleza, resignação, esperança e misericórdia.

Em dado instante, seu espírito sentiu-se banhado de consolação indefinível. Como se estivesse empolgada pela maior emoção de sua vida, notou que o Mestre desviara levemente o olhar, pousando-o nela, numa onda de amor intraduzível e de luminosa ternura. Aqueles olhos serenos e misericordiosos, nos tormentos extremos da agonia, pareciam dizer-lhe: "Filha, aguarda as claridades eternas do meu reino, porque, na Terra, é assim que todos nós deveremos morrer!..."

Desejava responder às exortações suaves do Messias, mas seu coração estava sufocado numa onda de radiosa espiritualidade. Todavia, no íntimo, afirmou, como se estivesse falando para si mesma: "Sim, é desse modo que deveremos morrer!... Jesus, concedei-me alento, resignação e esperança para cumprir os vossos ensinamentos, para alcançar um dia o vosso reino de amor e de justiça!..."

Lágrimas copiosas banhavam-lhe o rosto, naquela visão beatífica e maravilhosa.

Nesse momento, porém, a porta abriu-se com estrépito e a voz soturna e desesperada do marido vibrou no ar abafado, despertando-a bruscamente, arrancando-a de suas visões consoladoras.

— Lívia! — bradou ele, como se estivesse tocado por comoções decisivas e desesperadas.

Publius Lentulus, regressando ao lar, encaminhou-se imediatamente ao gabinete, onde se deixou ficar por muito tempo, engolfado em atrozes pensamentos. Depois de sentir o cérebro trabalhado pelas mais antagônicas resoluções, lembrou-se de que deveria suplicar a piedade dos deuses para os seus penosos transes. Dirigiu-se ao altar doméstico onde repousavam os símbolos inanimados de suas divindades familiares, mas, enquanto Lívia alcançara o precioso conforto, aceitando no coração os ensinos de Jesus com o perdão, a humildade e a prática do bem, debalde o senador procurou esclarecimento e consolo, elevando as suas orações aos pés da estátua de Júpiter, impassível e orgulhoso. Debalde suplicou a inspiração de suas divindades domésticas, porque esses deuses eram a tradição corporificada do imperialismo da sua raça, tradição que se constituía de vaidade e de orgulho, de egoísmo e de ambição.

Foi assim que, intoxicado pelo ciúme, procurou a esposa, sem mais delongas, a fim de cuspir-lhe em rosto todo o desprezo da sua amargurada desesperação.

Ao chamá-la, bruscamente, observou que seus olhos semicerrados estavam cheios de lágrimas, como a contemplar alguma visão espiritual inacessível à sua observação. Jamais Lívia lhe parecera tão espiritualizada e tão bela, como naquele instante sublime, mas o demônio da calúnia lhe fez sentir, imediatamente, que aquele pranto nada representava senão sinal de remorso e compunção ante a falta cometida, ciente, como deveria achar-se a esposa, da sua presença no palácio governamental, depreendendo-se daí que ela deveria esperar a possibilidade da sua severa punição.

Arrancada ao seu êxtase pela voz vibrante do marido, a pobre senhora observou que a sua visão se desvanecera inteiramente, e que o céu de Jerusalém fora invadido por tenebrosa escuridão, ouvindo-se os ribombos formidáveis de trovões longíquos, enquanto relâmpagos terríveis riscaram a atmosfera em todas as direções.

— Lívia — exclamou o senador com voz forte e pausada, dando a entender o esforço que despendia para dominar o complexo de suas emoções —, as lágrimas de arrependimento são inúteis neste momento doloroso dos nossos destinos, porque todos os laços de afetividade comum, que nos uniam, estão agora rotos para sempre...

— Mas que é isso? — pôde ela dizer, revelando o pavor que tais palavras lhe produziam.

— Nem mais uma palavra — revidou o senador, pálido de cólera, dentro de uma serenidade feroz e implacável —, observei, com os próprios olhos, o seu nefando delito desta tarde, e agora conheço a finalidade dos seus disfarces humildes de galileia!... Ouvir-me-á a senhora até o fim, eximindo-se de qualquer justificativa, porque uma traição como a sua só poderá encontrar justo castigo no silêncio profundo da morte.

"Mas não quero matá-la. Minha formação moral não se compadece com o crime. Não porque haja piedade em minha alma, à vista do possível arrependimento do seu coração, no tempo oportuno, mas porque tenho ainda uma filha sobre cuja fronte recairia o meu gesto de crueldade contra a sua felonia, que basta para nos tornar infelizes por toda a vida...

"Homem honesto e pronto a desafrontar-me de qualquer ultraje, tenho muito amor ao meu nome e às tradições de minha família, de modo a não me tornar um pai desnaturado e criminoso.

"Poderia abandoná-la para sempre, na consideração do seu ato de extrema deslealdade, porém os servos desta casa se alimentam igualmente à minha mesa, e, sem reconhecer os outros títulos que me ligavam à senhora, na intimidade doméstica, vejo ainda na sua pessoa a mãe de meus filhos desventurados. É por isso que, doravante, desprezo, em face das provas palpáveis da sua desonestidade, neste dia nefasto do meu destino, todas as expressões morais da sua personalidade indigna, para conservar nesta casa, tão somente, a sua expressão de maternidade, que me habituei a respeitar nos irracionais mais humildes e desprezíveis."

Os olhos súplices da caluniada deixavam entrever os indizíveis martírios que lhe dilaceravam o coração carinhoso e sensibilíssimo.

Ajoelhava-se aos pés do esposo com humildade, enquanto lágrimas dolorosas lhe rolavam das faces pálidas, clarificadas por angustioso silêncio.

Lembrava-se Lívia, então, de Jesus nos seus intraduzíveis padecimentos. Sim... ela recordava as suas palavras e estava pronta para o sacrifício. No meio de suas dores, parecia sentir ainda o gosto daquele pão de vida, abençoado por suas divinas mãos, e figurava-se lavada de todas as mundanas preocupações. A ideia do Reino dos Céus, onde todos os aflitos são consolados, anestesiava-lhe o coração dolorido, nas suas primeiras reflexões a respeito da calúnia de que era vítima o seu espírito fustigado pelas provas aspérrimas.

Não obstante essa atitude de serena humildade, o senador continuou no auge da angústia moral:

— Dei-lhe tudo que possuía de mais puro e mais sagrado neste mundo, na esperança de que correspondesse aos meus ideais mais sublimes, entretanto, relegando todos os deveres que lhe competiam, não vacilou em derramar sobre nós um punhado de lama... Preferiu, ao convívio do meu coração, os costumes dissolutos desta época de criaturas irresponsáveis, no capítulo da família, resvalando para o desfiladeiro que conduz a mulher aos abismos do crime e da impiedade.

"Mas ouça bem minhas palavras que assinalam os mais terríveis desgostos do meu coração!

"Nunca mais se afastará dos labores domésticos, das obrigações diárias de minha casa. Mais um ato, com que provoque as derradeiras reservas da minha tolerância, não deverá esperar outra providência que não seja a morte.

"Não me solicite as mãos honestas para um ato de tal natureza. Se as tradições familiares desapareceram no âmago do seu espírito, continuam elas cada vez mais vivas em minha alma, que as deseja cultivar incessantemente no santuário de minhas recordações mais queridas. Viva com o seu pensamento na ignomínia, mas abstenha-se de zombar publicamente dos meus sentimentos mais sagrados, mesmo porque a paciência e a liberalidade também têm os seus limites.

"Saberei ressurgir desta queda em que as suas leviandades me atiraram!...

"De ora em diante, a senhora será nesta casa apenas uma serva, considerando a função maternal que hoje a exime da morte, mas não intervenha na solução de qualquer problema educativo de minha filha. Saberei conduzi-la sem o seu concurso e buscarei o filhinho perdido talvez pela sua inconsciência criminosa, até o fim de meus dias. Concentrarei nos filhos a parcela imensa de amor que lhe reservara, dentro da generosidade da minha confiança, porquanto, doravante, não me deve procurar com a intimidade da esposa, que não soube ser, pela sua injustificável deslealdade, mas com o respeito que uma escrava deve aos seus senhores!..."

Enquanto se verificava uma ligeira pausa na palavra acrimoniosa e amargurada do senador, Lívia dirigiu-lhe um olhar de angústia suprema.

Desejava falar-lhe como dantes, entregando-lhe o coração sensível e carinhoso, todavia, conhecendo-lhe o temperamento impulsivo, adivinhou a inutilidade de qualquer tentativa para justificar-se.

Passadas as primeiras reflexões e ouvindo, amargurada de dor, aquela terrível insinuação acerca do desaparecimento do filhinho, deixou vagar no coração vacilações injustificáveis e numerosas. Ante aquelas calúnias que a faziam tão desditosa, chegava a pensar se as boas ações não seriam vistas por aquele Pai de infinita bondade, que ela acreditava velar, dos céus, por todos sofredores, de conformidade com as promessas sublimes do Messias Nazareno. Não guardara ela uma conduta nobre e exemplar, como mãe dedicada e esposa carinhosa? Todo o seu coração não estava posto em tributos de esperança e de fé naquele reino de soberana justiça, que se localizava fora da vida material? Além disso, sua ida precipitada a Pilatos, sem a audiência prévia do marido, fora tão somente com o elevado propósito de salvar a Jesus de Nazaré da morte infamante. Onde o socorro sobrenatural que não chegava para esclarecer sua penosa situação, definindo a verdadeira injustiça?

Lágrimas angustiosas enevoavam-lhe os olhos cansados e abatidos.

Mas antes que o marido recomeçasse as acusações, viu-se de novo defronte da cruz, em pensamento.

Uma brisa suave parecia amenizar as úlceras que o libelo do esposo lhe abrira no coração. Uma voz, que lhe falava aos refolhos mais íntimos da consciência, lembrou-lhe ao espírito sensível que o Mestre de Nazaré também era inocente e expirara, naquele dia, na cruz, sob os insultos de algozes impiedosos. E Ele era justo e bom, misericordioso e compassivo. Daqueles a quem mais havia amado, recebera a traição e o abandono na hora extrema do testemunho e, de quantos havia servido com a sua caridade e o seu amor, tinha recebido os espinhos envenenados da mais acerba ingratidão. Ante a visão dos seus martírios infinitos, Lívia consolidou a sua fé e rogou ao Pai celestial lhe concedesse a intrepidez necessária para vencer as provações aspérrimas da vida.

Suas meditações angustiosas haviam durado um momento. Um minuto apenas, após o qual, continuou Publius Lentulus com voz desesperada:

— Aguardarei mais dois dias, nas pesquisas de meu filhinho desventurado! Decorridas estas poucas horas, voltarei a Cafarnaum para afrontar a passagem do tempo... Ficarei neste cenário maldito, enquanto for necessário e, quanto à senhora, recolha-se doravante em sua própria indignidade, porque, com o mesmo ímpeto generoso com que lhe poupo a existência neste momento, não vacilarei em lhe infligir a derradeira punição no momento oportuno!...

E, abrindo a porta de saída, que estremecera aos ribombos do trovão, exclamou com terrível acento:

— Lívia, este momento doloroso assinala a perpétua separação dos nossos destinos. Não ouse transpor a fronteira que nos isola um do outro, para sempre, no mesmo lar e dentro da mesma vida, porque um gesto desses pode significar a sua inapelável sentença de morte.

Atrás dele, fechara-se a porta com estrépito, abafado pelos rumores da tempestade.

Jerusalém estava sob um verdadeiro ciclone de destruição, que ia deixar, após sua passagem, sinal de ruína, desolação e morte.

Ficando só, Lívia chorou amargamente.

Enquanto a atmosfera se lavava com a chuva torrencial que descia a cântaros no fragor das trovoadas, também a sua alma se despia das ilusões amargas e purificadoras.

Sim... estava só e profundamente desventurada.

Doravante, não poderia contar com o amparo do marido, nem com o afeto suave da filhinha, mas um anjo de serenidade velava à sua cabeceira, com a doçura das sentinelas que nunca se afastam do seu posto de amor, de redenção e de piedade. E foi esse Espírito luminoso que, fazendo gotejar o bálsamo de esperança no cálice do seu coração angustiado, deu-lhe a sentir que ainda possuía muito: o tesouro da fé, que a unia a Jesus, ao Messias da renúncia e da salvação, a esperá-la em seu reino de luz e de misericórdia.

X
O apóstolo da Samaria

No dia seguinte, Publius Lentulus incentivou as pesquisas do filhinho, entre quantos peregrinavam nas festas da Páscoa, em Jerusalém, instituindo o prêmio de um grande sestércio,[15] ou seja, 2.500 asses, para quem apresentasse aos seus servos a criança desaparecida.

Não devemos esquecer que a criada Sêmele, bem como suas companheiras de serviço foram submetidas ao mais rigoroso inquérito, por ocasião do castigo aos servos imprevidentes, encarregados da vigilância noturna em casa do senador.

Publius não admitia castigos físicos às mulheres, mas, no caso misterioso do desaparecimento do filhinho, submeteu as criadas a um interrogatório francamente impiedoso.

Inútil declarar que Sêmele protestara a mais absoluta inocência, nada deixando transparecer que pudesse comprometer sua conduta.

Entretanto, as três servas que mais diretamente cuidavam do pequeno, entre as quais estava ela incluída, foram obrigadas a colaborar com os escravos na procura de Marcus, pelas praças e ruas de Jerusalém, embora tivessem suas horas diárias consagradas ao descanso. Essas horas, aproveitava-as Sêmele para visitar ou rever relações amigas, passando a maior parte

---
[15] N.E.: Mil sestércios.

do tempo no sítio onde André cultivava as suas oliveiras e vinhedos frondosos, a pouca distância da estrada para os centros principais.

Nesse dia, vamos encontrá-la aí em animada palestra com o raptor e sua mulher, quando a criança dormitava ao canto de um compartimento.

— Com que então, o senador instituiu o prêmio de um grande sestércio a quem lhe devolva a criancinha? — pergunta André de Gioras admirado.

— É verdade — exclamou Sêmele pensativa. — E, na realidade, trata-se de grande soma em dinheiro romano, que facilmente ninguém ganhará neste mundo.

— Se não fosse o meu justo e ardente desejo de vingança — replicou o raptor com o seu malicioso sorriso — era o caso de irmos abocanhar essa respeitável quantia. Mas deixa estar que não precisamos de semelhante dinheiro. Nada necessitamos desses malditos patrícios!

Sêmele escutava-o indiferente e quase completamente alheia à conversa, entretanto, o interlocutor não perdia de vista as características fisionômicas de sua cúmplice, como se tentasse descobrir no seu modo simples e humilde algum pensamento reservado.

Foi assim que, no intuito de lhe sondar a atitude psicológica, disse em tom aparentemente calmo e despreocupado, como a inquirir dos seus propósitos mais secretos:

— Sêmele, quais são as últimas notícias de Benjamin?

— Ora, Benjamin — respondeu ela, aludindo ao noivo — ainda não se resolveu a marcar o casamento, em definitivo, atento às nossas inúmeras dificuldades.

"Como não ignora, todo o meu desejo no trabalho se resume na consecução do nosso ideal de adquirir aquela casinha de Betânia, já sua conhecida, e tão logo venhamos a conseguir nosso intento estaremos unidos para sempre."

— Ainda bem — disse André com a atitude psicológica de quem encontrara a chave de um enigma —, com tempo haverão de conseguir todo o necessário à ventura de ambos. Da minha parte, pode ficar descansada, porque tudo farei por auxiliá-la paternalmente.

— Muito grata! — exclamou a moça reconhecida. — Agora há de permitir que volte ao trabalho, porque as horas parecem adiantadas.

— Ainda não — falou André resolutamente —, espere um momento. Quero dar-lhe a provar do nosso vinho velho, aberto hoje somente para comemorar a circunstância feliz de nos acharmos com vida, depois do medonho temporal de ontem!

E, correndo ao interior, penetrou na adega, onde tomou de uma bilha de vinho espumante e claro, deitando-o, com fartura, numa taça antiga. Em seguida, foi a um quarto contíguo, de onde trouxe um tubo pequenino, deixando cair na taça algumas gotas do conteúdo, monologando baixinho:

— Ah! Sêmele, bem poderias viver, se não surgisse esse prêmio maldito, que te condena à morte!... Benjamin... o casamento é uma situação de amargurosa pobreza. Uma soma de mil sestércios constitui tentação a que não poderia resistir o espírito mais bem-intencionado e mais puro... Enquanto foram as aperturas e outros castigos, estava certo, mas agora é o dinheiro e o dinheiro costuma condenar as criaturas humanas à morte!...

E, misturando o tóxico violento no vinho que espumava, continuou resmungando:

— Daqui a seis horas minha pobre amiga estará penetrando o reino das sombras... Que fazer? Nada me resta senão desejar-lhe boa viagem! E nunca mais alguém saberá, neste mundo, que em minha casa existe um escravo com o sangue nobre dos aristocratas do Império Romano!...

Em dois minutos a desventurada serva do senador ingeria satisfeita o conteúdo da taça, agradecendo a sinistra gentileza com palavras comovidas de afeto e reconhecimento.

Da porta de sua vivenda empedrada, observou André os passos derradeiros da sua cúmplice, nas derradeiras curvas do caminho.

Ninguém mais pleitearia o grande sestércio oferecido pela desesperação de Lentulus, porque, precisamente à noitinha, quase às dezenove horas, Sêmele experimentou uma sensação de súbito mal-estar, recolhendo-se ao leito imediatamente.

Suores abundantes e frios lavaram-lhe as faces já descoradas, nas quais se notava o palor característico da morte.

Ana, que já havia regressado, compungida, aos afazeres domésticos, foi chamada à pressa, a fim de ministrar-lhe os socorros precisos, encontrando-a, porém, no auge da aflição que assinala os moribundos prestes a se desvencilharem do cárcere da matéria.

— Ana... — exclamou a agonizante com voz sumida —, eu morro... mas tenho a... consciência... pesada... intranquila...

— Sêmele, que é isso? — replicou a outra, profundamente comovida. Confiemos em Deus, nosso Pai celestial, e confiemos em Jesus, que ainda ontem nos contemplava da cruz dos seus sofrimentos, com um olhar de infinita piedade!

— Sinto... que é... tarde... — murmurou a moribunda, nas ânsias da morte —, eu... apenas... queria... um perdão...

Todavia, a voz entrecortada e rouca não pôde continuar. Um soluço mais forte abafava as últimas palavras, enquanto o rosto se cobria de tons violáceos, como se o coração houvesse parado instantaneamente, congestionado por força indefinível e poderosa.

Ana compreendeu que era o fim e suplicou a Jesus recebesse em seu reino misericordioso a alma da companheira, perdoando-lhe as faltas graves que, por certo, haviam dado motivo às palavras angustiosas dos últimos momentos.

Chamado um médico ao exame cadavérico, verificou, no empirismo da sua ciência, que Sêmele expirara por deficiência do sistema cardíaco e, longe de se descobrir a verdadeira causa daquele fato inesperado, o segredo de André de Gioras se envolvia nas sombras espessas do túmulo.

Ana e Lívia tiveram ensejo de trocar impressões sobre o doloroso acontecimento, mas ambas, embora a funda impressão que lhes causavam as derradeiras palavras da morta, encaravam a sua passagem para a outra vida, na conta dessas fatalidades irremediáveis.

Publius Lentulus, em seguida a esse fato, apressou o regresso à vivenda de Cafarnaum, que adquirira ao antigo dono, em caráter definitivo, prevendo a possibilidade de longa permanência em tais lugares. O regresso foi triste, jornada trabalhosa e sem esperanças.

Os servos numerosos não chegaram a perceber a profunda divergência agora existente entre ele e a esposa, e foi assim que, verdadeiramente separados pelo coração, continuaram no lar a mesma tradição de respeito perante os subordinados.

Depois de alguns dias de sua segunda instalação na cidade próspera e alegre onde Jesus tantas vezes fizera soar doces e divinas palavras, o senador preparou copioso expediente para o amigo Flamínio, bem como para outros elementos do Senado, enviando Comênio a Roma, como portador de sua inteira confiança.

Odiando a Palestina, que tantas e tão amargas provações lhe reservara, mas preso a ela pelo desaparecimento misterioso do pequenino Marcus, o senador solicitava a Flamínio a sua intervenção particular para que seu tio Sálvio regressasse à sede dos seus serviços na capital do Império, tentando livrar-se da presença de Fúlvia naqueles lugares, porquanto lhe dizia o coração, na intimidade do pensamento, que aquela mulher tinha uma influência nefasta no seu destino e no de sua família. Ao mesmo tempo, saturado de terrível aversão pela personalidade de Pôncio Pilatos, punha o amigo distante a par de numerosos escândalos administrativos que ele, após o incidente da Páscoa, resolvera corrigir com o máximo de severidade. Prometia, então, a Flamínio Severus, conhecer mais de perto as necessidades da província, a fim de que as autoridades romanas ficassem cientes de graves ocorrências na administração, de modo que, em tempo oportuno, fosse o governador removido para outro setor do Império, e prometendo relacionar, sem demora, todas as injustiças da atuação de Pilatos na vida pública, em vista das reclamações reiteradas e consecutivas que lhe chegavam aos ouvidos, de todos os recantos da província.

Nessas cartas particulares pedia ainda, ao amigo, as providências precisas, a fim de que lhe fosse enviado um professor para a filhinha, abstendo-se, contudo, de referir-se aos dolorosos dramas da vida privada, com exceção do caso do filhinho, por ele citado nesses documentos como causa única da sua demora indefinita, em tais lugares.

Comênio partiu de Jope, com o máximo cuidado, obedecendo rigorosamente às suas ordens e atingindo Roma daí a algum tempo, onde faria chegar aquelas notícias às mãos dos seus legítimos destinatários.

Em Cafarnaum, a vida corria triste e silenciosa.

Publius apegara-se ao seu arquivo volumoso, aos seus processos, aos seus estudos e às suas meditações, preparando os planos educativos da filha ou organizando projetos concernentes às suas atividades futuras, fazendo o possível para reerguer-se do abatimento moral em que mergulhara com os dolorosos sucessos de Jerusalém.

Quanto a Lívia, esta, conhecendo a inflexibilidade do caráter orgulhoso do marido, e sabendo que todas as circunstâncias aparentavam a sua culpa, encontrara na alma dedicada da serva o coração generoso de uma confidente extremosa no afeto, vivendo quase permanentemente mergulhada em orações sucessivas e fervorosas. Os sofrimentos experimentados patentearam-se-lhe no rosto, revelando profundos vestígios nos sulcos da face descorada. Os olhos, todavia, demonstrando a têmpera e o vigor da fé, clareavam-lhe as expressões fisionômicas de brilho singular, apesar do seu visível abatimento.

Em Cafarnaum, os seguidores do Mestre de Nazaré organizaram imediatamente uma grande comunidade de crentes do Messias, tornando-se muitos em apóstolos abnegados de sua doutrina de renúncia, de sacrifício e de redenção. Alguns pregavam, como Ele, na praça pública, enquanto outros curavam os enfermos em seu nome. Criaturas rústicas haviam sido tomadas, estranhamente, do mais alto sopro de inteligência e inspiração celeste, porque ensinavam com a maior clareza as tradições de Jesus, organizando-se com a palavra desses apóstolos os pródromos do evangelho escrito, que ficaria mais tarde no mundo como a mensagem do Salvador da Terra a todas as raças, povos e nações do planeta, qual luminoso roteiro das almas para o Céu.

Todos quantos se convertiam à ideia nova, confessavam na praça pública os erros da sua vida, em sinal da humildade que lhes era exigida, portas adentro da comunidade cristã. E para que o meigo Profeta de Nazaré jamais fosse esquecido em seus martírios redentores no Calvário, o povo simples e humilde, de então, organizou o culto da cruz, crendo fosse essa a melhor homenagem à memória de Jesus Nazareno.

Lívia e Ana, no seu profundo amor ao Messias, não escaparam a essa adesão natural às tradições populares. A cruz era objeto de toda a sua veneração e absoluto respeito, não obstante representar, naquele tempo, o instrumento de punição para todos os criminosos e celerados.

Ana continuou a frequentar as margens do lago, onde alguns Apóstolos do Senhor prosseguiam cultivando as suas lições divinas, junto dos sofredores deserdados da sorte. E era comum verem-se esses antigos companheiros e ouvintes do Messias, como pegureiros humildes, atravessando estradas agrestes, no mais absoluto desconforto, a fim de levarem a todos os homens as palavras consoladoras da Boa-Nova. Tipos impressionantes de homens simples e abnegados percorriam os mais longos e escabrosos caminhos, de vestes rotas e calçando alpercatas grosseiras, pregando, porém, com perfeição e sentimento, as verdades de Jesus, como se as suas frontes humildes estivessem tocadas da graça divina. Para muitos deles, o mundo não passava da Judeia ou da Síria, mas a realidade é que as suas palavras desassombradas e serenas iam permanecer no mundo para todos os séculos.

Mais de um mês decorrera sobre a Páscoa de 33, quando o senador, por uma tarde formosa e quente da Galileia, se aproximou da esposa para lhe dizer dos seus novos propósitos:

— Lívia — começou ele respeitoso —, tenho a comunicar-lhe que pretendo viajar algum tempo, afastando-me desta casa talvez por dois meses, em cumprimento dos meus deveres de emissário do Imperador, em condições especiais nesta província.

"Como esta viagem se verificará através de pontos numerosos, porquanto tenciono estacionar um pouco em todas as cidades do itinerário, até Jerusalém, não me é possível levá-la em minha companhia, deixando-a, neste caso, como guardiã de minha filha.

"Como sabe, nada mais existe entre nós que lhe outorgue o direito de conhecer minhas preocupações mais íntimas, todavia, renovo minhas palavras do dia fatal do nosso rompimento afetivo. Conservada nesta casa, apenas pela sua tarefa maternal, confio-lhe durante minha ausência a guarda de Flávia, até que chegue de Roma o velho professor que pedi a Flamínio.

"Desejo firmemente acredite na confiança que deponho no seu propósito de regeneração, como mãe de família, e que procure restabelecer sua idoneidade que, outrora, não lhe negaria em tais circunstâncias, e espero, assim, se abstenha de qualquer ato indigno, que venha a perder minha pobre filha para sempre."

— Publius!... — pôde ainda exclamar a esposa do senador aflitamente, tentando aproveitar aquele rápido minuto de serenidade do marido, a fim de se defender das calúnias que lhe eram assacadas pelas mais complicadas circunstâncias, mas, afastando-se repentinamente, fechado na sua severidade orgulhosa, o senador não lhe deu tempo de continuar, integrando-a, cada vez mais, no conhecimento da sua amargurada situação dentro do lar.

Passada uma semana, partia ele para a sua viagem aventurosa.

Animavam-no, acima de tudo, o desejo de aliviar o coração de tantos pesares, a tentativa da procura do filhinho desaparecido e o objetivo de catalogar os erros e injustiças da administração de Pilatos, de modo a alijá-lo dos poderes públicos na Palestina, em tempo oportuno.

Na sua resolução, todavia, pairava um erro grave, cujas consequências dolorosas não conseguira ou não pudera prever no seu íntimo atribulado. A circunstância de deixar esposa e filha expostas aos perigos de uma região, onde eram consideradas como intrusas, devia ser examinada mais detidamente pela sua visão de homem prático. Além disso, ele não podia contar, nessa ausência, com a dedicação vigilante de Comênio, em viagem com destino a Roma, onde o conduziam as determinações do patrão e leal amigo.

Todas essas preocupações andavam no espírito de Lívia, dotada, como mulher, de sentimento mais apurado e mais justo, no plano das conjeturas e previsões.

Foi assim, de alma aflita, que viu partir o marido, embora houvesse ele recomendado a numerosos servos o máximo de vigilância nos trabalhos da casa, junto aos seus familiares.

Festividades solenes foram determinadas por Herodes, em Tiberíades, previamente avisado pelo senador, a respeito de sua visita pessoal àquela cidade, que representava a primeira etapa da sua longa excursão. Todas as localidades de maior destaque constavam como pontos de parada da caravana, recebendo Publius, em todas elas, as mais expressivas homenagens das administrações e contingentes de escolta e servos inúmeros, que lhe auxiliavam os serviços, naquela demorada excursão através das unidades políticas de menor importância, na Palestina.

Devemos consignar, porém, que Sulpício Tarquinius se encontrava justamente em missão junto de Ântipas, quando da festiva chegada de Publius Lentulus à grande cidade da Galileia. Procurou, todavia, não se fazer notado pelo senador, regressando no mesmo dia a Jerusalém, onde vamos encontrá-lo em conferência íntima com o governador, nestes termos:

— Sabeis que o senador Lentulus — dizia Sulpício com o prazer de quem dá uma notícia desejada e interessante — dispôs-se a efetuar longa viagem por toda a província?

— Que? — fez Pilatos grandemente surpreendido.

— Pois é verdade. Deixei-o em Tiberíades, de onde se dirigirá para Sebaste em breves dias, crendo mesmo, segundo o programa da viagem, que pude conhecer graças ao concurso de um amigo, que não voltará a Cafarnaum nestes quarenta dias.

— Que intuito terá o senador com viagem tão incômoda e sem atrativo? Alguma determinação secreta da sede do Império? — inquiriu Pilatos, receoso de alguma punição aos seus atos injustos na administração política da província.

Todavia, após alguns segundos de meditação, como se o homem privado sobrepujasse as cogitações do homem público, perguntou ao lictor com interesse:

— E a esposa? Não o acompanhou? Teria o senador a coragem de deixá-la só, entregue às surpresas deste território, onde se aninham tantos malfeitores?

— Reconhecendo que teríeis interesse em tais informes — tornou Sulpício com fingida dedicação e satisfeita malícia —, busquei inteirar-me do assunto com um amigo que segue o viajante, como elemento de sua guarda pessoal, vindo a saber que a senhora Lívia ficou em Cafarnaum, na companhia da filha, e ali aguardará o regresso do esposo.

— Sulpício — exclamou Pilatos pensativo —, suponho não ignoras minha simpatia pela adorável criatura a que nos referimos...

— Bem o sei, mesmo porque, fui eu próprio, como deveis estar lembrado, que a introduzi no vosso gabinete particular, não há muito tempo.

— É verdade!

— Por que não aproveitais este ensejo para uma visita pessoal a Cafarnaum? — perguntou o lictor, com segundas intenções, mas sem ferir diretamente o melindroso assunto.

— Por Júpiter! — redarguiu Pilatos satisfeito. — Tenho um convite de Khouza e outros funcionários graduados de Ântipas, naquela cidade, que me autoriza a pensar nisso. Mas a que vem a tua sugestão neste sentido?

— Senhor — exclamou Sulpício Tarquinius com hipócrita modéstia —, antes de tudo, trata-se da vossa alegria pessoal com a realização desse projeto e, depois, tenho igualmente grande simpatia por uma jovem serva da casa, de nome Ana, cuja beleza admirável e simples é das mais sedutoras que hei visto nas mulheres nascidas em Samaria.

— Que é isso? Nunca te observei apaixonado. Acho que já passaste a época dos arrebatamentos da mocidade. Em todo caso, isso quer dizer que não me encontro sozinho na satisfação que me traz a ideia dessa viagem imprevista — replicou Pilatos com visível bom humor.

E, como se naquele mesmo instante houvesse elaborado todos os detalhes do seu plano, exclamou para o lictor, que o ouvia entre satisfeito e envaidecido:

— Sulpício, ficarás aqui em Jerusalém apenas o tempo preciso ao teu descanso ligeiro e imediato, regressando, depois de amanhã, para a Galileia, onde irás diretamente a Cafarnaum avisar Khouza dos meus propósitos de visitar a cidade e, feito isso, irás até a residência do senador Lentulus, onde avisarás sua esposa da minha decisão, em tom discreto, cientificando-a do dia previsto para a minha partida e chegada até lá. Espero que, com a atitude inconsiderada do marido, deixando-a tão só em tais regiões, venha ela pessoalmente a Cafarnaum encontrar-se comigo, de modo a distrair-se da companhia dos galileus grosseiros e ignorantes, e recordar por algumas horas os seus dias felizes da Corte, junto de minha conversação e de minha amizade.

— Muito bem — redarguiu o lictor, não cabendo em si de contente. — Vossas ordens serão rigorosamente cumpridas.

Sulpício Tarquinius saiu alegre e confortado nos seus sentimentos inferiores, antegozando o instante em que se aproximaria novamente da jovem samaritana, que despertara a cobiça dos seus sentidos materiais, cobiça que não tivera tempo de manifestar quando da sua permanência no serviço pessoal de Publius Lentulus.

Cumprindo as determinações recebidas, vamos encontrá-lo daí a quatro dias em Cafarnaum, onde os avisos do governador foram recebidos com grande contentamento por parte das autoridades políticas.

O mesmo, porém, não aconteceu na residência de Publius, onde sua presença foi recebida com reservas pelos empregados e escravos da casa. Ao seu chamado, apresentou-se-lhe Maximus, substituto de Comênio na chefia dos serviços usuais, mas que estava longe de possuir a sua energia e experiência.

Atendido, solicitamente, pelo antigo servo, que era seu conhecido pessoal, solicitou-lhe o lictor a presença de Ana, de quem dizia ele precisar de uma entrevista pessoal para a solução de determinado assunto.

O velho criado de Lentulus não hesitou em chamá-la à presença de Sulpício, que a envolveu de olhares cúpidos e ardentes.

A criada perguntou-lhe, entre intrigada e respeitosa, a razão da visita inesperada, ao que Tarquinius esclareceu tratar-se da necessidade de se avistar, por um momento, com Lívia, em particular, tentando ao mesmo tempo colocar a pobre moça ao corrente de suas pretensões inconfessáveis, dirigindo-lhe as propostas mais indignas e insolentes.

Após alguns minutos, em que se fazia ouvir nas suas expressões insultuosas, em voz abafada, que Ana escutava extremamente pálida, com o máximo de cuidado e paciência para evitar qualquer nota escandalosa a seu respeito, respondeu a digna serva com voz austera e valorosa:

— Senhor lictor, chamarei minha senhora para atender-vos, dentro de poucos instantes. Quanto a mim, devo afirmar-vos que estais enganado, porquanto não sou a pessoa que supondes.

E, encaminhando-se resolutamente para o interior, cientificou a senhora do persistente propósito de Sulpício em lhe falar pessoalmente, surpreendendo-se Lívia não só com o acontecimento inesperado, como também com a expressão fisionômica da serva, presa da mais extrema palidez, depois do choque sofrido. Ana tratou de não a inteirar, de pronto, do sucedido, enquanto murmurou:

— Senhora, o lictor Sulpício parece apressado. Presumo que não tendes tempo a perder.

Todavia, sem se deixar empolgar pelas circunstâncias, Lívia buscou atender ao mensageiro com o máximo de sua habitual atenção.

Ante a sua presença, inclinou-se o lictor com profunda reverência, dirigindo-se-lhe respeitoso, no cumprimento dos deveres que o traziam:

— Senhora, venho da parte do senhor procurador da Judeia, que tem a honra de vos comunicar a sua vinda a Cafarnaum nos primeiros dias da próxima semana...

Os olhos de Lívia brilharam de justificada indignação, enquanto inúmeras conjeturas lhe assaltaram o espírito; movimentando, porém, as suas energias, teve a precisa coragem para responder à altura das circunstâncias:

— Senhor lictor, agradeço a gentileza de vossas palavras, todavia, cumpre-me esclarecer que meu marido se encontra em viagem, neste momento, e a nossa casa a ninguém recebe na sua ausência.

E, com leve sinal, fez-lhe sentir que era tempo de se retirar, o que Sulpício compreendeu, intimamente encolerizado. Despediu-se com reverências respeitosas.

Surpreendido com aquela atitude, porquanto ao espírito do lictor a prevaricação de Lívia representava um fato inconteste, retirou-se sumamente desapontado, mas não sem conjeturar os acontecimentos na sua depravada malícia.

Foi assim que, encontrando-se com um dos soldados de guarda à residência, seu conhecido e amigo pessoal, observou-lhe com fingido interesse:

— Otávio, antes de uma semana talvez aqui esteja de volta e desejaria encontrar de novo, nesta casa, a joia rara de minha felicidade e de minhas esperanças...

— Que joia é essa? — perguntou, curioso, o interpelado.

— Ana...

— Está bem. Fácil é o trabalho que me pedes.

— Mas ouve-me bem — exclamou o lictor, pressentindo, já, que a presa tudo faria por fugir-lhe das mãos. — Ana costuma ausentar-se frequentemente e, caso isso se verifique, espero que a tua amizade não me falte com os informes necessários, no instante oportuno...

— Pode contar com a minha dedicação.

Acabando de ouvir o pormenor mais importante desse diálogo, voltemos ao interior, onde Lívia, de alma opressa, confia à serva amiga e devotada as conjeturas dolorosas que lhe pesavam no coração. Depois de externar-lhe os seus justificados temores, plenamente admitidos por Ana que, por sua vez, a colocou ao corrente das insolências de Sulpício, a pobre senhora desfiou à sua confidente, simples e generosa, o rosário infindo de suas amarguras, relatando-lhe todos os sofrimentos que lhe dilaceravam a alma carinhosa e sensibilíssima, desde o primeiro dia em que a calúnia encontrara guarida no espírito orgulhoso do companheiro. As lágrimas da serva, ante a singular narrativa, eram bem o reflexo da sua alta compreensão das angústias da senhora, perdida naqueles rincões quase selvagens, considerando-se a sua educação e a nobreza de sua origem.

Ao finalizar o penoso relato de suas desditas, a nobre Lívia acentuou com indisfarçável amargura:

— Na verdade, tudo tenho feito por evitar os escândalos injustificáveis e incompreensíveis. Agora, porém, sinto que a situação se agrava cada vez mais, à vista da insistência dos meus algozes e da displicência de meu marido em face dos acontecimentos, perdendo-se o meu espírito em conjeturas amargas e dolorosas.

"Se mando chamá-lo por um mensageiro, pondo-o ao corrente do que se passa, a fim de que nos proteja com as suas providências imediatas, talvez não compreenda a marcha dos fatos na sua intimidade, encarando os meus receios como sintoma de culpas anteriores, ou tomando os meus escrúpulos como desejo de regeneração por faltas que não cometi, em virtude de suas enérgicas reprimendas e penosas ameaças; se não o aviso dessas ocorrências graves, do mesmo modo se produziria o escândalo, com a vinda do governador a Cafarnaum, aproveitando o ensejo da sua ausência.

"Tomo, unicamente, a Jesus por meu juiz nesta causa dolorosa, em que as únicas testemunhas devem ser o meu coração e a minha consciência!...

"O que mais me preocupa, agora, minha boa Ana, não é tão somente a obrigação de velar por mim, que já experimentei o fel amaríssimo da desilusão e da calúnia impiedosa. É, justamente, por minha pobre filha, porque tenho a impressão de que aqui na Palestina os malfeitores estão nos lugares onde deveriam permanecer os homens de sentimentos puros e incorruptíveis...

"Como não ignoras, meu desventurado filhinho já se foi, arrebatado nesse turbilhão de perigos, talvez assassinado por mãos indiferentes e criminosas... Fala-me o coração maternal que o meu desgraçado Marcus ainda vive, mas onde e como? Debalde temos procurado sabê-lo, em todos os recantos, sem o mais leve sinal da sua presença ou passagem... Agora, manda a consciência que resguarde a filhinha contra as ciladas tenebrosas!..."

— Senhora — exclamou a serva com fulgor estranho no olhar, como se houvera encontrado uma solução repentina e apreciável para o assunto —, o que dissestes revela o máximo bom senso e prudência... Também eu participo dos vossos temores e suponho que deveremos fazer tudo por salvar a menina e a vós mesma das garras desses lobos assassinos... Por que não nos refugiarmos nalgum local de nossa inteira confiança, até que os malditos abandonem estas paragens?!

— Mas considero que seria inútil procurarmos abrigo em Cafarnaum, em tais circunstâncias.

— Iríamos a outra parte.

— Aonde? — indagou Lívia com ansiedade.

— Tenho um projeto — disse Ana esperançosa. — Caso assentísseis na sua plena realização, sairíamos ambas daqui, com a pequenina, refugiando-nos na própria Samaria da Judeia, em casa de Simeão, cuja idade respeitável nos resguardaria de qualquer perigo.

— Mas a Samaria — replicou Lívia, algo desalentada — fica muito distante...

— A realidade, contudo, minha senhora, é que necessitamos de um sítio dessa natureza. Concordo em que a viagem não será tão curta, mas partiríamos com urgência, alugando animais descansados, tão logo repousássemos um pouco, na passagem por Naim. Com um dia ou dois de marcha, atingiríamos o vale de Siquém, onde se ergue a velha propriedade de meu tio. Maximus seria cientificado da vossa deliberação, sem outro pretexto que não seja o da necessidade de vossas decisões no momento e, na hipótese do regresso imediato do senador, estaria o vosso esposo integrado no conhecimento direto da situação, procurando inteirar-se, por si mesmo, quanto à vossa honestidade.

— De fato, essa ideia é o recurso mais viável que nos resta — exclamou Lívia mais ou menos confortada. — Além do mais, confio no Mestre, que não nos abandonará em provas tão rudes.

"Hoje mesmo, faremos nossos aprestos de viagem e irás à cidade providenciar, não só quanto aos animais que nos devam conduzir até Naim, como também quanto à partida de um dos teus familiares conosco, de modo a seguirmos com a maior simplicidade, sem provocar a atenção dos curiosos, mas igualmente bem acompanhadas contra os dissabores de qualquer eventualidade.

"Não te preocupes com despesas, porque estou provida dos necessários recursos financeiros."

Assim foi feito.

Na véspera da partida, Lívia chamou o servo que então desempenhava as funções de mordomo da casa, esclarecendo-o nestes termos:

— Maximus, motivos imperiosos me levam amanhã a Samaria da Judeia, onde me demorarei alguns dias, junto de minha filha. Levarei Ana em minha companhia e espero do teu esforço a mesma dedicação de sempre aos teus senhores.

O interpelado fez uma reverência, como quem se surpreendesse com semelhante atitude da patroa, pouco afeita aos ambientes exteriores do lar, mas entendendo que não lhe assistia o direito de analisar as suas decisões, aventou respeitoso:

— Senhora, espero designeis os servos que deverão acompanhar-vos.

— Não, Maximus. Não quero as solenidades do costume nas excursões dessa natureza. Irei com pessoas amigas, de Cafarnaum, e pretendo viajar com muita simplicidade. Interessa-me avisar-te dos meus propósitos, tão somente pela necessidade de redobrar os serviços de vigilância na minha ausência, e considerando a possibilidade do regresso inopinado do teu amo, a quem cientificarás da minha resolução, nos termos em que me estou exprimindo.

E, enquanto o criado se inclinava respeitoso, Lívia regressava aos aposentos, solucionando todos os problemas relativos à sua tranquilidade.

No dia imediato, antes da aurora, saía de Cafarnaum uma caravana humilde. Compunham-na Lívia, a filhinha, Ana e um dos seus velhos e respeitáveis familiares, que se dirigiam pela estrada que contornava o grande lago, quase em caprichoso semicírculo, acompanhando o curso das águas do Jordão a descerem sussurrantes e tranquilas para o Mar Morto.

Numa breve parada em Naim, trocaram-se os animais, seguindo os viajantes o mesmo roteiro em direção do vale de Siquém, onde, à tardinha, apearam à frente da casa empedrada de Simeão, que recebeu os hóspedes, chorando de alegria.

O ancião de Samaria parecia tocado de uma graça divina, tal o movimento notável que desenvolvera em toda a região, não obstante a sua idade avançada, espalhando os consoladores ensinamentos do Profeta de Nazaré.

Entre oliveiras umbrosas e frondejantes, erguera uma grande cruz, pesada e tosca, colocando nas suas proximidades grande mesa rústica, em torno da qual se assentavam os crentes, em pobres bancos improvisados, para lhe ouvirem a palavra amiga e confortadora.

Cinco dias venturosos decorreram ali para as duas mulheres, que se encontravam à vontade naquele ambiente simples.

De tarde, sob as carícias da Natureza livre e sadia, no seio verde da paisagem harmoniosa, reunia-se a assembleia humilde dos samaritanos, inclinados a aceitar os pensamentos de amor e de misericórdia sublime do Messias Nazareno.

Simeão, que ali vivia sem a companheira que Deus já havia levado e sem os filhos que, por sua vez, já haviam constituído família, em aldeias distantes, assumia a direção de todos, como patriarca venerável na sua calma senectude, relatando os fatos da vida de Jesus como se a inspiração divina o bafejasse em tais instantes, tal a profunda beleza filosófica dos comentários e das preces improvisadas com a amorosa sinceridade do seu coração. Quase todos os presentes, naquela mesma poesia simples da Natureza, como se estivessem ainda bebendo as palavras do Mestre junto do Gerizim, choravam de comoção e deslumbramento espiritual, tocados pela sua palavra profunda e carinhosa, magnetizados pela formosura das suas evocações saturadas de ensinamentos raros, de caridade e meiguice.

Nessa época, os cristãos não possuíam os evangelhos escritos, que somente um pouco depois apareciam no mundo grafados pelos Apóstolos, razão pela qual todos os pregadores da Boa-Nova colecionavam as máximas e as lições do Mestre, de próprio punho ou com a cooperação dos escribas do tempo, catalogando-se, desse modo, os ensinamentos de Jesus para o estudo necessário nas assembleias públicas das sinagogas.

Simeão, que não possuía uma sinagoga, seguia, porém, o mesmo método.

Com a paciência que o caracterizava, escreveu tudo que sabia do Mestre de Nazaré, para recordá-lo nas suas reuniões humildes e despretensiosas, prontificando-se do melhor grado a registrar todas as lições novas do acervo de lembranças dos seus companheiros, ou daqueles apóstolos anônimos do Cristianismo nascente, que, de passagem por sua velha aldeia, cruzavam a Palestina em todas as direções.

Fazia seis dias que as hóspedes se retemperavam naquele ambiente caricioso, quando o respeitável ancião, naquela tarde, em suas costumeiras evocações do Messias, se afigurava tocado de influências espirituais das mais excelsas.

As derradeiras meias-tintas do crepúsculo entornavam na paisagem um tom de esmeraldas e topázios, eterizados sob um céu azul indefinível.

No seio da assembleia heterogênea, notava-se a presença de criaturas sofredoras, de todos os matizes, que ao espírito de Lívia lembravam a tarde memorável de Cafarnaum, quando ouvira o Senhor pela primeira vez. Homens esfarrapados e mulheres maltrapilhas acotovelavam-se com crianças esquálidas, fitando, ansiosamente, o ancião que explicava comovido, com a sua palavra simples e sincera:

— Irmãos, era de ver-se a suave resignação do Senhor, no derradeiro instante!...

"Olhar fixo no céu, como se já estivesse gozando a contemplação das beatitudes celestes, no reino de nosso Pai, vi que o Mestre perdoava caridosamente todas as injúrias! Apenas um dos seus discípulos mais queridos se conservava ao pé da cruz, amparando a sua mãe no angustioso transe!... Dos seus habituais seguidores, poucos estavam presentes na hora dolorosa, certamente porque nós, os que tanto o amávamos, não podíamos externar nossos sentimentos diante da turba enfurecida, sem graves perigos para a nossa segurança pessoal. Não obstante, desejaríamos, todos, experimentar os mesmos padecimentos!...

"De vez em quando, um que outro mais atrevido de seus verdugos se aproximava do corpo chagado no martírio, dilacerando-lhe o peito com a ponta das lanças impiedosas!..."

Uma vez por outra, o generoso ancião limpava o suor da fronte, para continuar com os olhos úmidos:

— Notei, em dado instante, que Jesus desviara os olhos calmos e lúcidos do firmamento, contemplando a multidão amotinada em criminosa fúria!... Alguns soldados ébrios açoitaram-no, mais uma vez, sem que do seu peito opresso, na angústia da agonia, escapasse um único gemido!... Seus olhos suaves e misericordiosos se espraiaram, então, do monte do sacrifício para o casario da cidade maldita! Quando o vi olhando ansiosamente, com a ternura carinhosa de um pai, para quantos o insultavam nos suplícios extremos da morte, chorei de vergonha pelas nossas impiedades e fraquezas...

"A massa movimentava-se, então, em altercações numerosas... Gritos ensurdecedores e impropérios revoltantes o cercavam na cruz, em que se lhe notava o copioso suor do instante supremo!... Mas o Messias, como se visualizasse profundamente os segredos dos destinos humanos, lendo no livro do futuro, fitou de novo as alturas, exclamando com infinita bondade: '*Perdoa-lhes, meu Pai, porque não sabem o que fazem!...*'"[16]

O velho Simeão tinha a voz embargada de lágrimas, ao evocar aquelas lembranças, enquanto a assembleia se comovia profundamente com a narrativa.

Outros irmãos da comunidade tomaram a palavra, descansando o ancião dos seus esforços.

Um deles, porém, contrariamente aos temas versados naquele dia, exclamou com surpresa para todos os circunstantes:

— Meus irmãos, antes de nos retirarmos, lembremos que o Messias repetia sempre aos seus discípulos a necessidade da vigilância e da oração, porque os lobos rondam, neste mundo, o rebanho das ovelhas!...

Simeão ouviu a advertência e pôs-se em atitude de profunda meditação, de olhos fitos na grande cruz que se elevava a poucos metros do seu banco humilde.

Ao cabo de alguns minutos de espontânea concentração, tinha os olhos transbordando de lágrimas, fixos no madeiro tosco, como se no seu topo vagasse alguma visão desconhecida de quantos o observavam...

Depois, encerrando as preleções da tarde, falou comovido:

— Filhos, não é sem justo motivo que o nosso irmão se refere hoje ao ensino da vigilância e da prece! Alguma coisa, que não sei definir, fala-me ao coração que o instante do nosso testemunho está muito próximo... Vejo com a minha vista espiritual que a nossa cruz está hoje iluminada, anunciando,

---

[16] N.E.: *Lucas*, 23:34.

talvez, o glorioso minuto dos nossos sacrifícios... Meus pobres olhos se enchem de pranto, porque, entre as claridades do madeiro, ouço uma voz suave que me penetra os ouvidos numa entonação branda e amiga, exclamando: "Simeão, ensina ao teu rebanho a lição da renúncia e da humildade, com o exemplo da tua dedicação e do teu próprio sacrifício! Ora e vigia, porque não está longe o instante ditoso de tua entrada no reino, mas preserva as ovelhas do teu aprisco das arremetidas tenebrosas dos lobos famulentos da impiedade, soltos na Terra, ao longo de todos os caminhos, consciente, porém, de que, se a cada um se dará segundo as próprias obras, os maus terão, igualmente, seu dia de lição e castigo, de conformidade com os próprios erros!..."

O velho samaritano tinha o rosto lavado em lágrimas, mas doce serenidade irradiava do seu olhar carinhoso e compassivo, demonstrando-lhe as energias inquebrantáveis e valorosas.

Foi então que, alçando as mãos emagrecidas e longas ao firmamento, no qual brilhavam já as primeiras estrelas, dirigiu-se a Jesus, em prece ardente:

Senhor, perdoai nossas fraquezas e vacilações nas lutas da vida humana, na qual os nossos sentimentos são bem precários e miseráveis!... Abençoai nosso esforço de cada dia e relevai as nossas faltas, se algum de nós, que aqui nos reunimos, vem à vossa presença com o coração saturado de pensamentos que não sejam os do bem e do amor que nos ensinastes!... E, se chegada é a hora dos sacrifícios, auxiliai-nos com a vossa misericórdia infinita, a fim de que não vacilemos em nossa fé, nos dolorosos momentos do testemunho!...

A oração comovedora assinalou o fim da reunião, dispersando-se os assistentes, que regressavam, impressionados, às suas choupanas humildes e pobres.

O ancião, todavia, conseguiu repousar muito pouco naquela noite, tomado de preocupação por Lívia e pela sobrinha, que o haviam cientificado das graves ocorrências que as levaram a solicitar a sua proteção. Figurava-se-lhe que apelos carinhosos do Mundo Invisível lhe enchiam o espírito de ansiedade indefinível e de singulares impressões, que lhe não era possível alijar do raciocínio para os necessários minutos de repouso.

Contudo, ao passo que ocorriam esses fatos no vale de Siquém, voltemos a Cafarnaum, onde, na mesma tarde, chegara o governador com grande aparato.

No burburinho das festanças numerosas, organizadas pelos prepostos de Herodes Ântipas, o primeiro pensamento do viajante ilustre não nos pode ser olvidado.

Sulpício, porém, após palestrar longamente com o seu amigo Otávio, nas proximidades da residência do senador, onde foi posto ao corrente de todos os fatos, voltou a informá-lo de que ambas as presas cobiçadas haviam fugido como aves viajoras, para os bosques da Samaria.

O governador surpreendeu-se com a resistência daquela mulher, tão acostumado estava ele às conquistas fáceis, admirando-lhe, intimamente, o nobre heroísmo e pensando que, afinal, constituía atitude injustificável da sua parte tal obstinação no assédio, mesmo porque, não lhe faltariam mulheres tentadoras e formosas, desejosas de captarem a sua estima, no caminho da sua alta posição social na Palestina.

Ao mesmo tempo que dava curso a esses pensamentos, o espírito perverso do lictor, antegozando a trabalhosa conquista da sua vítima, murmurava-lhe ao ouvido:

— Senhor governador, se consentirdes, irei a Samaria da Judeia informar-me do assunto. Daqui ao vale de Siquém deve mediar pouco mais de 30 milhas, o que vem a ser um salto para os nossos cavalos. Levaria comigo seis soldados, bastando esses homens para manter a ordem em qualquer lugar destas paragens.

— Sulpício, por mim, não vejo mais necessidade de semelhantes providências — exclamou Pilatos resignado.

— Mas, agora — explicou o lictor com interesse —, se não é por vós, deve ser por mim, porque me sinto escravizado a uma mulher que devo possuir de qualquer maneira.

"Sou eu agora quem vos pede, humildemente, a concessão dessas providências" — acentuou ele desesperado, no auge dos seus pensamentos impuros.

— Está bem — murmurou Pilatos com displicência, como quem faz um favor a servo de confiança —, concedo-te o que me pedes. Acho que o amor de um romano deve superar qualquer afeição dos escravos deste país.

"Podes partir, levando contigo os elementos da tua amizade, sem te esqueceres, porém, de que devemos regressar a Nazaré, de hoje a três dias. Não te bastarão dois dias para esse cometimento?"

— Mas — continuou o lictor, maliciosamente — e se houver alguma resistência?

— Para isso levas os teus homens, autorizando-te eu a tomar as iniciativas necessárias aos teus propósitos. Em qualquer missão, jamais te esqueças prestar aos patrícios os favores da nossa consideração, mas aos que o não sejam, faze a justiça do nosso domínio e da nossa força implacáveis.

Na mesma noite, Sulpício Tarquinius escolheu os homens de mais confiança, e, pela madrugada, sete cavaleiros audaciosos puseram-se a caminho, trocando os ginetes fogosos, nas paradas mais importantes, em demanda de Samaria.

O lictor encaminhava-se para a sua ventura, como quem segue para o desconhecido, com o propósito firme de atingir os fins sem cogitar dos meios. Turbilhonavam-lhe no cérebro pensamentos condenáveis, afogando o coração inquieto e louco numa onda de anseios criminosos e indefiníveis.

Voltando, todavia, nossa atenção para a casa humilde do vale, vamos encontrar Simeão em grandes atividades, naquela manhã inolvidável de sua vida.

Após o almoço frugal, organizadas todas as suas anotações e pergaminhos, depois de mais de uma hora de meditação e preces fervorosas, e quando o Sol anunciava a claridade do meio-dia, reuniu as hóspedas, falando-lhes gravemente:

— Filhas, a visão de meus pobres olhos, em nossas preces de ontem, representa uma séria advertência para o meu coração. Ainda esta noite e hoje, durante o dia, tenho ouvido apelos suaves que me chamam e, sem explicar a justa razão deles, tenho o íntimo saturado de branda serenidade, na suposição de que não deve tardar muito a minha ida para o reino... Algo, porém, me fala ao espírito que ainda não soou a hora da vossa partida e, considerando o ensinamento do nosso Mestre de bondade e misericórdia, sobre os lobos e as ovelhas, devo resguardar-vos de qualquer perigo. É por isso que vos peço acompanhar-me.

Assim dizendo, o respeitável ancião pôs-se de pé e, caminhando para o seu casebre, deslocou blocos de pedra duma abertura na parede empedrada, exclamando imperativamente, na sua serena simplicidade:

— Entremos.

— Mas, meu tio — obtemperou Ana com certa estranheza —, serão necessárias tais providências?

— Filha, nunca discutas o conselho daqueles que envelheceram no trabalho e no sofrimento. O dia de hoje é decisivo e Jesus não me poderia enganar o coração.

— Oh! mas será possível, então, que o Mestre nos vá privar de vossa presença carinhosa e consoladora? — exclamava a pobre rapariga banhada em pranto, enquanto Lívia os acompanhava sensibilizada, trazendo pela mão a filha estremecida.

— Sim, para nós — revidou Simeão com serena coragem, mirando o azul do céu —, deve existir uma só vontade, que é a de Deus. Cumpram-se, pois, nos escravos os desígnios do Senhor.

Neste comenos, penetraram os quatro numa galeria que, à distância de poucos metros, ia dar num modesto refúgio talhado em pedras rústicas, afirmando o ancião em tom solene:

— Há mais de vinte anos não abro este subterrâneo a pessoa alguma... Recordações sagradas de minha esposa fizeram-me encerrá-lo para sempre, como túmulo de minhas ilusões mais queridas, mas, hoje de manhã, o reabri resolutamente, retirei os tropeços do caminho, coloquei aqui os apetrechos necessários ao descanso de um dia, pensando na vossa segurança até a noite. Este abrigo está oculto nas rochas que, junto das oliveiras, fazem o ornamento do nosso recanto de orações e, não obstante parecer abafado, o ambiente recebe o ar puro e fresco do vale, como a nossa própria casa.

"Ficai aqui tranquilas. Alguma coisa me diz ao coração que estamos atravessando horas decisivas. Trouxe o alimento preciso para as três, durante as horas da tarde, e caso eu não volte até a noitinha, já sabem como devem mover a porta empedrada que dá para meu quarto. Daqui, ouvem-se os rumores das cercanias, o que vos possibilitará a compreensão de qualquer perigo."

— E mais ninguém conhece este refúgio? — perguntou Ana ansiosa.

— Ninguém, a não ser Deus e os meus filhos ausentes.

Lívia, profundamente comovida, ergueu então a voz do seu sincero agradecimento:

— Simeão — disse ela —, eu, que conheço a têmpera do inimigo, justifico os vossos temores. Jamais esquecerei vosso gesto paternal, salvando-me do verdugo impiedoso e implacável.

— Senhora, não agradeçais a mim, que nada valho. Agradeçamos a Jesus os seus alvitres preciosos, no momento amargo das nossas provas...

Arrancando uma pequena cruz de madeira tosca das dobras da túnica humilde, entregou-a à esposa do senador, exclamando com voz serena:

— Só Deus conhece o minuto que se aproxima, e esta hora pode assinalar os derradeiros momentos do nosso convívio na Terra. Se assim for, guardai esta cruz como recordação de um servo humilde... Ela traduz a gratidão do meu espírito sincero...

Como Lívia e Ana começassem a chorar com as suas palavras comovedoras, continuou o ancião com voz pausada:

— Não choreis, se este minuto constitui o instante supremo! Se Jesus nos chama ao seu trabalho, uns antes dos outros, lembremo-nos de que, um dia, nos reuniremos todos nas luzes cariciosas do seu reino de amor e misericórdia, onde todos os aflitos hão de ser consolados...

E, como se o seu espírito estivesse na plena contemplação de outras esferas, cujas claridades o enchessem de intuições divinatórias, prosseguiu, dirigindo-se a Lívia, comovidamente:

— Estejamos confiantes na Providência Divina! Caso o meu testemunho esteja previsto para breves horas, confio-vos a minha pobre Ana, como vos entregaria a minha recordação mais querida!... Depois que abracei as lições do Messias, todos os filhos do meu sangue me desampararam, sem me compreenderem os propósitos mais santos do coração... Ana, porém, apesar da sua juventude, entendeu, comigo, o doce Crucificado de Jerusalém!...

"Quanto a ti, Ana" — disse pousando a destra na fronte da sobrinha —, "ama a tua patroa como se fosses a mais humilde das suas escravas!"

Nesse instante, porém, um ruído mais forte penetrou no recinto, como se um barulho incompreensível proviesse das rochas, parecendo mais um tropel de numerosos cavalos que se iam aproximando.

O ancião fez um gesto de despedida, enquanto Lívia e Ana se ajoelharam diante da sua figura austera e carinhosa; ambas, entre lágrimas, tomaram-lhe as mãos encarquilhadas, que cobriam de beijos afetuosos.

Num relance, Simeão transpôs a pequena galeria, reajustando as pedras na parede com o máximo cuidado.

Em poucos minutos, abria as portas da casa humilde e generosa a Sulpício Tarquinius e seus companheiros, compreendendo, afinal, que as advertências de Jesus, no silêncio de suas orações fervorosas, não haviam falhado.

O lictor dirigiu-lhe a palavra sem qualquer cerimônia, fazendo o possível por eliminar a impressão que lhe causava a majestosa aparência do ancião, com os seus olhos altivos e serenos e as longas barbas encanecidas.

— Meu velho — exclamou desabridamente —, por intermédio de teus conhecidos já sei que te chamas Simeão, e igualmente que hospedas aqui uma nobre senhora de Cafarnaum, com a sua serva de confiança. Venho da parte das mais altas autoridades para falar particularmente com essas senhoras, na maior intimidade possível...

— Enganai-vos, lictor — murmurou Simeão com humildade. — De fato, a esposa do senador Lentulus passou por estas paragens, todavia, apenas pela circunstância de se fazer acompanhar por uma de minhas sobrinhas-netas, deu-me a honra de repousar nesta casa algumas horas.

— Mas deves saber onde se encontram neste momento.

— Não posso dizê-lo.

— Ignoras, porventura?

— Sempre entendi — replicou o ancião corajosamente — que devo ignorar todas as coisas que venham a ser conhecidas para o mal de meus semelhantes.

— Isso é outra coisa — redarguiu Sulpício encolerizado, como um mentiroso de quem se descobrissem os pensamentos mais secretos. — Quer dizer, então, que me ocultas o paradeiro dessas mulheres, por simples capricho da tua velhice caduca?

— Não é isso. Conhecendo que no mundo somos todos irmãos, sinto-me no dever de amparar os mais fracos contra a perversidade dos mais fortes.

— Mas, eu não as procuro para fazer mal algum e chamo-te a atenção para estas insinuações insultuosas, que merecem a punição da justiça.

— Lictor — revidou Simeão com grande serenidade —, se podeis enganar os homens, não enganais a Deus com os vossos sentimentos inconfessáveis e impuros. Sei dos propósitos que vos trazem a estes sítios e lamento a vossa impulsividade criminosa... Vossa consciência está obscurecida por pensamentos delituosos e impuros, mas todo momento é um ensejo de redenção, que Deus nos concede na sua infinita bondade... Voltai atrás da insídia que vos trouxe e ide noutros caminhos, porque assim como o homem deve salvar-se pelo bem que pratica, pode também morrer pelo fogo devastador das paixões que o arrastam aos crimes mais hediondos...

— Velho infame!... — exclamou Sulpício Tarquinius, rubro de cólera, enquanto os soldados observaram, admirados, a serena coragem do valoroso ancião da Samaria. — Bem me disseram teus vizinhos, ao me informarem a teu respeito, que és o maior feiticeiro destas paragens!...

"Adivinho maldito, como ousas afrontar deste modo os mandatários do Império, quando te posso pulverizar com uma simples palavra? Com que direito escarneces do poder?"

— Com o direito das verdades de Deus, que nos mandam amar o próximo como a nós mesmos... Se sois prepostos de um império que outra lei não possui além da violência impiedosa na execução de todos os crimes, sinto que estou subordinado a um poder mais soberano do que o vosso, cheio de misericórdia e bondade! Esse poder e esse império são de Deus, cuja justiça misericordiosa está acima dos homens e das nações!...

Compreendendo-lhe a coragem e a energia moral inquebrantáveis, o lictor, embora fremente de ódio, revidou em tom fingido:

— Está bem, mas eu não vim aqui para conhecer as tuas bruxarias e o teu fanatismo religioso. De uma vez por todas: queres ou não prestar-me as informações precisas, acerca das tuas hóspedas?

— Não posso — replicou Simeão corajosamente —, minha palavra é uma só.

— Então, prendei-o! — disse, dirigindo-se aos seus auxiliares, pálido de cólera ao se ver derrotado naquele duelo de palavras.

O velho cristão da Samaria foi submetido aos primeiros vexames, por parte dos soldados, entregando-se, porém, sem a mínima resistência.

Aos primeiros golpes de espada, exclamou Sulpício sarcasticamente:

— Então, onde se encontram as forças do teu Deus, que te não defende? Seu Império é assim tão precário? Por que não te socorrem os poderes celestiais, eliminando-nos com a morte, em teu benefício?

Uma gargalhada geral seguiu-se a essas palavras, partida dos soldados que acompanhavam, gostosamente, os ímpetos criminosos do seu chefe.

Simeão, todavia, tinha as energias preparadas para o testemunho da sua fé ardente e sincera. De mãos amarradas, pôde ainda revidar com a serenidade habitual:

— Lictor, ainda que eu fosse um homem poderoso como o teu César, nunca ergueria a voz para ordenar a morte de quem quer que fosse, à face da Terra. Sou dos que negam o próprio direito da chamada legítima defesa, porque está escrito na Lei que "Não Matarás", sem nenhuma cláusula que autorize o homem a eliminar o seu irmão, nessa ou naquela circunstância... Toda a nossa defesa, neste mundo, está em Deus, porque só Ele é o Criador de toda a vida e somente Ele pode pôr e dispor de nossos destinos.

Sulpício experimentou o apogeu do seu ódio em face daquela coragem indomável e esclarecida e, avançando para um dos prepostos, exclamou enraivecido:

— Mércio, toma à tua conta este velho imbecil e feiticeiro. Guarda-o com atenção e não te descuides. Caso tente fugir, mete-lhe o chanfalho!

O venerável ancião, consciente de que atravessava as suas horas supremas, encarou o agressor com heroica humildade.

Sulpício e os companheiros invadiram-lhe a casa e o quintal, expulsando-lhe uma velha serva, a palavrões e pedradas. No seu quarto encontraram as anotações evangélicas e os pergaminhos amarelecidos, além de pequenas lembranças que guardava em memória dos seus afetos mais queridos.

Todos os objetos de suas recordações mais sagradas foram trazidos à sua presença, e foram quebrados sem piedade. Perante seus olhos, serenos e bons, dilaceraram-se túnicas e papiros antigos, entre sarcasmos e ironias revoltantes.

Terminada a devassa, o lictor, de mãos nas costas, examinando, intimamente, a melhor maneira de arrancar-lhe a desejada confissão sobre o paradeiro de suas vítimas, andou pelas adjacências mais de duas horas, voltando à mesma sala, onde o interpelou novamente.

— Simeão — disse ele com interesse —, satisfaze os meus desejos e te concederei a liberdade.

— Por esse preço, toda a liberdade me seria penosa. Deve preferir-se a morte a transigir com o mal — respondeu o ancião com a mesma coragem.

Sulpício Tarquinius rilhou os dentes de fúria, ao mesmo tempo que gritava possesso:

— Miserável! saberei arrancar-te a confissão necessária.

Isso dizendo, encarou fixamente o enorme cruzeiro que se levantava a poucos metros da porta e, como se houvesse escolhido o melhor instrumento de martírio para arrancar-lhe a revelação desejada, dirigiu-se aos soldados em voz soturna:

— Amarremo-lo à cruz, como o Mestre das suas feitiçarias.

Recordando-se dos grandes momentos do Calvário, o ancião deixou-se levar sem nenhuma relutância, agradecendo, intimamente, a Jesus pelo seu aviso providencial, a tempo de salvar das mãos do inimigo aquelas que considerava como filhas muito amadas.

Num ápice os soldados o amarraram na base do pesado madeiro, sem que a vítima demonstrasse um único gesto de resistência.

Avizinhava-se o crepúsculo, e Simeão recordou que, horas antes, sofria o Senhor com mais intensidade. Em prece ardente, suplicou ao Pai celestial ânimo e resignação para o angustioso transe. Lembrou-se dos filhos ausentes, rogando a Jesus que os acolhesse no manto de sua infinita misericórdia. Foi nesse ínterim que, amarrado à base da cruz pelos braços, pelo tronco e pelas pernas, viu que se aproximavam alguns dos companheiros de suas preces habituais, para as reuniões do crepúsculo, os quais foram logo detidos pelos soldados e pelo chefe implacável.

Inquiridos, quanto ao ancião que ali se encontrava, com o dorso seminu para os tormentos do açoite, todos, sem exceção de um só, alegaram não conhecê-lo.

Mais que os ataques dos impiedosos romanos, semelhante ingratidão doeu-lhe fundo no espírito generoso e sincero, como se envenenado espinho lhe penetrasse o coração.

Todavia, recompôs imediatamente as suas energias espirituais e, contemplando o Alto, murmurou baixinho numa prece ansiosa e ardente:

— Também vós, Senhor, fostes abandonado!... Éreis o Cordeiro de Deus, inocente e puro, e sofrestes as dores mais amargas, experimentando o fel das traições mais penosas!... Não seja, pois, o vosso servo mísero e pecador, que renegue os martírios purificadores do testemunho!...

A essa hora, já o recinto se encontrava repleto de pessoas que, de conformidade com as determinações de Sulpício, deveriam permanecer nos bancos grosseiros, dispostos em semicírculo, de modo a assistirem à cena selvagem, a título de escarmento para quantos viessem a desobedecer à justiça do Império.

O primeiro soldado, à ordem do chefe, iniciou o flagício. Todavia, da terceira vez que as suas mãos brandiam as extremas tiras de couro, na execranda tortura, sem que o ancião deixasse escapar o mais ligeiro gemido, parou subitamente, exclamando para Tarquinius em voz baixa e em tom discreto:

— Senhor lictor, no alto do madeiro há uma luz que paralisa os meus esforços.

Encolerizado, mandou Sulpício que um novo elemento o substituísse, mas o mesmo se repetiu com os seus algozes chamados ao trabalho sinistro.

Foi então que, desesperado de ódio incompreensível, tomou Sulpício dos açoites, brandindo-os ele mesmo no corpo da vítima, que se contorcia em sofrimentos angustiosos.

Simeão, banhado de suor e sangue, sentia o estalar dos ossos envelhecidos, que se quebravam aos pedaços, cada vez que o açoite lhe lambia as carnes enfraquecidas. Seus lábios murmuravam preces fervorosas, apelos a Jesus para que os tormentos não se prolongassem ao infinito. Todos os presentes, não obstante o terror que os levara à defecção para com o velho discípulo de Jesus, viam-lhe, com lágrimas, os inomináveis padecimentos.

Em dado instante, a fronte pendeu, quase desfalecida, prenunciando o fim de toda a resistência orgânica, em face do martírio.

Sulpício Tarquinius parou, então, por um minuto, a sua obra nefanda e, aproximando-se do ancião, falou-lhe ao ouvido com ansiedade:

— Confessas agora?

Mas o velho samaritano, temperado nas lutas terrestres, por mais de setenta anos de sofrimento, exclamou, exausto, em voz sumida:

— O... cristão... deve... morrer... com Jesus... pelo... bem... e... pela... verdade...

— Morre, então, miserável!... — gritou Sulpício em voz estentórica; e, tomando da espada, enterrou-lhe a lâmina no peito deprimido.

Viu-se o sangue jorrar em borbotões vermelhos e abundantes.

Nessa hora, cansado já do martírio, o ancião viu o ato supremo que poria termo aos seus padecimentos. Experimentou a sensação de um instrumento estranho que lhe abria o peito dolorido, sufocado por mortal angústia.

Num relance, porém, lobrigou duas mãos de neve translúcidas, que pareciam alisar-lhe carinhosamente os cabelos embranquecidos.

Notou que o cenário se havia transformado, enquanto fechava ligeiramente os olhos, no momento doloroso.

O céu não era o mesmo, nem mais à sua frente via traidores e verdugos. O ambiente estava saturado de luz branda e misericordiosa, enquanto aos seus ouvidos chegavam os ecos suaves de uma cavatina do céu, entoada, talvez, por artistas celestes e invisíveis. Ouvia cânticos esparsos, exaltando as dores de todos os desventurados, de todos os aflitos do mundo, divisando, maravilhado, o sorriso acolhedor de entidades lúcidas e formosas.

Afigurava-se-lhe reconhecer a paisagem que o recebia. Supunha-se transportado aos deliciosos recantos de Cafarnaum, nos instantes suaves em que se preparava para receber a bênção do Messias, jurando haver aportado, por processo misterioso, numa Galileia de flores mais ricas e de firmamento mais belo. Havia aves de luz, como lírios alados do paraíso, cantando nas árvores fartas e frondosas, que deviam ser as do éden celestial.

Buscou senhorear-se das suas emoções nas claridades dessa Terra Prometida, que, a seus olhos, deveria ser o país encantado do "reino do Senhor".

Por um momento, lembrou-se do orbe terrestre, das suas últimas preocupações e das suas dores. Uma sensação de cansaço dominou-lhe, então, o espírito abatido, mas uma voz que seus ouvidos reconheceriam entre milhares de outras vozes, falou-lhe brandamente ao coração:

— Simeão, chegado é o tempo do repouso!... Descansa agora das mágoas e das dores, porque chegaste ao meu reino, onde desfrutarás eternamente da misericórdia infinita do nosso Pai!...

Pareceu-lhe, afinal, que alguém o tomara de encontro ao peito, com o máximo de cuidado e carinho.

Um bálsamo suave adormentou o seu espírito exausto e amargurado. O velho servo de Jesus fechou, então, os olhos placidamente, acariciado por uma entidade angélica que pousou, de leve, as mãos translúcidas sobre o seu coração desfalecido.

Voltando, porém, ao doloroso espetáculo, vamos encontrar, junto à casa do ancião de Samaria, regular massa de povo que assistia, transida de pavor, à cena tenebrosa.

Amarrado ao madeiro, o cadáver do velho Simeão golfava sangue pela enorme ferida aberta no coração. A fronte pendida para sempre, como se reclamasse o repouso da terra generosa, suas barbas veneráveis se tingiam de rubro, aos salpicos de sangue das vergastadas, porque Sulpício, embora sabendo que o golpe de espada era o detalhe final do monstruoso drama, continuava a açoitar o cadáver colado à cruz infamante do martírio.

Dir-se-ia que as forças desencadeadas da treva se haviam apoderado completamente do espírito do lictor, que, tomado de fúria epiléptica, intraduzível, vergastava o cadáver sem piedade, numa torrente de impropérios, para impressionar a massa popular que o observava estarrecida de assombro.

— Vede — gritava ele furiosamente —, vede como devem morrer os samaritanos velhacos e os feiticeiros assassinos!... Velho miserável!... Leva para os infernos mais esta lembrança!...

E o açoite caía impiedoso, sobre os despojos destroçados da vítima, reduzidos agora a uma pasta sangrenta.

Nisso, porém, fosse pela pouca profundidade da base da cruz, que se abalara nos movimentos reiterados e violentos do suplício, ou pela punição das forças poderosas do Mundo Invisível, viu-se que o enorme madeiro tombava ao solo na vertigem de um relâmpago.

Debalde tentou o lictor eximir-se à morte horrível, examinando a situação por um milésimo de minuto, porque o topo da cruz lhe abateu a cabeça de um só golpe, inutilizando-lhe o primeiro gesto de fuga. Atirado ao chão com uma rapidez espantosa, Sulpício Tarquinius não teve tempo de dar um gemido. Pela base do crânio, esmigalhado, escorria a massa encefálica misturada de sangue.

Num átimo, todos acorreram ao corpo abatido do lobo, trucidado depois do sacrifício da ovelha. Um dos soldados examinou-lhe, detidamente, o peito, onde o coração ainda pulsava nas derradeiras expressões de automatismo.

A boca do verdugo estava aberta, não mais para a gritaria blasfematória, mas da garganta avermelhada descia uma espumarada de saliva e sangue, figurando a baba repelente e ignominiosa de um monstro. Seus olhos estavam desmesuradamente abertos, como se fitassem, eternamente, nos espasmos do terror, uma interminável falange de fantasmas tenebrosos...

Impressionados com o acidente imprevisto, no qual adivinhavam a influência da misteriosa luz que haviam lobrigado no topo do cruzeiro, os soldados ignoravam como providenciar naquela conjuntura, igualmente confundidos na onda de espanto e surpresa geral dos primeiros momentos.

Foi nesse instante que assomou à porta a figura nobre de Lívia, pálida de amarga perplexidade.

Ela e Ana, no interior da cava onde se haviam refugiado, pressentiram o perigo, permanecendo ambas em fervorosas preces, implorando a piedade de Jesus naquelas horas angustiosas.

A seus ouvidos chegavam os rumores imprecisos das discussões e do vozerio do povo em altercações ruidosas, nos minutos do incidente, encarado, por quantos a ele assistiram, como castigo do Céu.

Ambas, aflitas e ansiosas, considerando o adiantado da hora, deliberaram sair, fossem quais fossem as consequências da sua resolução.

Chegando à porta e observando o espetáculo horrendo do cadáver de Simeão reduzido quase a uma pasta informe, sob a base da cruz, e vendo o corpo de Sulpício estendido à distância de poucos metros, com a base do crânio esfacelada, experimentaram, naturalmente, um pavor indefinível.

O excesso das emoções, contudo, poucos minutos durou.

Enquanto a serva se desfazia em soluços, Lívia, com a energia que lhe caracterizava o espírito e a fé que lhe clarificava o coração, compreendeu de relance o que se havia passado e, entendendo que a situação exigia a força de uma vontade poderosa para que o equilíbrio geral se restabelecesse, exclamou para a serva, entregando-lhe a filha resolutamente:

— Ana, peço-te o máximo de coragem neste angustioso transe, mesmo porque, cumpre-nos lembrar que a bondade de Jesus nos preparou para suportar, dignamente, mais esta prova aspérrima e dolorosa! Guarda Flávia contigo, enquanto vou providenciar para que a tranquilidade se restabeleça!...

A passos rápidos, avançou para a turba que se ia aquietando à sua passagem.

Aquela mulher, de beleza nobre e graciosa, deixava transparecer no olhar uma chama de profunda indignação e amargura. Seu aspecto severo denunciava a presença de um anjo vingador, surgido entre aquelas criaturas ignorantes e humildes, no momento oportuno.

Aproximando-se da cruz, onde jaziam os dois cadáveres, cercados pela confusão, implorou de Jesus a coragem e fortaleza necessárias para dominar o nervosismo e a inquietação de todos os que a rodeavam. Sentiu que força sobre-humana se apossara da sua alma no momento preciso. Por um minuto, pensou no esposo, nas convenções sociais, no escândalo rumoroso daqueles acontecimentos, mas o sacrifício e a morte gloriosa de Simeão eram para ela o exemplo mais confortador e mais santo. Tudo olvidou para se lembrar de que Jesus pairava acima de todas as coisas transitórias da Terra, como o mais alto símbolo de verdade e de amor, para a felicidade imorredoura de toda a vida.

Um dos soldados, tomado de veneração e conhecendo perto de quem seus olhos se encontravam, acercou-se-lhe, exclamando com o máximo respeito:

— Senhora, cumpre-me apresentar-vos nossos nomes, a fim de que possais utilizar-nos para o que julgardes necessário.

— Soldados — exclamou resoluta —, não precisais declinar nomes. Agradeço a vossa dedicação espontânea, que poderia ter sido, minutos antes, uma inconsciência criminosa; lamentando, apenas, que seis homens aliados a esta multidão permitissem a consumação deste ato de infâmia e suprema covardia, que a Justiça Divina acaba de punir perante os vossos olhos!...

Todos se haviam calado, como por encanto, ao ouvirem essas enérgicas palavras.

A massa popular tem dessas versatilidades misteriosas. Basta, às vezes, um gesto para que se despenhe nos abismos do crime e da desordem; uma palavra chicoteante para fazê-la regressar ao silêncio e ao equilíbrio necessários.

Lívia compreendeu que a situação era sua, e, dirigindo-se aos prepostos de Sulpício, falou corajosamente:

— Vamos, providenciemos o restabelecimento da calma, retirando esses cadáveres.

— Senhora — aventou um deles respeitosamente —, sentimo-nos na obrigação de enviar um mensageiro a Cafarnaum, de modo que o senhor governador seja avisado destes tristes acontecimentos.

Todavia, com a mesma expressão de serenidade, respondeu ela firmemente:

— Soldado, eu não permito a retirada de nenhum de vós outros, enquanto não derdes estes corpos à sepultura. Se o vosso governador possui um coração de fera, sinto-me agora na obrigação de proteger a paz das almas bem formadas. Não desejo que se repita nesta casa uma nova cena de covardia e de infâmia. Se a autoridade, neste território, atingiu o terreno das crueldades mais absurdas, eu prefiro assumi-la, resgatando uma dívida do coração para com os despojos deste apóstolo venerando, assassinado com a colaboração da vossa criminosa inconsciência.

— Não desejais consultar as autoridades de Sebaste, a respeito do assunto? — tornou um deles, timidamente.

— De modo algum — respondeu ela com audaciosa serenidade. — Quando o cérebro de um governo está envenenado, o coração dos governados padecem da mesma peçonha. Esperaríamos em vão qualquer providência a favor dos mais humildes e dos mais infelizes, porque a Judeia está sob a tirania de um homem cruel e tenebroso. Ao menos hoje, quero afrontar o poder da perversidade, invocando em meu auxílio a misericórdia infinita de Jesus.

Silenciaram os soldados romanos, em face da sua atitude serena e imperturbável. E, obedecendo-lhe às ordens, colocaram os despojos inertes de Simeão sobre a mesa enorme e rústica das preces costumeiras.

Foi então que os mesmos companheiros, que haviam negado o velho mestre do evangelho, se acercaram piedosamente do seu cadáver, beijando-lhe as mãos mirradas com enternecimento, arrependidos da sua covardia e fraqueza, cobrindo-lhe de flores os despojos sangrentos.

Anoitecia, mas as tênues claridades do crepúsculo, na formosa paisagem da Samaria, ainda não haviam abandonado, de todo, o horizonte.

Uma força indefinível parecia amparar o espírito de Lívia, alvitrando-lhe todas as providências necessárias.

Em pouco, ao esforço hercúleo de numerosos samaritanos, foram retiradas pesadas pedras do grupo de rochas que protegia a cova, onde se haviam abrigado as três fugitivas, enquanto, às ordens de Lívia, os seis soldados abriram uma sepultura rasa, longe daquele local, para o corpo de Sulpício.

Brilhavam, já, as primeiras constelações do firmamento, quando terminou a improvisação dos serviços dolorosos.

No instante de transportarem os despojos do ancião, que Lívia envolveu, pessoalmente, em alvo sudário de linho, ela fez questão de orar rogando ao Senhor recebesse, no seu reino de luz e verdade, a alma generosa do seu apóstolo valoroso.

Ajoelhou-se como uma figura angélica junto àquele banco humilde e tosco, no qual tantas vezes se sentara o servidor de Jesus, entre as suas oliveiras frondosas e bem-amadas. Todos os presentes, inclusive os próprios soldados que se sentiam empolgados de misterioso temor prostraram-se genuflexos, acompanhando-lhe a reverência, enquanto, à claridade de algumas tochas, sopravam perfumadas as brisas leves das noites formosas e estreladas da Samaria de há dois mil anos...

— Irmãos — começou ela emocionada, assumindo pela primeira vez a direção de uma assembleia de crentes —, elevemos a Jesus o coração e o pensamento!...

Uma sensação mais forte parecia embargar-lhe a voz, inundando-lhe os olhos de lágrimas doloridas...

Mas como se forças invisíveis e poderosas a alentassem, continuou serenamente:

Jesus, meigo e divino Mestre, foi hoje o dia glorioso em que partiu para o Céu um valoroso apóstolo do teu reino!... Foi ele, aqui na Terra, Senhor, a nossa proteção, o nosso amparo e a nossa esperança!... Na sua fé, encontramos a precisa fortaleza, e foi em seu coração compassivo que conseguimos haurir o consolo necessário!... Mas julgaste oportuno que Simeão fosse descansar no teu regaço amoroso e compassivo! Como tu, sofreu ele os tormentos da cruz, revelando a mesma confiança na Providência Divina, nos dolorosos sacrifícios do seu amargo testemunho... Recebe-o, Senhor, no teu reino de paz e de misericórdia! Simeão tornou-se bem-aventurado por suas dores, por seu denodo moral, por suas angustiosas aflições suportadas com o valor e a fé que nos ensinaste... Ampara-o nas claridades do paraíso do teu amor inesgotável, e que nós, exilados na saudade e na amargura, aprendamos a lição luminosa do teu valoroso apóstolo da Samaria!... Se algum dia nos julgares também dignos do mesmo sacrifício, fortalece-nos a energia, para que provemos ao mundo a excelência dos teus ensinamentos, ajudando-nos a morrer com valor, pela tua paz e pela tua verdade, como o teu missionário carinhoso a quem prestamos, nesta hora, a homenagem do nosso amor e do nosso reconhecimento...

Nesse ínterim, houve na sua oração um doce estacato.[17] Todavia, depois de breve pausa, continuou:

Jesus, a ti que vieste a este mundo, mais para os desesperados da salvação, levantando os mais doentes e os mais infelizes, endereçamos, igualmente, nossa súplica pelo celerado que não hesitou em tripudiar sobre tuas leis de fraternidade e amor, martirizando um inocente, e que foi arrebatado pela morte para o julgamento da tua justiça. Queremos esquecer a sua infâmia, como perdoaste aos teus algozes do alto da cruz infamante do martírio... Ajuda-nos, Senhor, para que compreendamos e pratiquemos os teus ensinos!...

Levantando-se comovida, Lívia descobriu o cadáver do apóstolo e beijou-lhe as mãos pela última vez, exclamando, em lágrimas, carinhosa:

— Adeus, meu mestre, meu protetor e meu amigo... Que Jesus te receba o espírito iluminado e justo no seu reino de luzes imortais, e que a minha pobre alma saiba aproveitar, neste mundo, a tua lição de fé e valoroso heroísmo!...

---

[17] N.E.: Neologismo. Provavelmente do italiano *staccato*: separado, destacado. Figuradamente, "suspense, pausa".

Repousado numa urna improvisada, o corpo inerte de Simeão foi conduzido ao seu último jazigo. Numerosas tochas haviam sido acesas para o ofício amargo e doloroso.

E enquanto o cadáver do lictor Sulpício descia à terra úmida, sem outro auxílio além da cooperação dos seus prepostos, o nobre ancião ia repousar à frente do seu templo e do seu ninho, entre as virações cariciosas do vale, à sombra fresca das oliveiras que lhe eram tão queridas!...

Lívia dispensou, em seguida, os soldados do governador e, guardada por homens valorosos e dedicados, passou o resto da noite em companhia de Ana e da filhinha, em profundas meditações e dolorosas cismas.

Ao raiar da aurora, retiravam-se definitivamente do vale de Siquém, acompanhadas por um vizinho de Simeão, encaminhando-se, de volta, a Cafarnaum, e levando, no íntimo, numerosas lições para toda a vida.

Sabedoras de que não se fariam esperar as represálias das autoridades administrativas, regressaram por estradas diferentes, que constituíam atalhos preciosos, sem tocar em Naim para a troca de animais. Com algumas horas sucessivas, em marcha forçada, atingiam o solar tranquilo, onde iam descansar dos golpes sofridos.

Lívia remunerou largamente o seu dedicado companheiro de viagem, retirando-se para os seus aposentos, onde fixou, em base preciosa, a pequena cruz de madeira que lhe dera o apóstolo, algumas horas antes do cruento martírio.

Alguns dias se passaram sobre os infaustos acontecimentos.

Pôncio Pilatos, contudo, informado de todos os pormenores do ocorrido, rugiu de ódio selvagem. Reconhecendo que defrontava poderosos inimigos, quais Publius Lentulus e sua mulher, buscou acionar por outro lado o mecanismo de sinistras represálias. Recolhendo-se imediatamente ao seu palácio de Samaria, fez que todos os habitantes da região pagassem muito caro a morte do lictor, humilhando-os por meio de medidas aviltantes e vexatórias. Assassínios nefandos foram praticados entre os elementos da população pacífica do vale, propagando-se por Sebaste e outros núcleos mais adiantados a rede de crimes e crueldades da sua mentalidade vingativa e tenebrosa.

Estacionemos, todavia, em Cafarnaum e aguardemos aí a chegada de um homem.

Ao cabo de alguns dias, com efeito, regressava o senador de sua viagem pela Palestina. Após o seu regresso, Lívia cientificou-o de quanto ocorrera na sua ausência. Publius Lentulus ouvia-lhe o relato silenciosamente. À medida que se lhe tornavam conhecidas as ocorrências, sentia-se intimamente tomado de indignação e de revolta contra o administrador da Judeia, não só pela sua incorreção política, mas também pela extrema antipatia pessoal que a sua figura lhe inspirava, resolvendo, em face do acontecido, não vacilar um segundo em processá-lo acerbamente, como quem julgava dever perseguir o mais cruel dos inimigos.

O leitor poderá, talvez, supor que o orgulhoso romano teria o coração sensibilizado e modificados os sentimentos a respeito da esposa, de quem presumia possuir as mais flagrantes provas de deslealdade e perjúrio, no santuário do lar e da família. Mas Publius Lentulus era humano, e, nessa condição precária e miserável, tinha de ser um fruto do seu tempo, da sua educação e do seu meio.

Ao ouvir as últimas palavras de sua mulher, pronunciadas em tom comovido, como o de alguém que pede apoio e reclama o direito de um carinho, replicou austeramente:

— Lívia, eu me regozijo com a tua atitude e rogo aos deuses pela tua edificação. Teus atos simbolizam para mim a realidade da tua regeneração, depois da fragorosa queda vista com os meus olhos. Bem sabes que para mim a esposa não mais deve existir, contudo, louvo a mãe de meus filhos, sentindo-me confortado porque, se não acordaste a tempo de seres feliz, despertaste ainda com a possibilidade de viver... Tua repulsa tardia por esse homem cruel me autoriza a crer na tua maternal dedicação e isso basta!...

Essas palavras, pronunciadas em tom de superioridade e secura, demonstraram à Lívia que a separação afetiva de ambos deveria continuar no ambiente doméstico, irremissivelmente.

Abalada nas comoções do seu martírio moral, retirou-se para o quarto, onde se prostrou diante da cruz de Simeão, com a alma desalentada e combalida. Ali, meditou angustiosamente na sua penosa situação, mas, em dado instante, viu que a lembrança humilde do apóstolo da Samaria irradiava uma luz cariciosa e resplandecente, ao mesmo tempo que uma voz suave e branda murmurava aos seus ouvidos:

— Filha, não esperes da Terra a felicidade que o mundo não te pode dar! Aí, todas as venturas são como neblinas fugidias, desfeitas ao calor das paixões ou destroçadas ao sopro devastador das mais sinistras desilusões!...

Espera, porém, o reino da Misericórdia Divina, porque nas moradas do Senhor há bastante luz para que floresçam as mais santificadas esperanças do teu coração maternal!... Não aguardes, pois, da Terra, mais que a coroa de espinhos do sacrifício...

A esposa do senador não se surpreendeu com o fenômeno. Conhecendo de oitiva a ressurreição do Senhor, tinha a convicção plena de que se tratava da alma redimida de Simeão, que a seu ver voltava das luzes do Reino de Deus para lhe confortar o coração.

Por semanas a fio, recebeu Publius Lentulus a visita de samaritanos numerosos, que lhe vinham solicitar enérgicas providências contra os desmandos de Pôncio Pilatos, então instalado no seu palácio de Samaria, onde permanecia raramente, ordenando o assassínio ou a escravidão de elementos numerosos, em sinal de vingança pela morte daquele que considerava como o melhor áulico da sua casa.

Daí a algum tempo, regressava Comênio de sua viagem a Roma, com um professor competente para a pequena Flávia. Além desse preceptor notável, que lhe mandava a carinhosa solicitude de Flamínio Severus, chegavam-lhe também novas notícias, que o senador considerava confortadoras. Em virtude da sua solicitação, as altas autoridades do Império determinaram a volta do pretor Sálvio Lentulus, com a família, para a sede do governo imperial, pedindo-lhe o amigo, particularmente, a remessa de dados positivos quanto à administração de Pilatos na Judeia, a fim de que o Senado pleiteasse a sua remoção.

Em virtude dessas circunstâncias, daí a algum tempo voltava Comênio a Roma levando a Flamínio um volumoso processo, relacionando todas as crueldades, praticadas por Pilatos, entre os samaritanos. Em vista das distâncias, por muito tempo rolou o processo nos gabinetes administrativos, até que no ano de 35 foi o procurador da Judeia chamado a Roma, onde foi destituído de todas as funções que exercia no governo imperial, sendo banido para Viena, nas Gálias, onde se suicidou, daí a três anos, ralado de remorsos, de privações e de amarguras.

Publius Lentulus permaneceu com as suas esperanças de pai, na mesma vivenda da Galileia, dedicando-se quase que exclusivamente aos seus estudos, aos seus processos administrativos e à educação da filha, que manifestara, muito cedo, pendores literários ao lado de apreciáveis dotes de inteligência.

Lívia conservou Ana junto de sua tutela e ambas continuaram orando junto à cruz que lhes dera Simeão no instante extremo, rogando a Jesus a necessária força para as penosas lutas da vida.

Debalde a família Lentulus esperava que o destino lhe trouxesse, de novo, o sorriso encantador do pequenino Marcus e, enquanto o senador e filhinha se preparavam para o mundo, junto de Lívia e Ana, que traziam as suas esperanças postas no Céu, deixemos passar mais de dez anos sobre a dolorosa serenidade da vila de Cafarnaum, mais de dez anos que passaram lentos, silenciosos, tristes.

FIM DA PRIMEIRA PARTE

SEGUNDA PARTE

I
A morte de Flamínio

O ano de 46 corria calmo.

Em Cafarnaum, vamos encontrar, de novo, as nossas personagens mergulhadas numa serenidade relativa.

As autoridades administrativas, em Roma, não eram as mesmas. Entretanto, apoiado no prestígio do seu nome e nas consideráveis influências políticas de Flamínio Severus, perante o Senado, Publius Lentulus continuava comissionado na Palestina, onde gozava de todos os direitos e regalos políticos, na administração provincial.

Debalde continuara ali o senador, a despeito de todo o seu imenso desejo de voltar à sede do governo imperial, esperando o ensejo de reaver o filho, que o tempo continuava a reter no domínio das sombras misteriosas. Nos últimos anos, perdera por completo a esperança de atingir o seu desiderato, mesmo porque, considerava, a esse tempo Marcus Lentulus deveria estar no seu primeiro período de juventude, tornando-se irreconhecível aos olhos paternos.

Outras vezes, ponderava o orgulhoso patrício que o filho não mais vivia; que, certamente, as forças perversas e criminosas que o haviam arrebatado do lar teriam exterminado, igualmente, o gracioso menino sob a foice da morte, temendo uma punição inexorável. Lá dentro, porém, no imo da alma, latejava a intuição de que Marcus ainda vivia, razão pela qual, entre as indecisões e alternativas de todos os dias, resolvera, antes de tudo, ouvir a voz do dever paternal, lançando mão de todos os recursos para reencontrá-lo, permanecendo ali indefinidamente, contra os seus projetos mais decididos e mais sinceros.

A esse tempo, vamos encontrá-lo com os traços fisionômicos ligeiramente alterados, embora treze anos houvessem dobado sobre os dolorosos acontecimentos de 33. Seus cabelos ainda guardavam integralmente a cor natural e apenas algumas rugas, quase imperceptíveis, tinham vindo acentuar a sua fácies de profunda austeridade. Serena tristeza lhe pairava no semblante, invariavelmente, levando-o a isolar-se quase da vida comum, para mergulhar tão somente no oceano dos seus papéis e dos seus estudos, com a única preocupação de maior vulto, que era a educação da filha, buscando dotá-la das mais elevadas qualidades intelectivas e sentimentais. Sua vida no lar continuava a mesma, embora o coração muitas vezes lhe pedisse reatar o laço conjugal, atendendo àqueles treze anos de separação íntima, com a mais absoluta renúncia de Lívia a todas e quaisquer distrações que não fossem as da vida doméstica e da sua crença, fervorosa e sincera. A sós com as suas meditações, Publius Lentulus deixava divagar o pensamento pelas recordações mais doces e mais distantes e, nessas horas de introspecção, ouvia a voz da consciência que subia do coração ao cérebro, como um apelo à razão inflexível, tentando destruir-lhe os preconceitos, mas o orgulho vencia sempre, com a sua rigidez inquebrantável. Algo lhe dizia no íntimo que sua mulher estava isenta de toda mácula, mas o espírito de vaidade preconceituosa lhe fazia ver, imediatamente, a cena inesquecível da esposa ao deixar o gabinete privado de Pilatos, em vestes de disfarce, ouvindo ainda, sinistramente, as palavras escarninhas de Fúlvia Prócula, nas suas calúnias estranhas e ominosas...

Lívia, todavia, se confugira num véu de amargura resignada e compassiva, como quem espera as providências sobrenaturais, que nunca aparecem no inquieto decurso de uma existência humana. O esposo a conservava junto da filha, atendendo simplesmente à condição de mãe, não lhe permitindo, porém, de modo algum, interferir nos seus planos e trabalhos educativos.

Para Lívia, aquele golpe rude fora o maior sofrimento da sua vida. A própria calúnia não lhe doera tanto, mas o reconhecer-se como dispensável junto da filha do seu coração constituía a seus olhos a mais dolorosa humilhação da sua existência. Era por esse motivo que mais se abroquelava na fé, procurando enriquecer a alma sofredora com as luzes da crença fervorosa e sincera.

    Longe de conservar as energias orgânicas, tal como acontecera ao marido, seu rosto testemunhava as injúrias do tempo, com a sua pesada bagagem de sofrimentos e amarguras. Na sua fronte, que as dores haviam santificado, pendiam já alguns fios prateados, enquanto os olhos profundos se tocavam de brilho misterioso, como se houvessem intensificado o próprio fulgor, de tanto se fixarem no infinito dos céus. Seus traços fisionômicos, embora atestassem velhice prematura, revelavam ainda a antiga beleza, agora transformada em indefinível e nobre expressão de martírio e de virtude. Um único pedido fizera ao esposo, quando se viu isolada dos seus afetos mais queridos, no ambiente doméstico, longe do próprio contato espiritual com a filha, circunstância que ainda mais lhe afligia o coração amargurado: foi apenas que lhe permitisse continuar nas suas práticas cristãs, em companhia de Ana, que tanto se lhe afeiçoara, com aquele espírito de dedicação que lhe conhecemos, a ponto de desprezar as oportunidades que se lhe ofereceram para constituir família. O senador deu-lhe ampla permissão em tal sentido, chegando a facultar-lhe recursos financeiros para atender aos numerosos operários da doutrina que a procuravam discretamente, amparando-se nas suas possibilidades materiais para iniciativas renovadoras.

    Falta-nos, agora, apresentar Flávia Lentúlia aos que a viram na infância, doente e tímida.

    No esplendor dos seus 22 anos, ostentava o fruto da educação que o pai lhe dera, com a forte expressão pessoal do seu caráter e da sua formação espiritual.

    A filha do senador era Lívia, na encantadora graça dos seus dotes físicos, e era Publius Lentulus, pelo coração. Educada por professores eminentes, que se sucederam no curso dos anos, sob a escolha dos Severus, que jamais se descuidaram dos seus amigos distantes, sabia o idioma pátrio a fundo, manejando o grego com a mesma facilidade e mantendo-se em contato com os autores mais célebres, em virtude do seu constante convívio com a intelectualidade paterna.

    A educação intelectual de uma jovem romana, nessa época, era sem dúvida secundária e deficiente. Os espetáculos empolgantes dos anfiteatros, bem como a ausência de uma ocupação séria, para as mulheres do tempo, em face da incessante multiplicação e barateamento dos escravos, prejudicaram sensivelmente a cultura da mulher romana, no fastígio do Império, quando o espírito feminino rastejava no escândalo, na depravação moral e na vida dissoluta.

O senador, porém, fazia questão de ser um homem antigo. Não perdera de vista as virtudes heroicas e sublimadas das matronas inesquecíveis, das suas tradições familiares, e foi por isso que, fugindo à época, buscou aparelhar a filha para a vida social, com a cultura mais aprimorada possível, embora lhe enchesse igualmente o coração de orgulho e vaidade, com todos os preconceitos do tempo.

A jovem amava a mãe com extrema ternura, mas, à vista das ordens do pai, que a conservava invariavelmente junto dele, nos seus gabinetes de estudo ou nas pequenas viagens costumeiras, não fazia mistério da sua predileção pelo espírito paterno, de quem presumia haver herdado as qualidades mais fulgurantes e mais nobres, sem conseguir entender a doce humildade e a resignação heroica da mãe tão digna e tão desventurada.

O senador buscara desenvolver-lhe as tendências literárias, possibilitando-lhe as melhores aquisições de ordem intelectual, admirando-lhe a facilidade de expressão, principalmente na arte poética, tão exaltada naquela época.

O tempo transcorria com relativa calma para todos os corações.

De vez em quando, falava-se na possibilidade de regressar a Roma, plano esse cuja realização era sempre procrastinada, em vista da esperança de reencontrar o desaparecido.

Num dia suave do mês de março, quando as árvores frondosas se cobriam de flores, vamos encontrar na casa do senador um mensageiro que chegava de Roma a toda pressa.

Tratava-se de um emissário de Flamínio Severus, que em longa carta comunicava ao amigo o seu precário estado de saúde, acrescentando que desejava abraçá-lo antes de morrer. Comovedores apelos constavam desse documento privado, suscitando ao espírito de Publius as mais acuradas ponderações. Todavia, a leitura de uma carta assinada por Calpúrnia, que viera em separado, era decisiva. Nesse desabafo, a veneranda senhora o informou do estado de saúde do marido, que, a seu ver, era precaríssimo, acentuando os penosos dissabores e angustiosas preocupações que ambos experimentavam acerca dos filhos, que, em plena mocidade, se entregavam às maiores dissipações, seguindo a corrente de desvarios sociais da época. Terminava a carta comovedora, pedindo ao amigo que voltasse, que os assistisse naquele transe, de modo que a sua amizade e paternal interesse representassem uma força moderadora junto de Plínio e de Agripa, que, homens feitos, se deixavam levar no turbilhão dos prazeres mais nefastos.

Publius Lentulus não hesitou um instante.

Mostrou à filha os documentos recebidos e, depois de examinarem, juntos, os pormenores do seu conteúdo, comunicou a Lívia o seu propósito de voltar a Roma na primeira oportunidade.

A nobre senhora lembrou-se, então, de quão diversa lhe seria a vida na grande cidade dos césares, com as ideias que agora possuía, e pediu a Jesus não lhe faltasse a coragem necessária para vencer em todos os embates que houvesse de sustentar na sociedade romana, para conservar íntegra a sua fé.

A volta a Roma não reclamou, desse modo, grande demora. O mesmo emissário levou as instruções do senador para os seus amigos da capital do Império e, daí a pouco, uma galera os esperava em Cesareia, reconduzindo a família Lentulus de regresso, depois da permanência de quinze anos na Palestina.

Desnecessário dizer dos pequeninos incidentes do retorno, tal a vulgaridade das viagens antigas, com a sua monotonia, aliada às vagarosas perspectivas e ao doloroso espetáculo do martírio dos escravos.

Cumpre-nos, entretanto, acrescentar que, nas vésperas da chegada, o senador chamou a filha e a mulher, dirigindo-lhes a palavra em tom discreto:

— Antes de aportarmos, convém lhes explique a minha resolução a respeito do nosso pobre Marcus.

"Há muitos anos, guardo o maior silêncio a respeito do assunto, para com os meus afeiçoados de Roma e não desejo ser considerado mau pai, em nosso ambiente social. Somente uma circunstância, como a que nos impõe esta viagem, me levaria a regressar, porquanto não se justifica que um pai abandone o filho em tais paragens, ainda mesmo torturado pela incerteza da continuidade de sua existência.

"Assim, resolvi comunicar, a quantos mo perguntem, que o filho está morto há mais de dez anos, como, de fato, deverá estar para nós outros, visto a impossibilidade de o reconhecermos, na hipótese do seu reaparecimento.

"Se soubessem de nossas mágoas, não faltariam embusteiros que desejassem ludibriar nossa boa-fé, explorando o sentimentalismo familiar."

Ambas assentiram na decisão, que lhes parecia a mais acertada, e, daí a minutos, o porto de Óstia estava à vista, agora lindamente aparelhado pelo zelo do imperador Cláudio, que ali mandara executar obras interessantes e monumentais.

Nessa hora, não se observava o contentamento, natural em tais circunstâncias.

A partida, quinze anos antes, havia sido um cântico de esperança nas expectativas suaves do futuro, mas o regresso estava cheio do silêncio amargo das mais penosas realidades.

Além do desencanto da vida conjugal, Publius e Lívia não viam ali, entre os rostos amigos que os esperavam, as silhuetas de Flamínio e Calpúrnia, que consideravam irmãos muito amados.

Contudo, dois rapazes simpáticos e fortes, de gestos desembaraçados, nas suas togas irrepreensíveis, dirigiram-se a eles imediatamente, em escaleres confortáveis, mal a embarcação havia ancorado, rapazes esses que o senador e esposa reconheceram de pronto, num afetuoso e comovido abraço.

Tratava-se de Plínio e seu irmão que, incumbidos pelos pais, vinham receber os queridos ausentes.

Apresentados a Flávia, ambos fizeram um movimento instintivo de admiração, recordando o dia da partida, quando a haviam acomodado no beliche, entre os seus gemidos e caretas de criança doente.

A jovem impressionara-se, também, com a figura de ambos, de quem possuía apagadas reminiscências, entre as recordações remotas da sua infância. Principalmente Plínio Severus, o mais moço, a havia impressionado profundamente, com os seus 26 anos completos, do mesmo porte elegante e distinto com que ela havia idealizado o herói da sua imaginação feminina.

Notava-se, igualmente, num relance, que o rapaz não ficara indiferente àquelas mesmas emoções, porque, trocadas as primeiras impressões da viagem e examinada a situação da saúde de Flamínio Severus, considerada pelos filhos como excessivamente grave, Plínio oferecia o braço à jovem, enquanto Agripa lhe observava num leve tom de ciúme:

— Que é isso, Plínio? Flávia pode suscetibilizar-se com a tua intimidade excessiva!...

— Ora, Agripa — respondeu ele, com um franco sorriso —, estás muito prejudicado pelos formalismos da vida pública. Flávia não pode estranhar os nossos costumes, na sua condição de patrícia pelo nascimento e, ademais, não nasci para as disciplinas do Estado, tão do teu gosto!...

A essas palavras, ditas com visível bom humor, acrescentou Publius Lentulus, confortado pelo ambiente da sua predileção:

— Vamos, meus filhos!

E dando o braço à esposa, para desempenhar a comédia da sua felicidade conjugal na vida comum da grande cidade, seguido de Plínio, que amparava a jovem no seu braço forte e conquistador em assuntos do coração, desembarcaram junto de Agripa, a fim de descansarem um pouco, antes de seguirem diretamente para Roma, e, para o que, todas as providências haviam sido tomadas pelos irmãos Severus, com o máximo de carinho e espontânea dedicação.

Lívia não se esqueceu de Ana, providenciando para o seu conforto junto aos demais servos da casa, em todo o percurso de caminho que os separava da residência.

Em direção à cidade, pensou então o senador que, finalmente, ia rever o amigo muito amado. Há longos anos acariciava a ideia de confessar-lhe, de viva voz, todos os seus desgostos na vida conjugal, expondo-lhe com franqueza e sinceridade as suas preocupações, acerca dos fatos que o separavam da esposa, na intimidade do lar. Tinha sede de suas palavras afetuosas e de explicações consoladoras, porque sentia que amava a mulher acima de tudo, apesar de todos os dissabores experimentados. Não crendo sinceramente na sua queda, apenas seu orgulho de homem o afastava de uma reconciliação que cada dia se tornava mais imperiosa e necessária.

Em breve defrontavam a antiga residência, lindamente ornamentada para recebê-los. Numerosos servos se movimentavam, enquanto os recém-vindos faziam o reconhecimento dos lugares mais íntimos e mais familiares.

Havia quinze anos que o palácio do Aventino aguardava os donos, sob o carinho de escravos dedicados e dignos.

Logo se servia uma refeição frugal no triclínio enquanto os irmãos Severus, que participavam desse ligeiro repasto, esperavam os seus amigos, a fim de seguirem todos juntos para a residência de Flamínio, onde o enfermo os aguardava ansiosamente.

Plínio, em dado instante, como quem traz à baila uma notícia interessante e agradável, exclamou, dirigindo-se ao senador:

— Há bem tempo, ficamos conhecendo vosso tio Sálvio Lentulus e sua família, que residem perto do Fórum.

— Meu tio? — perguntou Publius impressionado, como se as lembranças de Fúlvia lhe trouxessem ao íntimo uma aluvião de fantasmas. Mas, ao mesmo tempo, como se estivesse fazendo o possível por adormentar as próprias mágoas, acentuou com suposta serenidade:

— Ah! é verdade! Faz mais de doze anos que ele regressou da Palestina...

Foi neste comenos que Agripa interveio como a vingar-se da atitude do irmão, quando ainda não havia desembarcado, exclamando intencionalmente:

— E por sinal que Plínio parece inclinado a desposar-lhe a filha, de nome Aurélia, com quem mantém as melhores relações afetivas, de muito tempo.

Ao ouvir essas palavras, Flávia Lentulus fitou o interpelado, como se entre o seu coração e o filho mais moço de Flamínio já houvesse os mais fortes laços de compromissos sentimentais, dentro das leis misteriosas das afinidades psíquicas.

Enquanto se passava esse duelo de emoções, Plínio fitou o irmão quase com ódio, dando a entender a impulsividade do seu espírito e respondendo com ênfase, como a defender-se de uma acusação injustificável, perante a mulher das suas preferências:

— Ainda desta vez, Agripa, estás enganado. Minhas relações com Aurélia não têm outro fundamento, além do da pura amizade recíproca, mesmo porque considero muito remota qualquer possibilidade de casamento, na fase atual da minha vida.

Agripa esboçava um sorriso brejeiro, enquanto o senador, compreendendo a situação, acalmava os ânimos, exclamando com bondade:

— Está bem, filhos, mas falaremos depois sobre meu tio. Sinto-me ansioso por abraçar o querido enfermo e não temos tempo a perder.

Em breves minutos um grupo de liteiras encaminhava-se para a nobre residência dos Severus, onde Flamínio aguardava o amigo ansiosamente.

Sua fisionomia não acusava mais aquela mobilidade antiga e a empolgante expressão de energia que a caracterizava, mas, em compensação, serena placidez se lhe irradiava dos olhos, sensibilizando a quantos o visitavam nos seus derradeiros dias de lutas terrestres. A expressão do semblante era a do lutador derribado e abatido, exausto de combater as forças misteriosas da morte. Os médicos não tinham a menor esperança de cura, considerando o profundo desequilíbrio físico, aliado a mais forte desorganização do sistema cardíaco. As menores emoções determinavam alterações no seu estado, ensejando as mais amplas apreensões da família.

De vez em quando, os olhos serenos e tranquilos se fixavam detidamente na porta de entrada, como se esperassem alguém com o máximo interesse, até que rumores mais fortes, vindos do vestíbulo, anunciaram ao seu coração que ia cessar uma ausência de quinze anos consecutivos, entre ele e os amigos sempre lembrados.

Calpúrnia, igualmente muito abatida, abraçou Lívia e Publius, derramada em lágrimas e apertando Flávia nos braços, como se recebesse uma filha estremecida.

Ali mesmo, no vestíbulo, trocaram impressões e falaram das suas saudades intensas e das preocupações numerosas, até que Publius deliberou deixar as duas amigas em franca expansão afetiva e se encaminhou com Agripa a um dos compartimentos próximos do tablino, onde abraçou o grande amigo, com lágrimas de alegria.

Flamínio Severus estava magríssimo e suas palavras, por vezes, eram cortadas pela dispneia impressionante, dando a perceber que muito pouco tempo lhe restava de vida.

Sabendo da satisfação do pai na companhia íntima do leal amigo, Agripa retirou-se do vasto aposento, onde as sombras do crepúsculo começavam a penetrar caprichosamente, como se o fizessem no silêncio sagrado das naves religiosas.

Publius Lentulus se surpreendeu, encontrando o velho companheiro em tal estado. Não supunha revê-lo tão depauperado. Agora, certificava-se de que era a ele, sim, que competia auxiliá-lo com os seus conselhos, levantando-lhe as forças orgânicas e espirituais, com as suas exortações amigas e carinhosas.

Uma vez a sós, contemplou o amigo e mentor, como se estivesse a mirar uma criança enferma.

Flamínio, por sua vez, olhou-o face a face e, olhos rasos d'água, tomou-lhe as mãos nas suas, dando-lhe a entender que recebia ali, naquele momento, um filho muito amado.

Num gesto brando e delicado, procurou sentar-se mais comodamente e, amparando-se nos ombros de Lentulus, murmurou comovidamente ao seu ouvido:

— Publius, aqui já te não recebe o companheiro enérgico e resoluto doutros tempos. Sinto que apenas te esperava para poder entregar a alma aos deuses, tranquilamente, supondo já cumprida a missão que me competia na Terra, com a minha consciência retilínea e os meus honestos pensamentos.

"Há mais de um ano pressinto o instante irremediável e fatal, que, agora, satisfeito o meu ardente desejo, deve estar avizinhando-se com a velocidade do relâmpago. Não desejava, pois, partir sem te apertar em meus braços, fazendo-te as últimas confidências neste leito de morte...

— Flamínio — respondeu-lhe o amigo com serenidade dolorosa —, tudo me autoriza a crer nas tuas melhoras imediatas, e todos nós aguardamos a bênção dos deuses, de maneira que possamos contar com a tua companhia indispensável, por muito tempo ainda, neste mundo.

— Não, meu bom amigo, não te iludas com essas suposições e pensamentos. Nossa alma jamais se engana quando se avizinha das sombras do sepulcro... Não me demorarei em penetrar o mistério da grande noite, mas acredito, firmemente, que os deuses me salvarão com as luzes de suas auroras!...

E, deixando o olhar, profundo e sereno, divagar pelo aposento, como se as paredes marmorizadas se dilatassem ao infinito, Flamínio Severus concentrou-se um minuto em meditações íntimas, continuando a falar, como se desejasse imprimir à conversação um novo rumo:

— Lembras-te daquela noite em que me confiaste os pormenores de um sonho misterioso, no auge da tua emotividade dolorosa?

— Oh! se me lembro!... — revidou Publius Lentulus recordando, de modo inexplicável, não só a palestra remota que resolvera a viagem à Palestina, mas também outro sonho, no qual testemunhara os mesmos fenômenos intraduzíveis, na noite do seu encontro com Jesus de Nazaré. Ao lembrar-se daquela personalidade maravilhosa, estremeceu-lhe o coração, mas tudo fez por evitar ao amigo uma impressão mais forte e dolorosa, acrescentando com aparente serenidade: — Mas, a que vem tua pergunta, se hoje estou mais que convicto, de acordo contigo mesmo, que tudo aquilo não passava de simples impressões de uma fantasia sem importância?

— Fantasia? — replicou Flamínio, como se houvesse encontrado uma nova fórmula da verdade. — Já modifiquei por completo as minhas ideias. A enfermidade tem, igualmente, os seus belos e grandiosos benefícios. Retido no leito há muitos meses, habituei-me a invocar a proteção de Têmis, de modo que não chegasse a ver nos meus padecimentos mais que o resultado penoso dos meus próprios méritos, perante a incorruptível justiça dos deuses, até que uma noite tive impressões iguais às tuas.

"Não me recordo de haver guardado qualquer preocupação com a tua narrativa, mas o certo é que, há cerca de dois meses, me senti levado em sonho à mesma época da revolução de Catilina, e observei a veracidade de todos os fatos que me relataste há dezesseis anos, chegando a ver o teu próprio ascendente, Publius Lentulus Sura, que era o teu próprio retrato, tal a sua profunda semelhança contigo, mormente agora que te encontras nos teus 44 anos, em plena fixação de traços fisionômicos.

"Interessante é que me encontrava a teu lado, caminhando contigo na mesma estrada de clamorosas iniquidades. Lembro-me de nos vermos assinando sentenças iníquas e impiedosas, determinando o suplício de muitos dos nossos semelhantes... Todavia, o que mais me atormentava era observar-te a terrível atitude, determinando a cegueira de muitos dos nossos adversários políticos e assistindo, pessoalmente, ao desenrolar das flagelações do ferro em brasa, queimando numerosas pupilas para todo o sempre, aos gritos dolorosos das vítimas indefesas!..."

Publius Lentulus arregalou os olhos de espanto, participando, igualmente, daquelas recordações que dormitavam fundo na sua alma ensombrada, e replicou por fim:

— Meu bom amigo, tranquiliza o coração... Semelhantes impressões parecem reflexos de alguma emoção mais forte que perdurasse no âmago da tua memória, por minhas narrativas naquela noite de há tantos anos!...

Flamínio Severus esboçou, porém, um leve sorriso, como quem compreendia a intenção generosa e consoladora, redarguindo com serena bondade:

— Devo dizer-te, Publius, que esses quadros não me apavoraram e apenas te falo desse complexo de emoções, porque tenho a certeza de que vou partir desta vida e ainda ficarás, talvez por muito tempo, na crosta deste mundo. É possível que as recordações do teu espírito aflorem novamente e, então, quero que aceites a verdade religiosa dos gregos e dos egípcios. Acredito, agora, que temos vidas numerosas, por meio de corpos diversos. Sinto que meu pobre organismo está prestes a desfazer-se, entretanto, meu pensamento está vivaz como nunca e só em tais circunstâncias presumo entender o grande mistério de nossas existências. Pesa-me, no íntimo, haver praticado o mal no pretérito tenebroso, embora haja decorrido mais de um século sobre os tristes acontecimentos de nossas visões espirituais; todavia, aqui estou diante dos deuses, com a consciência tranquila.

Publius ouvia-o atentamente, entre penalizado e comovido. Procurava dirigir-lhe palavras confortadoras, mas a voz parecia morrer-lhe na garganta, embargada pelas emoções daquele doloroso momento.

Flamínio, porém, apertou-o de encontro ao coração, com os olhos rasos de pranto, sussurrando-lhe ao ouvido:

— Meu amigo, não tenhas dúvidas sobre as minhas palavras... Quero crer que estas horas sejam as últimas... No meu escritório estão todos os teus documentos e o memorial dos negócios de ordem material que movimentei em teu nome, na tua ausência e no concernente aos nossos problemas de ordem política e financeira. Não encontrarás dificuldade para catalogar, convenientemente, todos os papéis a que me refiro...

— Mas, Flamínio — replicou Publius com enérgica serenidade —, acredito que teremos muito tempo para cuidar disso.

Nesse momento, Lívia e a filha, Calpúrnia e os rapazes acercaram-se do nobre enfermo, trazendo-lhe um sorriso amigo e palavras consoladoras.

O doente deu mostras de ânimo e alegria para cada um deles, encarecendo o abatimento de Lívia e a beleza exuberante de Flávia, com palavras meigas e quentes.

Ficando a sós, novamente, o generoso senador, que a moléstia desfigurara, entre os linhos claros do leito, exclamou com bondade:

— Eis, meu amigo, as borboletas risonhas do amor e da mocidade, que o tempo faz desaparecer, célere, no seu torvelinho de impiedades...

E baixando a voz, como se quisesse transmitir ao amigo uma delicada confidência da alma, continuou a falar pausadamente:

— Levo comigo, para o túmulo, numerosas preocupações pelos meus pobres filhos. Dei-lhes tudo que me era possível, em matéria educativa, e, embora reconhecendo que ambos possuem sentimentos generosos e sinceros, noto que os seus corações são vítimas das penosas transições dos tempos que passam, nos quais temos o desgosto de observar os mais aviltantes rebaixamentos da dignidade do lar e da família.

"Agripa vem fazendo o possível por se adaptar aos meus conselhos, entregando-se aos labores do Estado, mas Plínio teve a pouca sorte de se deixar seduzir por amigos pérfidos e desleais, que não desejam senão a sua ruína e o arrastam aos maiores desregramentos, nos ambientes suspeitos de nossas mais altas camadas sociais, levando muito longe o seu espírito de aventuras.

"Ambos me proporcionam os maiores dissabores com os atos que praticam, testemunhando reduzidas noções de responsabilidade individual. Esbanjando grande parte da nossa fortuna própria, não sei que futuro será o da minha pobre Calpúrnia se os deuses não me permitirem a graça de buscá-la, em breve, no exílio de sua saudade e da sua amargura, depois da minha morte!..."

— Mas a mim — respondeu com interesse o interpelado — eles se me afiguram dignos do pai que os deuses lhes concederam, com a sua gentileza generosa e com a fidalguia de suas atitudes.

— Em todo caso, meu amigo, não podes esquecer que tua ausência de Roma foi muito longa e que muitas inovações se processaram nesse período.

"Parecemos caminhar vertiginosamente para um nível de absoluta decadência dos nossos costumes familiares, bem como os nossos processos educativos, a meu ver, desmantelados em dolorosa falência!..."

E como se desejasse trazer de novo a conversação para os assuntos de ordem imediata, da vida prática, acentuou:

— Agora que vejo tua filha esplendente de mocidade e de energia, renovo, intimamente, meus antigos projetos de trazê-la para o círculo da nossa comunidade familiar.

"Era meu desejo que Plínio a desposasse, mas meu filho mais moço parece inclinado a comprometer-se com a filha de Sálvio, não obstante a oposição de Calpúrnia a esse projeto; não por teu tio, sempre digno e respeitável aos nossos olhos, mas por sua mulher que não parece disposta a abandonar as antigas ideias e iniciativas do passado. Devo, porém, considerar que me resta ainda Agripa, a fim de concretizarmos as minhas futurosas esperanças.

"Se puderes, algum dia, não te esqueças desta minha recomendação *in extremis!...*"

— Está bem, Flamínio, mas não te canses. Dá tempo ao tempo, porque não faltará ocasião para discutir o assunto — replicou Publius Lentulus comovido.

Neste comenos, Agripa entrou na alcova, dirigindo-se ao pai afetuosamente:

— Meu pai, o mensageiro enviado a Massília[18] acaba de chegar, trazendo as desejadas informações a respeito de Saul.

— E ele nada nos manda dizer sobre a sua vinda? — perguntou o enfermo com bondoso interesse.

— Não. O portador apenas comunica que Saul partiu para a Palestina, logo depois de alcançar a consolidação da sua fortuna com os últimos lucros comerciais, acrescentando haver deliberado ir à Judeia, para rever o pai que reside nas cercanias de Jerusalém.

— Pois sim — disse o enfermo resignado —, à vista disso, recompensa o mensageiro e não te preocupes mais com os meus anteriores desejos.

Ao ouvi-los, Publius deu tratos ao cérebro para se recordar de alguma coisa que não podia definir com precisão. O nome de Saul não lhe era estranho. Com a circunstância de se localizar a residência do pai nas proximidades de Jerusalém, lembrou-se, finalmente, das personagens de suas recordações com fidelidade absoluta. Rememorou o incidente em que fora obrigado a castigar um jovem judeu desse nome, nas cercanias da cidade, remetendo-o às galeras como punição do seu ato irrefletido, e recordando, igualmente, o instante em que um agricultor israelita fora reclamar a liberdade do prisioneiro, dando-o como seu filho. Experimentando um anseio vago no coração, exclamou intencionalmente:

— Saul? Não é um nome característico da Judeia?

— Sim — respondeu Flamínio com serenidade —, trata-se de um escravo liberto de minha casa. Era um cativo judeu, ainda jovem, adquirido por Valério, no mercado, para as bigas dos meninos, ao ínfimo preço de 4.000 sestércios. Tão bem se houve, entretanto, nos afazeres que lhe eram comumente designados, que, após levantar vários prêmios com as suas proezas no Campo de Marte, destinados aos meus filhos, resolvi conceder-lhe a liberdade, dotando-o com os recursos necessários para viver e promover empreendimentos de sua própria conta. E parece que a mão dos deuses o abençoou no momento preciso, porque Saul é hoje senhor de uma fortuna sólida, como resultado do seu esforço e trabalho.

Publius Lentulus silenciou, intimamente aliviado, pois o seu prisioneiro, segundo notícias recebidas pelos prepostos do governo provincial, se havia evadido para o lar paterno, fugindo, desse modo, à escravidão humilhante.

---

[18] N.E.: Atualmente, Marselha.

As horas da noite iam já avançadas.

O visitante lembrou-se, então, de que esperava avistar-se com Flamínio para uma palestra substanciosa e longa, a respeito de múltiplos assuntos, como, por exemplo, a sua penosa situação conjugal, o desaparecimento misterioso do filhinho, o seu encontro com Jesus de Nazaré. Mas observava que Flamínio estava exausto, sendo justo e necessário adiar suas confidências amargas e penosas.

Foi então que se retirou do aposento para esperar o dia seguinte, cheio de esperanças consoladoras.

Os dois amigos trocaram longo e significativo olhar no instante daquelas despedidas, que agora pareciam comuns, como as afetuosas saudações diárias doutros tempos.

Confortadoras exortações e promessas amigas foram trocadas, entre expressões de fraternidade e carinho, antes que Calpúrnia reconduzisse as visitas ao vestíbulo, com a sua bondade generosa e acolhedora.

Todavia, nas primeiras horas da manhã seguinte, um mensageiro apressado parava à porta do palacete dos Lentulus, com a notícia alarmante e dolorosa.

Flamínio Severus piorava inesperadamente, sem que os médicos dessem aos seus familiares a menor esperança. Todas as melhoras fictícias haviam desaparecido. Uma força inexplicável lhe desequilibrara a harmonia orgânica, sem que remédio algum lhe paralisasse as aflições angustiosas.

Dentro de poucas horas, Publius Lentulus e os seus se encontravam de novo na vivenda confortável dos amigos.

Enquanto penetra ele, ansioso, no quarto do velho companheiro de lutas terrestres, Lívia, na intimidade de um apartamento, dirige-se a Calpúrnia nestes termos:

— Minha amiga, já ouviste falar em Jesus de Nazaré?

A orgulhosa matrona, que não perdia a linha de suas vaidades em família, ainda nos momentos das mais angustiosas preocupações, arregalou os olhos, exclamando:

— Por que mo perguntas?

— Porque Jesus — respondeu Lívia humildemente — é a misericórdia de todos os que sofrem e não posso esquecer-me da sua bondade, agora que nos vemos em provações tão ásperas e tão dolorosas.

— Suponho, querida Lívia — redarguiu Calpúrnia gravemente —, que esqueceste todas as recomendações que te fiz antes de partires para a

Palestina, porque, pelas tuas advertências, estou deduzindo que aceitaste de boa-fé as teorias absurdas da igualdade e da humildade, incompatíveis com as nossas tradições mais vulgares, deixando-te levar nas águas enganosas das crenças errôneas dos escravos.

— Mas não é isso. Refiro-me à fé cristã, que nos anima nas lutas da existência e consola o coração atormentado nas provações mais ríspidas e mais amargosas...

— Essa crença está chegando agora à sede do Império e por sinal tem encontrado a repulsa geral dos nossos homens mais sensatos e ilustres.

— Eu, porém, conheci Jesus de perto e a sua doutrina é de amor, de fraternidade e de perdão... Conhecendo os teus justos receios por Flamínio, lembrei-me de apelar para o Profeta de Nazaré, que, na Galileia, era a providência de todos os aflitos e de todos os sofredores!

— Ora, minha filha, sabes que a fraternidade e o perdão das faltas não se compadecem, de modo algum, com as nossas ideias de honra, de pátria e de família, e o que mais me admira é a facilidade com que Publius te permitiu tão íntimo contato com as concepções errôneas da Judeia, a ponto de modificares tua personalidade moral, segundo me deixas entrever.

— Todavia...

Ia Lívia esclarecer, da melhor maneira, os seus pontos de vista, com respeito ao assunto, quando Agripa entrou inopinadamente no gabinete, exclamando com a mais forte emoção:

— Minha mãe, venha depressa, muito depressa!... Meu pai parece agonizante!...

Num átimo, ambas penetraram no aposento do moribundo, que tinha os olhos parados como se fora acometido, inesperadamente, de um delíquio irrefreável.

Publius Lentulus guardava, entre as suas, as mãos do moribundo, mirando-lhe ansiosamente o fundo das pupilas.

Aos poucos, porém, o tórax de Flamínio parecia mover-se de novo aos impulsos de uma respiração profunda e dolorosa. Em seguida, os olhos revelaram forte clarão de vida e consciência, como se a lâmpada do cérebro se houvesse reacendido num movimento derradeiro. Contemplou, em torno, os familiares e amigos bem-amados, que se debruçavam sobre ele, inquietos e ansiosos. Um médico muito amigo, que o assistia invariavelmente, compreendendo a gravidade do momento, retirava-se para o átrio, enquanto em volta do agonizante somente se ouvia a respiração opressa dos nossos conhecidos destas páginas.

Flamínio passeou o olhar brilhante e indefinível por todos os rostos, como se procurasse, mais detidamente, a esposa e os filhos, exclamando em frases entrecortadas:

— Calpúrnia, estou... na hora extrema... e dou graças aos deuses... por sentir a consciência... desanuviada e tranquila... Esperar-te-ei na eternidade... um dia... quando Júpiter... houver por bem... chamar-te para meu lado...

A veneranda senhora ocultou o rosto nas mãos, dando expansão às lágrimas, sem conseguir articular palavra.

— Não chores... — continuou ele, como a aproveitar os momentos derradeiros —, a morte... é uma solução... quando a vida... já não tem mais remédio... para as nossas dores...

E olhando ambos os filhos, que o contemplavam com ansiedade, de olhos lacrimejantes, tomou a mão do mais moço, murmurando:

— Desejaria... meu Plínio... ver-te feliz... muito feliz... É intenção tua... desposares a filha de Sálvio?...

Plínio compreendeu as alusões paternas naquele momento grave e decisivo, fazendo um leve sinal negativo com a cabeça, ao mesmo tempo que fixava os olhos grandes e ardentes em Flávia Lentúlia, como a indicar ao pai a sua preferência.

O moribundo, por sua vez, com a profunda lucidez espiritual dos que se aproximam da morte, com plena consciência da situação e dos seus deveres, entendeu a atitude silenciosa do filho estremecido e, tomando a mão da jovem, que se inclinava afetuosamente sobre o seu peito, apertou as mãos de ambos de encontro ao coração, murmurando com íntima alegria:

— Isso é mais... uma razão... para que eu parta... tranquilo... Tu, Agripa... hás de ser também... muito feliz... e tu... meu caro... Publius... junto de Lívia... haverás de viver...

Todavia, um soluço mais forte escapara-se-lhe inopinadamente e a sucessão dos singultos violentos e dolorosos obrigou-o a calar-se, enquanto Calpúrnia se ajoelhou e lhe cobriu as mãos de beijos...

Lívia, também genuflexa, olhava para o alto como se desejasse descobrir os seus arcanos. A seus olhos, apresentava-se aquela câmara mortuária repleta de vultos luminosos e de outras sombras indefiníveis, que deslizavam tranquilamente em torno do moribundo. Orou no imo da alma, rogando a Jesus força e paz, luz e misericórdia para o grande amigo que partia. Nesse instante, lobrigou a radiosa figura de Simeão, rodeada de claridade azulina e resplandecente.

Flamínio agonizava...

À medida que transcorriam os minutos, os olhos se lhe tornavam vítreos e descoloridos. Todo o corpo transudava um suor abundante, que alagava o linho alvíssimo das cobertas.

Lívia notou que todas as sombras presentes se haviam também ajoelhado e somente o vulto imponente de Simeão ficara de pé, como se fora uma sentinela divina, colocando as mãos radiosas na fronte abatida do moribundo. Notou, então, que seus lábios se entreabriam para a oração, ao mesmo tempo que doces palavras lhe chegavam, nítidas, aos ouvidos espirituais:

Pai nosso que estás no Céu, santificado seja o teu nome, venha a nós o teu reino de misericórdia e seja feita a tua vontade, assim na Terra como nos céus!...

Nesse instante, Flamínio Severus deixava escapar o último suspiro. Marmórea palidez lhe cobriu os traços fisionômicos, ao mesmo tempo que uma infinda serenidade se estampava na sua máscara cadavérica, como se a alma generosa houvesse partido para a mansão dos bem-aventurados e dos justos.

Somente Lívia, com a sua crença e a sua fé, pôde conservar-se de ânimo sereno, entre quantos a rodeavam no doloroso transe. Publius Lentulus, entre lágrimas comovedoras, certificava-se de haver perdido o melhor e o maior dos amigos. Nunca mais a voz de Flamínio lhe falaria das mais belas equações filosóficas, sobre os problemas grandiosos do destino e da dor, nas correntes interminandáveis da vida. E, enquanto se abriam as portas do palácio para as homenagens da sociedade romana; e enquanto se celebravam solenes exéquias implorando a proteção dos manes do morto, seu coração de amigo considerava a realidade dolorosa de se haver rasgado, para sempre, uma das mais belas páginas afetivas, no livro da sua vida, dentro da escuridão espessa e impenetrável dos segredos de um túmulo.

II
Sombras e núpcias

Às exéquias de Flamínio compareceram numerosos afeiçoados do extinto, além das muitas representações sociais e políticas de todas as organizações a que radicara o seu nome digno e ilustre.

Entre tantos elementos, não podia faltar a figura do pretor Sálvio Lentulus que, nas homenagens póstumas, se fez acompanhar da mulher e da filha, que fizeram o possível por bem representar a comédia de suas fingidas mágoas pela morte do grande senador, junto de Calpúrnia, que se debulhava nas lágrimas dos seus mais dolorosos sentimentos.

Ali mesmo, no palácio dos Severus, encontravam-se os membros da família Lentulus, com a evidente aversão de Publius pela presença da esposa do tio, enquanto as senhoras trocavam impressões dolorosas, na afetada etiqueta das trivialidades sociais.

Fúlvia e Aurélia notaram, com profundo desagrado, a expressão carinhosa de Plínio Severus para com Flávia Lentúlia, a quem distinguia com especial atenção, nas solenidades fúnebres, como a demonstrar as preferências do seu coração.

Eis por que, daí a algum tempo, vamos encontrar mãe e filha em palestra animada sobre o assunto, na intimidade do lar, dando a entender a mesquinhez de seus sentimentos, embora os cabelos brancos infundissem veneração na fronte materna, que, apesar disso, não se deixava vencer pelos argumentos da experiência e da idade.

— Eu também — exclamava Fúlvia maliciosamente, respondendo a uma interpelação da filha — muito me surpreendi com as atitudes de Plínio, por julgá-lo um rapaz cioso do cumprimento de seus deveres, mas não me interessei pelos modos de Flávia, porquanto sempre achei que os filhos têm de herdar fatalmente as qualidades dos pais e, mais particularmente no caso presente, quando a herança é materna, com mais bases de certeza irrefutável para o nosso julgamento.

— Oh! mãe, queres dizer, então, que conheces a conduta de Lívia a esse ponto? — perguntou Aurélia com bastante interesse.

— Nem duvides que seja de outra forma...

E a imaginação caluniosa de Fúlvia passou a satisfazer a curiosidade da filha, com os fatos mais inverossímeis e terríveis, sobre a esposa do senador, quando de sua permanência na Palestina, glosados pelas expressões de ironia e desprezo da jovem, dominada pelos mais acerbos ciúmes, terminando a narrativa nestes termos:

— Somente tua tia Cláudia poderia contar-te, literalmente, o que sofremos, em face do perjúrio dessa mulher que hoje vemos tão simples e tão retraída, como se não conhecesse as experiências mais fortes deste mundo. Não podemos esquecer que nos encontramos diante de pessoas tão poderosas na política como na astúcia. O sobrinho de teu pai, além de marido profundamente infeliz, é um homem público orgulhoso e malvado!...

"Não me consta houvesse ele corrigido a esposa descriteriosa e infiel, depois de haver verificado, com os próprios olhos, a sua traição conjugal, mas bastou que ela o fizesse sofrer com as suas deslealdades para que todos nós, os romanos que nos encontrávamos na Judeia, pagássemos o fato com os mais horríveis tributos de sofrimentos...

"Possuíamos um grande amigo na pessoa do lictor Sulpício Tarquinius, que foi assassinado barbaramente em Samaria, em trágicas circunstâncias, sem que alguém, até hoje, pudesse identificar seus matadores, para o merecido castigo... Nossa família, que tinha interesses vultosos em Jerusalém, foi obrigada a voltar precipitadamente para Roma com graves prejuízos financeiros de teu pai e, por último — prosseguia a palavra venenosa da caluniadora —, o grande coração do meu cunhado Pôncio sucumbiu sob as provações mais injuriosas e mais rudes... Destituído do governo provincial e atormentado pelas mais duras humilhações, foi banido para as Gálias, suicidando-se em Viena, em penosas circunstâncias, acarretando-nos inextinguível desgosto!...

"Em face dos martírios suportados por Cláudia, em virtude da nefasta influência dessa mulher, não me surpreendo, portanto, com as atitudes da filha, procurando roubar-te o noivo futuroso!..."

— Urge trabalharmos para que tal não aconteça, minha mãe — replicou a moça sob a forte impressão dos seus nervos vibráteis. — Já não posso viver sem ele, sem a sua companhia... Seus beijos me ajudam a viver no torvelinho das nossas preocupações de cada dia...

Fúlvia ergueu, então, os olhos, como a examinar melhor a ansiedade que se estampara na fisionomia da filha, redarguindo com ar inteligente e malicioso:

— Mas tu te vens entregando a Plínio dessa maneira?

A jovem, todavia, tremendo de cólera, recebeu a indireta dentro dos infelizes princípios educativos a que obedecia desde o berço, exclamando em fúria:

— Que pensas, então, que fazemos indo às festas e aos circos? Porventura, serei eu diferente das outras moças do meu tempo?

E, alteando a voz como alguém que necessitasse defender-se pronunciando um libelo contra o acusador, desatou em considerações inconvenientes, por meio de termos asquerosos, rematando:

— E tu, mãe, não tens igualmente...

Fúlvia, porém, de um salto, colou-se ao corpo da filha numa atitude acrimoniosa e severa, exclamando com fria serenidade:

— Cala-te! Nem mais uma palavra, pois que não era meu propósito acalentar uma víbora no próprio seio!...

Compreendendo, porém, que a situação podia tornar-se mais penosa em virtude das suas grandes culpas, como mãe, como esposa e na qualidade de mulher, exclamou com voz quase melíflua, como a dar uma triste lição à própria filha:

— Ora esta, Aurélia! Não te aborreças!... Se falei desse modo foi para te insinuar que não podemos cativar um homem, para as nossas garantias femininas no matrimônio, dando-lhe tudo de uma só vez. Um homem nervoso e galanteador, qual o filho de Flamínio, conquista-se por etapas, fazendo-lhe poucas concessões e muitos carinhos.

"Bem sabes que o primeiro problema da vida de uma mulher da nossa época se resume, antes de tudo, na obtenção de um marido, porque os tempos são maus e não podemos dispensar a sombra de uma árvore que nos abrigue de surpresas penosas, entre as asperezas do caminho..."

— É verdade, mãe — respondeu a jovem totalmente modificada, mercê daquelas astuciosas ponderações —; o que me dizes é a realidade e já que são tão grandes as tuas experiências, que me sugeres para a realização dos meus desejos?

— Antes de tudo — retornou Fúlvia perversamente — devemos recorrer aos argumentos do ciúme, que são sempre muito fortes, quando existe um interesse mais ou menos sincero, de conseguir alguma coisa em assuntos de amor. E já que te entregaste tanto ao filho de Flamínio, vê se aproveitas as primeiras festas do circo, provocando-lhe impulsos de inveja e despeito.

"Não tens sido cortejada pelo protegido do questor Britanicus?"

— Emiliano? — perguntou a moça interessada.

— Sim, Emiliano. Trata-se igualmente de um bom partido, pois o seu futuro nas classes militares parece de ótimas perspectivas. Procura seduzir-lhe a atenção, diante de Plínio, de modo a fazermos todo o possível por conseguir-te o descendente dos Severus, que, afinal, é o partido mais vantajoso de quantos apareçam.

— Mas se o plano falhar, para nosso desgosto?

— Resta-nos recorrer às ciências de Araxes, com os seus unguentos e artes mágicas...

Pesado silêncio fizera-se entre ambas, no exame daquela perspectiva de recorrer, mais tarde, às forças tenebrosas de um dos mais célebres feiticeiros da sociedade de então.

Dias se passaram sobre dias, porém o filho mais moço de Flamínio não voltou a cortejar a filha do pretor Sálvio Lentulus, e quando, daí a algum tempo, voltou a frequentar os circos festivos e ruidosos, não teve grande surpresa encontrando, na intimidade de Emiliano Lucius, aquela a quem se sentia ligado tão somente pelos laços frágeis e artificiais da lascívia e dos hábitos viciosos do tempo.

Aurélia, todavia, não se conformava, intimamente, com o abandono a que fora votada, planejando a melhor maneira de exercer, oportunamente, sua vingança, porque Plínio, ante as vibrações cariciosas do amor de Flávia

Lentúlia, parecia um homem inteiramente modificado. Afastara-se espontaneamente das bacanais comuns da época, fugindo, igualmente, dos companheiros antigos que o arrastavam ao torvelinho de todos os vícios e leviandades. Parecia, mesmo, que uma força nova o guiava agora para a vida, talhando-lhe de novo o coração para os ambientes cariciosos e lúcidos da família.

No palácio dos Lentulus, a vida transcorria com relativa tranquilidade.

Calpúrnia passava ali os primeiros meses, depois do falecimento do marido, em companhia dos filhos, enquanto Plínio e Flávia teciam o seu romance de esperança e de amor, nas luzes da mocidade, sob a bênção dos deuses, de quem não se esqueciam, na culminância radiosa da sua doce afeição.

Alheando-se das inquietações da época, Plínio recolhia-se, sempre que possível, aos seus aposentos no palácio do Aventino, entregando-se à pintura ou à escultura, em que era exímio, modelando em preciosos mármores belos exemplares de Vênus[19] e de Apolo,[20] que eram dados a Flávia como recordação do seu intenso amor. Ela, por sua vez, compunha delicadas joias poéticas, musicadas na lira por suas próprias mãos, oferecendo as flores da alma ao noivo idolatrado, em cujo espírito generoso colocara os mais belos sonhos do coração.

Apenas uma pessoa não tolerava aquele formoso encontro de duas almas gêmeas. Essa pessoa era Agripa. Desde o instante em que vira a filha do senador, no porto de Óstia, pensou haver encontrado a futura esposa. Supunha-se o único candidato ao coração daquela jovem romana, enigmática e inteligente, em cujas faces coradas brincava sempre um sorriso de bondade superior, como se a Palestina lhe houvesse imposto uma beleza nova, cheia de misteriosos e singulares atrativos.

Mas, à vista dos projetos de casamento do irmão com Flávia, seus planos haviam fracassado totalmente. Debalde, presumira haver encontrado a mulher dos seus sonhos, porque a ternura, os caprichos dela pertenciam ao irmão, unicamente. Foi por esse motivo que, de par com o retraimento de Plínio Severus dentro do lar, para a organização de seus projetos futuros, Agripa se desviara para uma longa série de atos impensados, acentuando, cada vez mais, a feição extravagante da sua personalidade, preferindo as companhias mais nocivas e os ambientes mais viciosos.

---

[19] N.E.: Deusa do amor.
[20] N.E.: Deus da beleza, da perfeição, da harmonia, do equilíbrio e da razão.

No curso dos seus desvios numerosos, adoecera gravemente, inspirando cuidados à sua mãe, que se desvelava pelos filhos com o mesmo carinho de sempre.

Vamos encontrá-lo, desse modo, por uma bela tarde romana, no mesmo terraço onde vimos Publius Lentulus em amargas meditações, nas primeiras páginas deste livro.

Virações cariciosas refrescavam o crepúsculo, ainda saturado dos clarões de sol formoso e quente.

A seu lado, Calpúrnia examina algumas peças de lã, deitando-lhe olhares afetuosos. Em dado momento, a veneranda senhora dirige-lhe a palavra neste termos:

— Então, meu filho, rendamos graças aos deuses, porque agora te vejo muito melhor e a caminho do mais franco restabelecimento.

— Sim, mãe — murmurou o moço convalescente —, estou bem melhor e mais forte, todavia, espero que nos transfiramos para nossa casa dentro de dois dias, a fim de poder consolidar minha cura, procurando esquecer...

— Esquecer o quê? — perguntou Calpúrnia surpreendida.

— Minha mãe — respondeu o jovem enigmaticamente —, a saúde não pode voltar ao corpo quando o espírito continua enfermo!...

— Ora, filho, deves abrir-me o coração com mais sinceridade e mais franqueza. Confia-me as tuas mágoas mais íntimas, pois é possível que te possa dar algum consolo!...

— Não, mãe, não devo fazê-lo!

E, assim falando, Agripa Severus, fosse pelo estado de abatimento em que ainda se encontrava, fosse pela necessidade de um desabafo mais intenso, desatou em pranto, surpreendendo amargamente o coração materno com a sua inesperada atitude.

— Que é isso, filho? Que se passa em teu íntimo, para sofreres dessa forma? — perguntou-lhe Calpúrnia extremamente penalizada, enlaçando-o nos braços carinhosos. — Dize-me tudo!... — prosseguiu aflita. — Não me ocultes tuas mágoas, Agripa, porque eu saberei remediar a situação de qualquer modo!

— Mãe, minha mãe!... — disse ele, então, num longo desabafo — eu sofro desde o dia em que Plínio me arrebatou a mulher desejada... Sinto na alma uma atração misteriosa por Flávia e não posso conformar-me com a dolorosa realidade desse casamento que se aproxima.

"Acredito que, se meu pai ainda vivesse, procuraria salvar minha situação, conquistando para mim esse matrimônio, com as resoluções providenciais que lhe conhecíamos...

"Esperei sempre, através de todas as venturas da mocidade, que me surgisse no caminho a criatura idealizada em meus sonhos, para organizar um lar e construir uma família e, quando aparece a mulher de minhas aspirações, eis que ma arrebatam, e quem?!... Porque a verdade é que, se Plínio não fora meu irmão, não vacilaria em usar e abusar dos mais violentos processos para atingir a consecução dos meus desejos!...

Calpúrnia ouvia-o em silêncio, compartilhando das suas angústias e das suas lágrimas. Ignorava aquele duelo silencioso de sentimentos e somente agora podia compreender a moléstia indefinida que lhe devorava o filho mais velho, avassaladoramente.

Seu coração possuía, porém, bastante experiência da vida e dos costumes do tempo, para ajuizar com o máximo acerto a situação e, transformando a sensibilidade feminina e os receios maternais em rígida fortaleza, respondeu-lhe comovida, acariciando-lhe os cabelos numa doce atitude:

— Meu Agripa, eu te compreendo o coração e sei avaliar a intensidade dos teus padecimentos morais; precisas, porém, compreender que há na vida fatalidades dolorosas, cujos problemas angustiantes devemos resolver com o máximo de coragem e paciência... Nem foi para outra coisa que os deuses nos colocaram nas culminâncias sociais, de modo a ensinarmos aos mais ignorantes e mais fracos as tradições da nossa superioridade espiritual, em face de todas as penosas eventualidades da vida e do destino.

"Sufoca no teu íntimo essa paixão injustificável, mesmo porque, sinto que Flávia e teu irmão nasceram neste mundo com os seus destinos entrelaçados... Plínio ainda era uma criança de colo, quando teu pai já projetava esse matrimônio, agora prestes a consumar-se.

"Sê forte" — continuava a nobre matrona enxugando-lhe as lágrimas silenciosas e tristes —, "porque a existência exige de nós, algumas vezes, esses gestos de renúncia ilimitada!...

"Ergamos, todavia, nossas súplicas aos deuses! De Júpiter há de chegar, para a tua alma ulcerada, o necessário conforto."

Agripa, depois de ouvir a voz materna, sentia-se mais ou menos aliviado, como se o seu íntimo houvesse serenado após uma tempestade dos mais antagônicos sentimentos.

Considerou que as ponderações maternas representavam a verdade e preparava-se, intimamente, ainda com a penosa impressão psíquica que o atormentava, para se resignar, infinitamente, com a situação dolorosa e irremediável.

Calpúrnia deixou passar alguns minutos, antes de lhe dirigir a palavra novamente, como se aguardasse o efeito salutar das suas primeiras ponderações, revidando por fim:

— Não te interessaria, agora, uma viagem à nossa propriedade do Avênio? Bem sei que, pela força da tua vocação e pelo imperativo das circunstâncias, teu lugar é aqui, como sucessor de teu pai, mas essa viagem representaria a solução de vários problemas urgentes, inclusive o teu caso íntimo.

Agripa ouviu a sugestão com o máximo interesse, replicando afinal:

— Minha mãe, tuas palavras carinhosas me confortaram e aceito a sugestão, a ver se consigo encontrar o maravilhoso elixir do esquecimento, contudo, desejava partir com atribuições de Estado, porque, desse modo, poderia demorar-me em Massília, lá permanecendo com a autoridade que me será necessária em tais circunstâncias...

— E não poderias conseguir facilmente esse propósito?

— Acredito que não. Para demandar essa viagem com atribuições oficiais, apenas conseguiria os meus intentos, em caráter militar.

— E por que não movimentarmos nossas prestigiosas relações de amizade para obter o que desejas? Bem sabes que, com o auxílio de Publius e do senador Cornélio Docus, Plínio aguarda promoção a oficial em breves dias, com amplas perspectivas de progresso e novas realizações futuras, no quadro das nossas classes armadas. Dizem mesmo que o imperador Cláudio, consolidando a centralização de poderes com a nova administração, se mostra satisfeito quando transforma as regalias políticas em regalias militares.

"A mim só me causaria orgulho e satisfação oferecer meus dois filhos ao Império, para a consolidação de suas conquistas soberanas."

— Assim o farei — replicou Agripa, já de olhos enxutos, como se as sugestões maternas constituíssem brando remédio para as suas penosas preocupações.

Aos poucos, escoavam-se no horizonte os derradeiros clarões rubros da tarde, que davam lugar a uma formosa noite cheia de estrelas.

Amparado pelos braços maternos, o moço patrício recolheu-se mais confortado aos aposentos, esperando o ensejo de providenciar quanto aos seus novos planos.

Após acomodá-lo convenientemente, voltou Calpúrnia ao terraço, onde procurou repousar das intensas fadigas morais. Suplicando a piedade dos deuses, fixou nos céus constelados os olhos lacrimosos.

Parecia que o coração lhe havia parado no peito para assistir ao desfile das recordações mais cariciosas e mais doces, embora com a mente torturada por pensamentos amargos e dolorosos.

Mais de seis meses haviam decorrido após a morte do esposo e a nobre matrona sentia-se já completamente estranha na sociedade e no mundo. Fazia prodígios mentais para enfrentar dignamente a sua situação social, porquanto sentia, na sua velhice resignada, que o curso do tempo vai insulando determinadas criaturas à margem do rio infinito da vida. Sentia, no ambiente e nos corações que a rodeavam, uma diferença singular, como se faltasse uma peça do mecanismo do seu raciocínio, para completar um preciso julgamento das coisas e dos acontecimentos. Essa peça era a presença do esposo, que a morte arrebatara; era a sua palavra ponderada e carinhosa, meiga e sábia.

Desde os primeiros dias de permanência na casa dos amigos, recebera de Lívia e Publius, em separado, as mais dolorosas confidências sobre os fatos da Palestina, que lhes comprometeram para sempre a ventura e a tranquilidade conjugal. Mobilizando, porém, todas as suas faculdades de observação e análise, não conseguira pronunciar-se em definitivo quanto aos acontecimentos em favor da inocência da sua bondosa e leal amiga. Se, aos seus olhos, Publius Lentulus era o mesmo homem integrado no conhecimento de seus nobilíssimos deveres junto do Estado e das mais caras tradições da família patrícia, Lívia pareceu-lhe excessivamente modificada nos seus modos de crer e de sentir.

Na sua concepção de orgulho e vaidade raciais, não podia admitir aqueles princípios de humildade, aquela fraternidade e aquela fé ativa de que Lívia dava pleno testemunho junto dos próprios escravos, dentro dos postulados da nova doutrina que invadia todos os departamentos da sociedade.

Quanto desejava ela ter ainda o esposo a seu lado, de modo a poder submeter-lhe aqueles assuntos íntimos, a fim de lhe adotar a opinião sempre cheia de ponderações e sabedoria... Mas, agora, estava sozinha para raciocinar e agir, com plena emancipação de consciência, e por mais que buscasse no íntimo uma solução para o doloroso problema conjugal dos amigos, nada podia dizer, nas suas observações e no exame das tradições familiares, cultivadas, pelo seu espírito, com o máximo de orgulho e de cuidado.

No céu brilhavam miríades de constelações, dentro da noite, acentuando o mistério de suas penosas divagações, quando a seus ouvidos chegaram alguns rumores de passos que se aproximavam.

Era Publius que, terminada a refeição, vinha igualmente ao terraço, descansar o pensamento.

— Por aqui? — perguntou a matrona com bondade.

— Sim, minha amiga, apraz-me voltar, em espírito, aos dias que já se foram... Por vezes, aprecio o repouso neste terraço, a fim de contemplar o céu. Para mim, é de lá, dessa cúpula imensa e estrelada, que recebemos luz e vida; é lá que deve estar o nosso inesquecível Flamínio, embalado pelo carinho dos deuses generosos!...

"E, de fato, nobre Calpúrnia" — prosseguiu o senador atencioso —, "era este um dos lugares prediletos de nossas palestras e divagações, quando o sempre lembrado amigo me dava a honra de suas visitas a esta casa. Foi ainda aqui que, muitas vezes, trocamos ideias e impressões sobre a minha partida para a Judeia, nas vésperas de minha prolongada ausência de Roma, há mais de dezesseis anos!..."

Longa pausa sobreveio, parecendo que os dois aproveitavam as claridades suaves da noite, com idêntica vibração espiritual, para descerem ao túmulo do coração, exumando as lembranças mais queridas, em resignado e doloroso silêncio.

Após alguns minutos, como se desejasse modificar o curso de suas recordações, exclamou a veneranda matrona:

— Lembrando-nos de tua viagem, no passado, preciso avisar-te de que Agripa deve partir para Avênio, tão logo se sinta restabelecido.

— Mas que motiva essa novidade? — perguntou Publius com grande interesse.

— Há muitos dias venho refletindo na necessidade de examinarmos, ali, os numerosos interesses de nossas propriedades, mesmo porque, antes de morrer, era intenção do meu morto cuidar pessoalmente deste assunto.

— A solução do problema, porém, é tão urgente assim? E o casamento de Plínio? Agripa não estará presente, porventura?

— Acredito que não, todavia, na hipótese de sua ausência, ele será representado por Saul, antigo liberto de nossa casa, que já nos mandou um mensageiro de Massília, comunicando sua presença às cerimônias.

— É pena!... — murmurou o senador sensibilizado.

— Devo dizer-te, ainda mais — continuou a matrona com serenidade —, que espero o prestigioso favor da tua amizade, junto de Cornélio Docus, a fim de que consigas com o imperador Cláudio uma boa situação para o nosso viajante, que deseja partir com atribuições oficiais, necessitando para tanto que sejam transformados em regalias militares os direitos políticos que lhe competem pelo nascimento.

— Não será difícil consegui-lo. A atual administração interessa-se muito mais pela valorização das classes armadas.

Novo silêncio verificou-se na conversação, voltando o senador a exclamar, depois de longa pausa, como se desejasse aproveitar a oportunidade para a solução decisiva do seu amargo problema:

— Calpúrnia — disse ansiosamente —, ao falar de minha excursão no passado, informaste-me da viagem forçada do nosso Agripa, no presente. E eu continuo a relembrar minha ventura desfeita, a felicidade perdida, que nunca mais voltou!...

O senador observava todas as atitudes psicológicas da sua venerável amiga, ansioso por surpreender-lhe um gesto de conforto supremo. Desejava que ela, como conselheira de Lívia, quase como a própria mãe desta, pelos laços eternos e sacrossantos do espírito, lhe dissipasse todas as dúvidas, falasse da inocência da esposa, proporcionando-lhe uma certeza de que o seu coração caprichoso e egoísta de homem estava enganado, mas, em vão aguardou essa defesa espontânea, que não apareceu no instante necessário e decisivo. A respeitável viúva de Flamínio deixara no ar o mesmo ponto de dolorosa interrogação, murmurando com voz triste, enquanto uma réstia de luar lhe coroava os cabelos brancos:

— Sim, meu amigo, os deuses podem dar-nos a felicidade e podem retomá-la... Somos duas almas chorando sobre o sepulcro dos sonhos mais gratos do coração!...

Aquelas palavras desalentadoras penetravam no peito sensível e orgulhoso do senador, como sabre afiado que o rasgasse vagarosamente.

— Mas, afinal, minha nobre amiga — exclamou ele quase enérgico, como se esperasse resposta decisiva para a angustiosa indecisão da sua alma —, que pensas atualmente de Lívia?

— Publius — respondeu Calpúrnia com serenidade —, não sei se a franqueza seria um mal em certas circunstâncias, mas prefiro ser sincera.

"Desde as penosas confidências que me fizeste, sobre os fatos que se desenrolaram na Palestina, venho observando nossa amiga de modo a poder advogar a causa da sua inocência perante o teu coração, mas, infelizmente, noto em Lívia as mais singulares e imprevistas diferenças de ordem espiritual. É humilde, meiga, inteligente e generosa, como sempre, mas parece menosprezar todas as nossas tradições familiares e as nossas crenças mais caras.

"Em nossas discussões e palestras íntimas, não me revela mais aquela timidez encantadora que lhe conheci noutros tempos, demonstrando, pelo contrário, demasiada desenvoltura de opinião a respeito dos problemas sociais, que ela julga haver resolvido ao contato duma nova fé. Suas ideias me escandalizam com as mais injustificáveis concepções de igualdade; não hesita em classificar nossos deuses como ilusões nocivas da sociedade, para a qual tem, em todas as palavras, as mais severas recriminações, revelando singulares modificações de pensamento, indo ao extremo de confraternizar com as próprias servas de sua casa, como se fora uma simples plebeia...

"Seria uma perturbação mental, depois de alguma queda em que a sua dignidade individual fosse chamada a uma rígida reação? Seriam, talvez, influências do meio ou mesmo das escravas com quem se habituou a conviver nessa prolongada ausência de Roma? Não sei... A realidade é que, em consciência, não posso manifestar-me, por enquanto, em definitivo, sobre as tuas amarguras conjugais, aconselhando-te a esperar melhor as demonstrações do tempo."

Depois de ligeira pausa, terminou a velha matrona as suas observações, inquirindo com interesse:

— Por que permitiste o ingresso de Lívia nessas ideias novas, deixando-a à mercê desse reformador judeu, conhecido como Jesus de Nazaré?

— Tens razão — murmurou Publius Lentulus, extremamente desalentado —, mas o motivo baseou-se em circunstâncias imperiosas, porque Lívia acreditou que o Profeta Nazareno nos havia curado a filhinha!...

— Foste ingênuo, porque não podias admitir essa hipótese, em face da evolução dos nossos conhecimentos, salvando, dessas perigosas influências espirituais, o espírito maleável de tua mulher. Está comprovado que esse novo credo preconiza atitudes mentais humilhantes, subvertendo as mais íntimas disposições das criaturas que o aceitam. Homens ricos e de ciência, que se submetem a esses odiosos princípios dentro do Império, em favor de um reino imaginário, parecem embriagados de um veneno terrível, que os faz esquecer e desprezar a fortuna, o nome, as tradições e a própria família!...

"Colaborarei contigo, afastando Flávia desses prejuízos morais, levando-a para a minha companhia, tão logo se realize o casamento de nossos queridos filhos, porque a verdade é que, quanto a Lívia, tudo já fiz para convencê-la inutilmente."

— Entretanto, minha boa amiga — murmurou o senador sensibilizado, como a defender-se perante a nobre patrícia —, observo que Lívia continua a ser uma criatura simples e modesta, sem exigir de mim coisa alguma que atinja o terreno do exorbitante ou do supérfluo. Nestes quase dezessete anos de íntima separação dentro do lar, somente me solicitou a licença precisa para prosseguir em suas práticas cristãs junto de uma antiga serva de nossa casa, permissão essa que fui obrigado a conceder, considerando a continuidade de sua renúncia silenciosa e triste, no ambiente familiar.

— Também considero que é pedir muito pouco, mormente agora que todas as mulheres da cidade, segundo o costume, exigem dos maridos as maiores extravagâncias em luxo do Oriente, contudo, cumpre-me aconselhar-te, a ti que conservas intactas as nossas tradições mais queridas, esperares mais algum tempo antes de esqueceres as eventualidades dolorosas do passado, de modo a observarmos se Lívia virá a beneficiar-se com a continuidade de nossas atitudes, voltando, finalmente, ao seio de nossas tradições e de nossas crenças!...

Doloroso silêncio se fez então sentir, entre ambos, após essas palavras.

Calpúrnia supôs haver cumprido o seu dever e Publius recolheu-se, naquela noite, desalentado como nunca.

Em breves dias, conseguidos seus intentos, partia Agripa em demanda do Avênio, não obstante as rogativas do irmão e de Flávia para que esperasse as solenidades do matrimônio. Sua resolução era, porém, inabalável e o filho mais velho de Flamínio, enfraquecido sob o peso das suas desilusões, ia ausentar-se de Roma, por espaço de alguns anos, prolongados e dolorosos.

Passavam-se os dias celeremente e, como somos obrigados a caminhar em nossa história na companhia de todas as personagens, devemos registrar que, se vendo completamente abandonada pelo homem de suas preferências, Aurélia, ralada de venenoso despeito, resolvera aceitar a mão abnegada e afetuosa que o jovem Emiliano Lucius lhe oferecia.

Fúlvia, que acompanhou a luta silenciosa, intoxicada pelos seus sentimentos inferiores, deliberou aguardar o tempo, para exercer as suas sinistras represálias.

E, em tempo breve, o casamento de Plínio e Flávia realizava-se com suntuosidade discreta, no palácio do Aventino. O noivo, cheio de galardões militares e títulos honoríficos, bem como a futura companheira, tocada de formosura indefinível e de adorável simplicidade, sentiam-se venturosos como se a felicidade perfeita se resumisse tão somente na eterna fusão de seus corações e de suas almas. Aquele dia, indubitavelmente, assinalava a hora mais sagrada e mais formosa dos seus destinos.

Na assistência reduzidíssima, que se compunha de relações da maior intimidade, notava-se a presença de um homem ainda jovem, que representava uma figura saliente naquele quadro, caracterizado, essencialmente, de acordo com a época.

Seus olhos impetuosos e ardentes haviam pousado sobre a noiva com misterioso e estranho interesse.

Esse homem era Saul de Gioras, que, abandonando o sobrenome paterno, exibia agora uma nova denominação romana, segundo antiga autorização de Flamínio, de modo a valorizar, cada vez mais, a expressão social da sua fortuna.

Debalde, o senador fez o possível para identificar aquele judeu, que se lhe figurava um velho conhecido pessoal. Saul, porém, reconhecera o seu verdugo de outrora; reconheceu e guardou silêncio, serenando as grandes emoções do seu foro íntimo, porque, qual o pai, tinha o coração mergulhado nos propósitos tenebrosos de uma vindita cruel.

III
Planos da treva

Depois das solenidades do casamento de Plínio, contrariamente ao que se podia esperar, o liberto judeu não regressou a Massília, pretextando numerosos negócios que o retinham na capital do Império.

Instalado no palacete dos Severus, para onde se haviam transferido os jovens nubentes, junto de Calpúrnia, Saul teve oportunidades numerosas de se avistar com o senador Publius Lentulus, mantendo ambos várias palestras sobre a Judeia e as suas regiões importantes.

Intrigado com aquele olhar ardente e aqueles traços fisionômicos, que lhe não eram totalmente estranhos, e lembrando-se perfeitamente daquele pai que o procurara ansioso e aflito, em Jerusalém, acompanhemos o senador em uma de suas palestras íntimas com o interessante desconhecido, na qual o abordou com esta pergunta inesperada:

— Senhor Saul, já que sois filho das cercanias de Jerusalém, vosso pai, porventura, não se chamaria André de Gioras?

O liberto mordeu os lábios, diante daquele ataque direto ao assunto mais delicado da sua existência, respondendo dissimuladamente:

— Não, senador. Meu pai não tem esse nome. Ao tempo em que fui escravizado por mãos impiedosas e cruéis, porquanto eu não era senão uma criança mal-educada e irresponsável — acentuou com profunda ironia —, meu pai era um agricultor miserável que não possuía outra coisa além dos seus braços para o trabalho de cada dia... Tive, contudo, a felicidade de encontrar as mãos generosas de Flamínio Severus, que me guiaram para a liberdade e para a fortuna e, hoje, o meu progenitor, com o pouco que lhe forneci, aumentou as suas possibilidades de trabalho, desfrutando não somente certa importância social em Jerusalém, como também funções superiores no Templo.

"Mas por que mo perguntais?"

O senador franziu o sobrolho, em face de tanta desenvoltura na resposta, mas, sentindo-se aliviado, por lhe parecer que não se tratava, de fato, do Saul de suas penosas lembranças, respondeu com mais desafogo de consciência:

— É que eu conheci, ligeiramente, um agricultor israelita, por nome André de Gioras, cujos traços fisionômicos não eram muito diversos dos vossos...

E a conversação seguia o ritmo normal das conversações sem importância nos ambientes de convencionalismo da vida social.

Saul, entretanto, deixava transparecer fulgor estranho no olhar, como quem se encontrava extremamente satisfeito com o destino, à espera de um ensejo para executar seus tenebrosos planos de vingança.

Um móvel oculto e inconfessável o retinha em Roma, quando numerosas operações comerciais requeriam sua presença em Massília, onde seu nome se radicara a grandes interesses de ordem financeira e material. Esse móvel era o intenso desejo de se fazer notado pela jovem esposa de Plínio, cujo olhar parecia atraí-lo para um abismo de amor violento e irreprimível.

Desde o instante em que a vira com os adornos do noivado, no dia venturoso de seu enlace, parecia haver lobrigado a criatura ideal dos seus sonhos mais íntimos e remotos.

Na realidade, os filhos de seus antigos senhores mereciam o seu respeito e o maior acatamento, todavia, uma força maior que todos os seus sentimentos de gratidão o levava a desejar a posse de Flávia Lentúlia, a qualquer preço, ainda que fosse o da própria vida.

Aqueles olhos formosos e cismadores, a graça carinhosa e espontânea, a inteligência lúcida e delicada, todos os seus predicados físicos e espirituais, que observara agudamente, nos poucos dias de permanência na cidade, o autorizavam a crer que aquela mulher era bem o tipo das suas idealizações.

E foi engolfado nesse turbilhão de pensamentos sombrios que dois meses se passaram, de expectativas inconfessáveis e angustiosas, sem que perdesse a mais ligeira oportunidade para demonstrar a Flávia o grau do seu afeto, da sua admiração e estima, sob as vistas amigas e confiantes de Plínio.

Na soledade de suas preocupações íntimas, considerava Saul que, se ela o amasse, se correspondesse à afeição violenta do seu espírito impetuoso e egoísta, jamais se lembraria de exercer a planejada vingança sobre o coração de seu pai, indo buscar o jovem Marcus Lentulus para o lar paterno e liquidando o pretérito de visões tenebrosas, contudo, se acontecesse o contrário, executaria os seus diabólicos projetos, deixando-se embriagar pelo vinho odiento da morte.

Nessa época, corria já o ano de 47, e sem nos esquecermos de Fúlvia e sua filha, vamos encontrá-las, de novo, sob o domínio dos mesmos sentimentos cruéis e tenebrosos.

Em vão desposara Aurélia a Emiliano Lucius, que, para ela, não representava, de modo algum, o tipo do homem que o seu temperamento supunha haver encontrado no filho mais moço de Flamínio.

E foi assim que, depois dos primeiros desencantos e atritos no ambiente doméstico, a conselho da mãe e na sua própria companhia, procurou recorrer às ciências estranhas de Araxes, célebre feiticeiro egípcio, que tinha uma loja de mercadorias exóticas nas proximidades do Esquilino.

Araxes, cujo comércio criminoso todos conheciam como fonte inesgotável de filtros milagrosos do amor, da enfermidade e da morte, era um iniciado do antigo Egito, desviado, porém, da missão sacrossanta da caridade e da paz, na sua violenta paixão pelo dinheiro da numerosa clientela romana, então em pletora de vícios clamorosos e na dissolução dos mais belos costumes do sagrado instituto da família.

Explorando-lhe as paixões inferiores e os hábitos viciosos, o mago egípcio empregava quase toda a sua ciência espiritual na execução de todos os malefícios e crimes, motivando enormes danos com as suas drogas venenosas e seus estranhos conselhos.

Procurado, discretamente, por Fúlvia e a filha, inteirou-se dos fins da visita e ali mesmo, entre grandes retortas e pacotes de plantas e substâncias diversas, mergulhou a cabeça nas mãos, como se o seu espírito estivesse devassando os menores segredos do Mundo Invisível, ante uma trípode e outros petrechos de ciências ocultas, com que ele, psicólogo profundo, buscava impressionar o espírito sugestionável dos consulentes numerosos que o procuravam para solução dos problemas da vida.

Ao cabo de longos minutos de concentração, com os olhos a brilhar estranhamente, o mago egípcio dirigiu-se à Aurélia, afirmando-lhe em palavras impressionantes:

— Senhora, vejo à minha frente dolorosos quadros da sua vida espiritual, no passado longínquo!... Vejo Delfos, nos dias gloriosos do seu oráculo e contemplo a sua personalidade buscando seduzir um homem que lhe não pertencia!... Esse homem é o mesmo da atualidade... As mesmas almas perambulam agora em outros corpos e a senhora deve pensar na realidade dos dias que se passam, conformando-se com a nítida separação das linhas do destino!...

Aurélia ouvia, entre surpresa e assombrada, enquanto a alma arguta de sua mãe acompanhava a palestra, tocada de impressão indefinível.

— Que me dizeis? — replicou a jovem senhora, no auge da sua sensibilidade ferida. — Outras vidas? Um homem que não me pertencia?... Que vem a ser tudo isso?

— Sim, nosso espírito, neste mundo — redarguiu o feiticeiro com imperturbável serenidade —, tem longa série de existências, que enriquecem o nosso íntimo com o máximo de conhecimento sobre os deveres que nos competem na vida!

"A senhora já viveu em Atenas e em Delfos, numa grande fase de profundas irreflexões em matéria de amor, e, sentindo-se hoje próxima do objeto de suas ardentes e pecaminosas paixões de outrora, julga-se com as mesmas possibilidades de satisfazer seus desejos violentos e indignos!...

"Por aqui, hão passado inúmeras criaturas. A muitas aconselhei perseverança nos propósitos, por vezes injustificáveis e inferiores, mas, para o seu caso, há uma voz que fala mais alto à minha consciência. Se a sua irreflexão for ao ponto de provocar esse homem, em consciência honesto até agora, é possível que o seu coração também inquieto venha a corresponder aos seus caprichos, contudo, busque não se entregar ao desvario dessa provocação, porque o destino o reuniu, agora, à alma gêmea da sua e um caminho áspero de provações amargas os espera no futuro, para a consolidação da sua confiança mútua, da sua afeição e da sua grandeza espiritual!... Não se interponha no caminho dessa mulher considerada pelo seu espírito como poderosa rival!... Interpor-se entre ela e o esposo seria agravar a senhora as suas próprias penas, porque a verdade é que o seu coração não se encontra preparado para as grandes renúncias santificantes, e aquilo que supõe ser profundo e sublimado amor, nada mais é que capricho prejudicial do seu coração de mulher voluntariosa e pouco disposta a sacrificar-se pelo carinho de companheiro amoroso e leal, mas sim a multiplicar os amantes pelo número de suas vontades artificiais..."

Aurélia estava lívida, ouvindo essas palavras, que considerava atrevidas e injuriosas.

Desejava defender-se, mas uma força poderosa parecia comprimir-lhe a garganta, anulando-lhe o esforço das cordas vocais.

Fúlvia, porém, tomada de rancor pelas expressões insultuosas daquele homem, tomou a defesa da filha, arguindo-o com energia:

— Araxes, feiticeiro impudico, que queres dizer com estas palavras? Insulta-nos? Poderemos fazer cair sobre tua cabeça o peso da justiça do Império, conduzindo-te ao cárcere e revelando à sociedade os teus sinistros segredos!...

— E porventura não os tereis também, nobre senhora? — revidou ele imperturbavelmente. — Estaríeis, assim, tão sem culpa, para não vacilar em condenar-me?

Fúlvia mordeu os lábios, tremendo de ódio e exclamando com fúria:

— Cala-te, infame! Não sabes que tens diante dos olhos a esposa de um pretor?

— Não me parece — murmurou o feiticeiro com serena ironia —, pois as nobres matronas dessa estirpe não viriam a esta casa solicitar minha cooperação para um crime... E, ademais, que diriam em Roma de uma patrícia, que descesse ao extremo de procurar, na intimidade, um velho feiticeiro do Esquilino?

"É verdade que muitos males tenho praticado na minha vida, mas sabem-no todos que assim procedo e não busco a sombra das boas situações sociais para acobertar a hediondez da minha miserável existência!... Ainda assim, quero salvar a mocidade de tua filha do lôbrego caminho de tuas perversidades, porque na hipótese de seguir-te ela os coleios de víbora, na senda de esposa criminosa e infiel, seu único fim será a prostituição e o infortúnio, rematados com a morte ignominiosa na ponta de uma espada..."

Fúlvia desejou revidar energicamente aos insultos de Araxes, repelindo aquelas expressões injuriosas, recebidas como atrevimento supremo, mas Aurélia, receosa de novas complicações e compreendendo a culpabilidade de sua mãe, tomou-lhe do braço, retirando-se ambas silenciosamente, sob o olhar zombeteiro do velho egípcio, que voltara a empilhar pacotes de plantas entre numerosos vasos de substâncias estranhas.

Pouco tempo, contudo, pôde ele empregar na sua faina solitária e silenciosa.

Dentro de duas horas, nova personagem lhe batia à porta.

Araxes surpreendeu-se à vista daquele judeu insinuante que o procurava. O brilho dos olhos, o nariz característico, a harmonia dos traços israelitas faziam daquele homem, ainda jovem, uma figura singular e sugestiva.

Era Saul, que recorria aos mesmos processos misteriosos, na ânsia de possuir, a qualquer preço, a esposa de Plínio, buscando o talismã ou o elixir miraculoso do feiticeiro, a serviço de suas pretensões descabidas.

Recebido nas mesmas circunstâncias em que o foram as duas personagens do nosso penoso drama, Saul expunha ao adivinho as suas torturas amorosas, junto daquela mulher honesta e digna.

Após a habitual concentração, já do nosso conhecimento, junto da trípode em que fazia as orações costumeiras, Araxes esboçou leve e discreto sorriso, como quem havia encontrado mais uma estranha coincidência nos seus amplos estudos da psicologia humana. Sua hesitação, todavia, durou poucos instantes, porque, em breve, se fazia ouvir com voz pausada e soturna:

— Judeu! — disse ele austeramente — louva o Deus de tuas crenças, porque tua face foi erguida do pó pelas mãos do homem que hoje te empenhas em trair... Mandam as leis severas da tua pátria que não venhas a desejar, nem mesmo por pensamentos, a mulher do teu próximo e muito menos a companheira devotada e fiel de um dos teus maiores benfeitores. Dá um passo atrás no teu triste e mal-aventurado caminho! Houve tempo em que teu espírito viveu no corpo de um sacerdote de Apolo, no templo glorioso de Delfos... Perseguiste uma jovem mulher dos misteres sagrados, conduzindo-a à miséria e à morte, com os teus desvarios nefandos e dolorosos. Não ouses, agora, arrancá-la dos braços destinados ao seu amparo e proteção, à face deste mundo!... Não te intrometas no destino de duas criaturas que as forças do Céu talharam uma para a outra!...

O moço judeu, todavia, apesar de impressionado com aquela exortação incisiva, não seguiu a orientação violenta das duas mulheres que o precederam na misteriosa visita.

Arrancando uma bolsa de moedas, acariciou-a nas mãos como a excitar a concupiscência do adivinho, exclamando com voz quase súplice:

— Araxes, eu tenho ouro... muito ouro, e dar-te-ei o que quiseres, pelo valioso auxílio da tua ciência... Pelo amor de teus deuses, consegue-me a simpatia dessa mulher e recompensar-te-ei generosamente a preciosidade dos esforços despendidos...

Os olhos do mago egípcio faiscaram ao clarão de sentimento estranho, contemplando a bolsa em forma de cornucópia, reluzente de ouro, como se a desejasse intensamente, murmurando com mais delicadeza:

— Meu amigo, essa mulher não é cobiçada tão somente por ti e suponho que deverias contribuir para que ela não se afastasse da companhia do esposo!...

— Existe, então, ainda outro homem?

— Sim, revelam-me os signos do destino que essa criatura é também desejada pelo irmão do marido.

Saul fez um gesto de enfado, como quem se sentia amargamente atormentado pelos mais acerbos ciúmes, exclamando em voz baixa:

— Ah! sim... agora entendo melhor a viagem precipitada de Agripa, em busca de Avênio!...

E, elevando a voz como quem estivesse jogando a derradeira cartada da sua ambição, falou com ansiedade:

— Araxes, peço-te ainda uma vez!... Faze tudo!... pagar-te-ei regiamente!...

A fronte do mago curvou-se de novo, em atitude de profunda meditação, como se o espírito buscasse, no invisível, alguma força tenebrosa, propícia aos seus sinistros desígnios.

Ao cabo de alguns minutos, tornou a dizer em tom benevolente e amigo:

— Parece que haverá uma oportunidade para a sua afeição, daqui a algum tempo!...

O moço judeu ouvia-o com angustiosa expectativa, enquanto as afirmações continuavam:

— Dizem os signos do destino que os dois cônjuges, para consolidação de sua profunda afeição, de sua confiança recíproca e progresso espiritual, estão destinados a dolorosas provas daqui a alguns anos! Dar-se-á alguma coisa que os separará dentro do próprio lar, sem que eu possa precisar o que seja. Sei, tão somente, que cumpre a ambos um grande período de ascetismo e dolorosa abnegação, no instituto sagrado da família... Nessa ocasião, talvez, quem sabe, poderá o meu amigo tentar essa afeição ardentemente cobiçada!...

— Dar-se-á, então, alguma coisa? — perguntou Saul curioso e aflito, nas suas perquirições do assunto transcendente — mas que poderá acontecer que os separe no ambiente doméstico?

— Eu mesmo não saberia dizê-lo...

— E cada qual será obrigado a um ascetismo fiel e a uma dedicação inquebrantável?

— Manda o determinismo do destino que assim seja, mas não só o esposo, como a companheira, podem interferir nessas provas, contraindo novo débito moral, ou resgatando o passado doloroso com o preciso valor moral nos sofrimentos, empregando, no determinismo das provações purificadoras, sua boa ou má vontade... Saiba que as tendências humanas são mais fortes para o mal, tornando-se possível que as suas pretensões sejam satisfeitas nessa época.

— E quanto tempo deverei esperar para que isso aconteça? — perguntou o liberto profundamente preocupado.

— Alguns anos.

— E será inútil tentar qualquer esforço antes disso?

— Perfeitamente inútil. Sei que o nobre cliente tem numerosos interesses numa cidade distante e é justo que, neste intervalo, cuide dos seus negócios materiais.

Saul fixou detidamente aquele homem que parecia conhecer os mais recônditos segredos da sua vida, passando as suas observações pelo crivo da consciência.

Deu-lhe a bolsa recheada, agradecendo a atenção e prometendo voltar em tempo oportuno.

Daí a alguns dias, o moço judeu, nas vésperas da despedida, aproveitando alguns minutos de pura e simples intimidade com a jovem Flávia, dirigia-lhe a palavra nestes termos:

— Nobre senhora — começou em voz quase tímida, mas com o mesmo clarão estranho de sentimentos inferiores a lhe irradiar dos olhos —, ignoro a razão do fato íntimo que vos vou revelar, mas a realidade é que vou partir para Massília, guardando a vossa imagem no mais recôndito escaninho do meu pensamento!...

— Senhor — disse-lhe Flávia Lentúlia, corando, acabrunhada —, devo viver tão só no pensamento daquele com quem os deuses iluminaram o meu destino!...

— Nobre Flávia — revidou o judeu arguto, percebendo que o golpe era prematuro e inoportuno —, minha admiração não se prende a qualquer sentimento menos digno. Para mim, sois duplamente respeitável, não somente pela vossa alta condição de patrícia, como também pela circunstância de serdes a companheira de um dos maiores benfeitores de minha vida!

"Ficai tranquila quanto às minhas palavras, porque em meu coração só existe o mais leal interesse pela vossa felicidade pessoal, junto do digno esposo que escolhestes.

"Sinto por vós o que um escravo deve sentir por uma benfeitora de sua existência, já que, na minha triste condição de liberto, não posso apresentar-me à vossa generosidade com as credenciais de irmão que muito vos venera e estima."

— Está bem, senhor Saul — disse a jovem mais aliviada —, meu marido vos considera como irmão muito caro e eu me honro de associar-me aos seus sentimentos.

— Muito vos agradeço — exclamou Saul fingidamente —, e já que me entendeis tão bem o pensamento fraterno, é com o interesse de irmão que me dirijo à vossa alma generosa para prevenir-vos de um perigo...

— Um perigo?... — perguntou Flávia aflita.

— Sim. Falo-vos confidencialmente, solicitando que guardeis o máximo segredo desta confidência fraternal.

E, enquanto a jovem o escutava com a maior atenção, Saul continuava com as suas pérfidas insinuações.

— Sabeis que Plínio foi quase noivo da filha do pretor Sálvio Lentulus, vosso tio, hoje casada com Emiliano Lucius?

— Sim... — replicou a pobre senhora, de alma oprimida.

— Pois devo avisar, como irmão, que vossa prima Aurélia, a despeito dos seus austeros compromissos matrimoniais, não renunciou ao homem de suas antigas preferências; hoje fui cientificado, por um amigo, de que ela tem recorrido a diversos feiticeiros de Roma, com o fim de reaver o seu afeto de outrora, a qualquer preço!...

Ouvindo essas pérfidas palavras, Flávia Lentúlia experimentou o primeiro espinho da sua vida conjugal, sentindo-se intimamente torturada pelo mais acerbo ciúme.

Plínio resumia todo o seu idealismo e toda a sua felicidade de mulher jovem. Depositara no seu coração todos os sonhos femininos, todas as suas melhores e mais florentes esperanças. Assaltada pela primeira contrariedade da sua vida social, na grande cidade de seus pais, sentia, naquele instante, a sede devoradora de um esclarecimento amigo, de uma palavra carinhosa que viesse restabelecer o equilíbrio do coração, agora turbado pelos primeiros dissabores. Faltava-lhe alguma coisa que pudesse completar as nobres qualidades do seu coração de mulher, alguma coisa que devia ser a atuação materna na sua educação, porque Publius Lentulus, na sua cegueira espiritual, lhe moldara o caráter no orgulho da estirpe, nas tradições vaidosas dos antepassados, sem desenvolver as suas qualidades de ponderação, que a influência de Lívia criaria, certo, para notáveis florações do sentimento.

A jovem patrícia sentiu o coração despedaçado por um ciúme quase feroz, mas, compreendendo os deveres que lhe competiam em tais conjunturas, recobrou a precisa energia moral para reagir naquele primeiro embate de provas, respondendo ao moço judeu e fazendo o possível por afetar o máximo de severa e tranquila nobreza:

— Agradeço, penhorada, o interesse de vossa comunicação, todavia, nada me autoriza a suspeitar da consciência retilínea de meu esposo, mesmo porque Plínio resume todos os meus ideais de esposa e de mulher!

— Senhora — revidou o judeu, mordendo os lábios —, o espírito feminino, na sua fertilidade de imaginação, alheio à vida prática, pode enganar-se, muitas vezes, pelas aparências...

"Folgo de ouvir-vos e louvo a vossa ilimitada confiança, porém, quero fiqueis convencida de que, a qualquer tempo, encontrareis em mim um sincero defensor da vossa felicidade e das vossas virtudes!..."

Isso dizendo, Saul de Gioras apresentou atenciosas despedidas, deixando a pobre moça com as suas impressões de surpresa e amargura.

Os primeiros infortúnios haviam atingido a vida conjugal de Flávia Lentúlia, sem que ela soubesse conjurar o perigo que ameaçava a sua ventura para sempre.

Nessa noite, Plínio Severus não encontrou em casa a criatura mimosa e adorável da sua dedicação e do seu amor profundo. Na intimidade da alcova, encontrou a companheira cheia de recriminações descabidas e importunas, tocada de tristezas amarguradas e incompreensíveis, verificando-se entre ambos os primeiros atritos que podem arruinar para sempre, no curso de uma vida, a felicidade de um casal, quando seus corações não se encontram suficientemente preparados para a compreensão espiritual, no instituto das provas remissoras, embora a estrada divina de suas almas gêmeas seja um caminho glorioso para os mais elevados destinos.

Em breves dias, Saul regressava a Massília, esperançoso de concretizar algumas realizações de ordem material, de modo a regressar a Roma no menor espaço de tempo.

E a vida das nossas personagens continuava, na capital do Império, quase com a mesma fisionomia de sempre.

O senador Lentulus prosseguia engolfado nas suas cogitações de ordem política, procurando, sempre que possível, a residência da filha, onde mantinha as mais longas palestras com Calpúrnia, sobre o passado e as necessidades do presente.

Quanto a Lívia, afastada compulsoriamente da filha, pela força das circunstâncias; longe de sua melhor amiga de outros tempos, pela incompreensão, e prosseguindo distante do esposo no ambiente dos seus afetos mais íntimos, refugiara-se na dedicada amizade de Ana, nas preces mais fervorosas e sinceras.

Diariamente, ambas procuravam orar, em dolorosa soledade, ao pé daquela mesma cruz grosseira que lhes dera Simeão no instante extremo.

Muitas vezes, ambas, em êxtase, notavam que o pequenino madeiro se toucava de luz tenuíssima, ao mesmo tempo que lhes parecia ouvir longe, no santuário do coração e dos pensamentos, exortações singulares e maravilhosas.

Afigurava-se-lhes que a voz branda e amiga do apóstolo da Samaria voltava do reino de Jesus para ensinar-lhes a fé, o cumprimento do dever de caridade fraterna, a resignação e a piedade. Ambas choravam, então, como se nas suas almas sensíveis e carinhosas vibrassem as harmonias de um divino prelúdio da vida celeste.

Nessa época, instruída por alguns cristãos mais humildes, Ana cientificou a senhora das reuniões nas catacumbas.

Somente ali podiam reunir-se os adeptos do Cristianismo nascente, porquanto, desde os seus primeiros eventos na sociedade romana, foram as suas ideias consideradas subversivas e perversoras.

O Império fundado com Augusto, que significou a maior expressão de um Estado forte em todas as épocas do mundo, depois das conquistas democráticas da República, não tolerava nenhum agrupamento partidário, em matéria de doutrinas sociais e políticas.

Verificava-se em Roma o mesmo que hoje com as nações modernas, a oscilarem entre as mais variadas formas governamentais, ao longo do eixo dos extremismos e dentro da ignorância do homem, que teima em não compreender que a reforma das instituições tem que começar no íntimo das criaturas.

As únicas associações admitidas eram, então, as cooperativas funerárias, em vista de seus programas de piedade e proteção aos que já não podiam perturbar os poderes temporais do César.

Perseguidos pelas leis, que lhes não toleravam as ideias renovadoras; encarados com aversão pelas forças poderosas das tradições antigas, os adeptos de Jesus não ignoravam a sua futura posição de angústia e sofrimento. Alguns éditos mais rigorosos os compeliam a ocultar a manifestação de crença, embora o governo de Cláudio procurasse, sempre, o máximo de ordem e equilíbrio, sem grandes excessos na execução dos seus desígnios.

Alguns companheiros mais esclarecidos na fé advogavam publicamente as suas teses, em epístolas ao sabor da época, mas, muito antes dos crimes tenebrosos de Domício Nero,[21] a atmosfera dos cristãos primitivos era já de aflição, angústia e trabalhos penosos. Desse modo, as reuniões das catacumbas efetuavam-se periodicamente, nada obstante o seu caráter absolutamente secreto.

Grande número de apóstolos da Palestina passavam em Roma, trazendo aos irmãos da metrópole as prédicas mais edificantes e consoladoras.

Ali, no silêncio dos grandes maciços de pedra, em cavernas desprezadas pelo tempo, ouviam-se vozes profundas e edificantes, que comentavam o evangelho do Senhor ou encareciam as sublimidades do seu reino, acima de todos os precários poderes da perversidade humana. Tochas brilhantes iluminavam esses desvãos subterrâneos, que as heras protegiam, dando às suas portas empedradas uma impressão de angústia, tristeza e supremo abandono.

---

[21] N.E.: Nero (37 d.C. – 68 d.C.), imperador romano, famoso por sua tirania e extravagância, implacável perseguidor dos cristãos, famoso por ter ordenado a execução da própria mãe.

Sempre que um peregrino mais dedicado aportava à cidade, havia um aviso comum a todos os conversos.

O sinal da cruz, feito de qualquer forma, era a senha silenciosa entre os irmãos de crença, e, feito desse ou daquele modo especial, significava um aviso, cujo sentido era imediatamente compreendido.

Por meio dessas comunicações incessantes, Ana conhecia todo o movimento das catacumbas, colocando sua senhora a par de todos os fatos que se desenrolavam em Roma, sobre a redentora doutrina do Crucificado.

Assim é que, quando se anunciava a chegada de algum apóstolo da Galileia ou das regiões que lhe são fronteiriças, Lívia fazia questão de comparecer, fazendo-se acompanhar pela serva desvelada e fiel, atravessando os caminhos a pé, embora trajasse agora a sua indumentária patrícia, de conformidade com a autorização do marido, para professar livremente as suas crenças. Ela estava ciente de que, perante a sociedade, sua atitude representava grave perigo, mas o sacrifício de Simeão fora um marco de luz assinalando os seus destinos na Terra. Adquirira coragem, serenidade, resignação e conhecimento de si mesma, para nunca tergiversar em detrimento da sua fé ardente e pura. Se as suas antigas relações de amizade, em Roma, atribuíam suas modificações interiores à demência; se o marido não a compreendia e Calpúrnia e Plínio cavavam, ainda mais, o grande abismo que Publius havia aberto entre ela e a filha, possuía o seu espírito, na crença, um caminho divino para fugir de todas as terrenas amarguras, sentindo que o divino Mestre de Nazaré lhe dulcificava as úlceras da alma, compadecendo-se do seu coração retalhado de amarguras. Era-lhe a fé como um archote luminoso clareando a estrada dolorosa, e do qual se irradiavam os clarões da confiança humana na Providência Divina, que transforma as provações penosas da Terra em luzes sacrossantas e antecipadas, das eternas alegrias do Infinito.

IV
Tragédias e esperanças

A vida real sempre é prosaica, sem fantasia nem sonhos.
Assim decorre a existência das personagens deste livro, na tela viva das realidades nuas e dolorosas do ambiente terrestre.
Os que atingem determinadas posições sociais, bem como os que se aproximam do crepúsculo da vida fragmentária da Terra, poucas novidades têm a contar, com respeito ao curso de cada dia.
Há um período na existência do homem, em que lhe parece não mais haver a precisa pressão psíquica do coração, a fim de que se lhe renovem os sonhos e as aspirações primeiras, figurando-se a sua situação espiritual cristalizada ou estacionária. No íntimo, não há mais espaço para novas ilusões ou reflorescimento de velhas esperanças, e a alma, como que em doloroso período de expectação e forçado silêncio, queda-se no caminho, contemplando os que passam, presa aos cordéis da rotina, das semanas uniformes e indiferentes.
Estamos vivendo, agora, o ano 57, e a vida dos atores deste drama doloroso apresenta-se quase invariável no desdobramento infindo dos seus episódios comuns e angustiosos.
Apenas uma grande modificação se fizera na residência de Calpúrnia.
Plínio Severus, nas suas radiosas expressões de vitalidade física, já havia recebido as maiores distinções por parte das organizações militares

que garantiam a estabilidade do Império. Longas e periódicas permanências nas Gálias e na Espanha lhe haviam angariado honrosíssimas condecorações, mas, no seu íntimo, a vaidade e o orgulho haviam proliferado intensamente, não obstante a generosidade do seu coração.

Os primeiros ciúmes ásperos da esposa fizeram-se acompanhar de consequências nefastas e dolorosas.

Aos criminosos propósitos de Saul juntaram-se as pérfidas confidências das amigas mentirosas, e Flávia Lentúlia, longe de gozar a ventura conjugal a que tinha direito pelos seus elevados dotes de coração, descera, sem sentir, dado os seus ciúmes desmesurados, aos tenebrosos abismos do sofrimento e da provação.

Para um homem da condição de Plínio, era muito fácil a substituição do ambiente doméstico pelas festividades ruidosas do circo, na companhia de mulheres alegres, que não faltavam em todos os lugares da metrópole do pecado.

Em breve, o carinho da esposa foi substituído pelo falso amor de numerosas amantes.

Debalde procurou Calpúrnia interpor seus bons ofícios e carinhosos conselhos, e, em vão, prosseguia a jovem esposa do oficial romano no seu martírio imperturbável e silencioso.

As únicas queixas de Flávia eram guardadas pelo coração generoso da mãe do seu marido, ou, então, confiadas ao espírito do pai, em confidências amarguradas e penosas.

Publius Lentulus, compreendendo a importância da cooperação feminina na regeneração dos costumes e no reerguimento do lar e da família, incitava a filha ao máximo de resignação e tolerância, fazendo-lhe sentir que a esposa de um homem é a honra do seu nome e o alimento da sua vida e que, enquanto um marido se perverte no torvelinho das paixões desenfreadas, escarnecendo de todos os bens da vida, basta, às vezes, uma lágrima da mulher para que a paz conjugal volte a brilhar no céu sem nuvens do afeto puro e recíproco.

Para o espírito de Flávia, a palavra paterna tinha foros de realidade insofismável e ela buscava amparar-se nas suas promessas e nos seus conselhos, julgados preciosos, esperando que o esposo voltasse, um dia, ao seu amor, entre as bênçãos do caminho.

Enquanto isso, Plínio Severus dissipava no jogo e nas folganças uma verdadeira fortuna. Sua prodigalidade com as mulheres tornara-se proverbial nos centros mais elegantes da cidade, e poucas vezes buscava o ambiente familiar, onde, aliás, todos os afetos se conjugavam para esclarecer-lhe docemente o espírito desviado do bom caminho.

A morte do velho pretor Sálvio Lentulus, antes do ano 50, obrigara a família de Publius e os remanescentes de Flamínio aos protocolos sociais junto de Fúlvia e da filha, por ocasião das homenagens prestadas às cinzas do morto que, envolto no mistério da sua passividade resignada e incompreensível, havia passado pelo mundo.

Bastou esse ensejo para que Aurélia retomasse a oportunidade perdida. Um olhar, um encontro, uma palavra e o filho mais moço de Flamínio, enamorado das belezas pecaminosas, restabeleceu o laço afetivo que um amor santificado e puro havia destruído anteriormente.

Em breve, ambos eram vistos com olhares significativos pelos teatros, pelos circos ou pelas grandes reuniões esportivas da época.

De todas essas dores, fizera Flávia Lentúlia o seu calvário de agonias silenciosas, dentro do lar que a sua fidelidade dignificava. Nas suas meditações silenciosas, muitas vezes deplorou os antigos desabafos de ciúme injustificável, que constituíram a primeira porta para que o marido se desviasse dos sagrados deveres em família, mas, no seu orgulho de patrícia, ponderava que era muito tarde para qualquer arrependimento, considerando, intimamente, que o único recurso era aguardar a volta do esposo ao seu coração fiel e dedicado, com o máximo de humildade e paciência. Nos seus instantes de contrição, escrevia páginas amarguradas e luminosas, pelos elevados conceitos que traduziam, ora implorando a piedade dos deuses em súplicas fervorosas, ora estereotipando as íntimas angústias em versos comovedores, lidos tão somente pelos olhos paternos que, a chorar de emoção, considerava, muitas vezes, se a desventura conjugal da pobre filha não era igualmente uma herança singular e dolorosa.

Por volta do ano 53, desaparecia em trágicas circunstâncias, nos escuros braços da morte, uma das figuras mais fortes desta história.

Referimo-nos a Fúlvia que, dois anos após o falecimento do companheiro, acusava as mais sérias perturbações mentais, além de inquietantes fenômenos orgânicos, provenientes de passados desvarios.

Feridas cancerosas devoravam-lhe os centros vitais e, por dois anos a fio, o corpo emagrecido era forçado às mais penosas e incômodas posições de repouso, enquanto os olhos inquietos e arregalados dançavam nas órbitas, como se nas suas alucinações fosse compelida à vidência dos quadros mais sinistros e tenebrosos.

Nessas ocasiões, não encontrava a dedicação da filha, que não soubera educar, sempre atarefada nos seus constantes compromissos de festas, encontros e representações sociais numerosas.

No entanto, a Misericórdia Divina, que não abandona os seres mais desditosos, dera-lhe um filho carinhoso e compassivo para as dores expiatórias.

Emiliano Lucius, o marido de Aurélia, era desses homens dignos e valorosos, raros na paciência e nas mais elevadas virtudes domésticas.

Noites e noites sucessivas, velava pela velhinha infeliz, que as dores físicas castigavam impiedosamente com o azorrague de suplícios atrozes.

Nos seus últimos dias, vamos ouvir-lhe as palavras desconexas e dolorosas. Noite alta, quando as próprias escravas descansavam, subjugadas pela fadiga e pelo sono, parecia que seus ouvidos de louca se aguçavam, espantosamente, para ouvir os ruídos do Invisível, dirigindo impropérios às suas antigas vítimas, que voltavam das mais baixas esferas espirituais para rodear-lhe o leito de sofrimento e morte. Olhos desmesuradamente abertos, como se fixassem visões fatídicas e horrorosas, exclamava a pobre velhinha abraçando-se ao genro, no auge das suas frequentes crises de medo e desesperação inconsciente:

— Emiliano!... — exclamava em atitudes de pavor supremo. — Este quarto está cheio de seres tenebrosos!... Não percebes? Ouve bem... Ouço-lhes os impropérios rijos e as sinistras gargalhadas!... Conheceste Sulpício Tarquinius, o grande lictor de Pilatos?... Ei-lo que chega com os seus legionários mascarados de treva!... Falam-me da morte, falam-me da morte!... Socorre-me, filho meu!... Sulpício Tarquinius tem um corpo de dragão que me apavora!...

Crises de soluço e lágrimas sucediam-se a essas observações angustiosas.

— Acalma-te, mãe! — exclamava o militar, consternado até as lágrimas. — Tenhamos confiança na bondade infinita dos deuses!...

— Ah!... os deuses! — gritava agora a infeliz, em histéricas gargalhadas — os deuses!... onde estariam os deuses desta casa infame? Emiliano, Emiliano, nós é que criamos os deuses para justificar os desvarios de nossa vida! O Olimpo de Júpiter é uma mentira necessária ao Estado... Somos uma caveira enfeitada na Terra com um punhado de pó!... O único lugar que deve existir, de fato, é o inferno, onde se conservam os demônios com os seus tridentes no braseiro!... Ei-los que chegam em falanges escuras!...

E, apegando-se fortemente ao peito do oficial, gritava disparatadamente, como se buscasse ocultar o rosto de sombras ameaçadoras:

— Nunca me levareis, malditos!... Para trás, canalhas!... Tenho um filho que me defende de vossas investidas tenebrosas!...

Emiliano Lucius acariciava bondosamente os cabelos brancos da desventurada senhora, incitando-a a implorar a misericórdia dos deuses, de modo a balsamizarem-se-lhe os rudes padecimentos.

De outras vezes, Fúlvia Prócula, como se tivesse a consciência despertada por um raio divino, dizia, mais calma, ao filho que o destino lhe havia dado:

— Emiliano, estou aproximando-me da morte e preciso confessar-te as minhas faltas e grandes deslizes! Perdoa-me, filho, se tamanhos trabalhos te hei proporcionado! Minha existência misérrima foi uma longa esteira de crimes, cujas manchas horrorosas não poderão ser lavadas pelas próprias lágrimas da enfermidade que ora me conduz aos impenetráveis segredos da outra vida! Nunca, porém, consegui ponderar as amarguras terríveis que me esperavam. Hoje, nas pesadas sombras da alma, sinto que minha consciência se tisna do carvão apagado do fogo das paixões nefastas que me devoraram o penoso destino!... Fui esposa desleal, impiedosa, e mãe desnaturada...

"Quem se apiedará de mim, se houver uma claridade espiritual após as cinzas do túmulo? Deste leito de loucura e agonia desesperada, vejo o desfile incessante de fantasmas hediondos, que parecem esperar-me no pórtico do sepulcro!... Todos profligam meus crimes passados e mostram-se jubilosos com os padecimentos que me arrastam à sepultura!

"Sem uma crença sincera, sinto-me entregue a esses dragões do imponderável, que me fazem evocar o passado criminoso e sombrio!..."

Uma torrente de lágrimas de compunção e arrependimento seguia-se a esses instantes vertiginosos, de raciocínio e lucidez.

Emiliano Lucius afagava-lhe, com carinho, a face rugosa, imergindo-se ele mesmo em cismas dolorosas.

Aquele quadro lancinante era bem o fim tempestuoso de uma existência de deslizes clamorosos.

Sim... ele tudo compreendia agora. A rebeldia da esposa, a sua incompreensão, os atritos domésticos, aquela sede insaciável de festas ruidosas em companhia de afetos que não eram os dele, deviam ser os frutos amargos de educação viciada e deficiente. Seu coração, porém, estava cheio de generosidade sem limites. Espírito valoroso, compreendia a situação, e quem compreende perdoa sempre.

Uma noite em que a doente manifestava crises acentuadas e profundas, o bondoso oficial ordenou que as servas se recolhessem.

A pobre louca falava sempre, como se fora tocada de energia inesgotável e incompreensível.

Copioso suor inundava-lhe a fronte, tomada de febre alta e constante.

— Emiliano — gritava ela desesperadamente —, onde está Aurélia, que não busca velar à minha cabeceira nas vésperas da morte? Como as falsas amizades de minha vida, terá ela também horror do meu corpo?

— Aurélia — explicou generosamente o oficial — precisava desobrigar-se hoje de um compromisso com as amigas, na organização de alguns serviços sociais!

— Ah! — exclamou a demente em sinistras gargalhadas — os serviços sociais... os serviços sociais!... Como pudeste crer nisso, filho meu? Tua mulher, a estas horas, deve estar ao lado de Plínio Severus, seu antigo amante, em algum lugar suspeito desta cidade miserável!...

Emiliano Lucius fez o possível para que a infeliz dementada não prosseguisse em suas revelações terríveis e impressionantes, mas Fúlvia continuava o libelo tremendo e doloroso:

— Não, não me prives de continuar... — prosseguia desesperadamente. — Ouve-me ainda! Todas as minhas acusações representam a criminosa realidade... Muitas vezes, a verdade está com aqueles que enlouqueceram!... Fui eu própria que induzi minha infeliz filha aos desvios conjugais... Plínio Severus era o inimigo que ela precisava vencer, na qualidade de mulher... Facilitei-lhe o adultério, que se consumou sob este teto!... Certifica-te, filho meu, da enormidade das minhas faltas!... Horroriza-te, mas perdoa!... E vigia tua mulher para que não continue a trair-te com as suas perfídias torpes, e não venha um dia a apodrecer, lamentavelmente, como eu, num leito de sedas perfumosas!...

O generoso militar acompanhava, boquiaberto e aflito, aquelas revelações assombrosas.

Então a esposa, além de não o compreender no seu idealismo, ainda o traía vergonhosamente, no próprio ambiente sacrossanto do lar? Emoções dolorosas represavam-se-lhe no coração, mas, possivelmente, todas aquelas palavras não passavam de simples delírio febril, na demência incurável. Uma dúvida horrível e impiedosa aninhara-se-lhe no coração angustiado. Algumas lágrimas umedeciam-lhe os grandes olhos tristes, enquanto a enferma dava uma trégua às penosas revelações.

Daí a minutos, porém, com voz estentórica, continuava:

— E Aurélia? Que é feito de Aurélia que não vem? Por onde andará minha pobre filha criminosa e infiel? Amanhã, meu filho, hei de confiar-te os infames segredos da nossa existência desventurada!

Alguém, todavia, penetrara no aposento contíguo, cautelosa e silenciosamente. Era Aurélia, que voltava de uma festividade ruidosa, em que o vinho e os prazeres haviam jorrado em abundância.

Depois de atravessar a porta próxima, ainda ouviu as últimas palavras da mãe, no auge da febre e da desesperação doentia. Ela, que não ouvira as tristes revelações de pouco antes, considerou que a doente, no dia imediato, haveria de cumprir a terrível promessa e, num relance, examinou todas as probabilidades de execução da ideia tenebrosa que lhe passara pela mente criminosa e infeliz. Seus olhos pareciam vidrados de cólera, sob o azorrague de um pensamento mórbido, que lhe aflorara repentinamente no coração frio e impiedoso.

Despiu os trajes da festa, reintegrando-se nos aspectos interiores do lar, e abriu uma nova porta, dirigindo-se ao leito materno, no qual acariciou a mãe fingidamente, ao passo que o esposo incompreendido a contemplava, de cérebro fervilhante e dolorido, sob o domínio das dúvidas mais acerbas.

— Mãe, que é isso? — perguntou, afetando uma preocupação imaginária. — Estás cansada... precisas repousar um pouco.

Fúlvia fitou-a profundamente, como se um clarão de lucidez lhe houvesse clareado repentinamente o espírito abatido. A presença da filha tranquilizava de algum modo o seu coração dorido e a consciência dilacerada. Sentou-se com esforço, no leito, afagou os cabelos da filha, como sempre costumava fazer na intimidade, deitando-se em seguida e parecendo com boa disposição de repousar.

Emiliano Lucius retirou-se da cena, considerando que sua presença já não era necessária.

Mas Aurélia continuava a falar com o seu fingido carinho:

— Queres, mãe, uma dose do calmante para o repouso preciso?

A pobre louca, na sua inconsciência espiritual, fez um sinal afirmativo com a cabeça.

A jovem encaminhou-se ao seu aposento privado e, retirando minúsculo tubo de um dos móveis prediletos, deixou pingar algumas gotas numa pequena taça de sedativo, monologando: "Sim!... um segredo é sempre um segredo... e só a morte pode guardá-lo convenientemente!..."

Caminhou, sem hesitação, para o leito materno, no qual, por mais de dois anos, jazia a infeliz, devorada pelo câncer e atormentada pelas visões mais sinistras e tenebrosas.

Num relance, o horrível envenenamento estava consumado. Ministrada a poção corrosiva e violenta, Aurélia determinou, então, que duas escravas velassem o sono da enferma, como de costume, ao regressar das noitadas ruidosas, esperando o resultado da ação criminosa e injustificável.

Em duas horas, a enferma apresentava os mais evidentes sinais de sufocação sob a ação do corrosivo, que constituía mais um daqueles filtros misteriosos e homicidas da época.

Ao chamamento aflito das servas, todas as pessoas da casa se colocaram a postos, dado o penoso estado da enferma.

Emiliano Lucius contemplou-lhe os olhos, que se iam apagando no véu da morte, e debalde procurou fazer que a moribunda lhe dissesse ainda uma palavra. Seus membros frios foram-se enrijando devagarinho e da boca começou a escapar-lhe espuma rósea.

Em vão foram chamados os entendidos da Medicina, naqueles derradeiros instantes. Naquela época, nem os esculápios conheciam os segredos anatômicos do organismo, nem havia polícia técnica para averiguar as causas profundas das mortes misteriosas. O envenenamento de Fúlvia correu por conta das moléstias incompreensíveis que, durante muitos meses, lhe haviam minado todos os centros de vitalidade.

Contudo, aquela agonia rápida não passou despercebida a Emiliano, que juntou mais uma dúvida penosa aos amargos pensamentos que lhe negrejavam o foro íntimo.

Aurélia buscou representar, do melhor modo, a comédia da sentimentalidade em tais circunstâncias, e depois das cerimônias simplificadas e rápidas, em vista da imediata decomposição cadavérica, que forçou a incineração em breves horas, o antigo lar do pretor Sálvio Lentulus tornou-se o abrigo de dois corações que se odiavam mutuamente.

Se a esposa infiel, logo após os primeiros dias de luto, retornava à sua existência de regalados prazeres, Emiliano Lucius nunca pôde esquecer as revelações de Fúlvia nas vésperas do seu desprendimento, envolvendo-se, então, num véu de tristeza que lhe cobriu o coração por mais de dois anos.

Em 54, subia Domício Nero ao poder, fazendo-se acompanhar de uma depravada corte de áulicos perversos e de concubinas tão numerosas quão desalmadas.

Muito tarde, reconheceu Agripina a inconveniência de sua atitude maternal obrigando o imperador Cláudio a anuir ao casamento de sua filha Otávia com aquele que, mais tarde, iria eliminar-lhe a própria vida com os maiores requintes de perversidade.

O Fórum e o Senado receberam, tremendo, a sombria notícia da proclamação do novo César pelas legiões pretorianas, não tanto por ele, mas porque sabiam, de antemão, que aquele príncipe ignorante e cruel ia tornar-se um fácil joguete dos espíritos mais ambiciosos e mais perversos da Corte romana.

Ninguém, todavia, ousou protestar, tal a série de crimes tenebrosos, perpetrados impunemente, para que Domício Nero atingisse os bastidores do supremo poder.

No ano 56, o envenenamento do jovem Britanicus punha arrepios de terror em todos os patrícios.

Medidas ignominiosas foram postas em prática para humilhar os senadores do Império, que não conseguiram efetivar os seus protestos formais. Todas as famílias mais importantes da cidade conheciam que, diante de si, tinham os filtros venenosos de uma Locusta, a tirania e a perversidade de um Tigelinus, ou o punhal de um Aniceto.

A morte inesperada de Britanicus, porém, provocara certo descontentamento, dando azo a que se manifestassem alguns espíritos mais valorosos.

Entre esses, encontrava-se Emiliano Lucius, que se viu logo em sérias perspectivas de banimento, tornando-se vigiado pelos inúmeros esbirros do Imperador.

O generoso oficial buscou recolher-se o mais que lhe era possível, evitando a possibilidade de conflitos. Recrudesceram as suas angústias íntimas e as suas meditações tornaram-se mais profundas e dolorosas...

E, assim, certa vez, às primeiras horas de uma noite tranquila, quando se recolhia ao lar, contrariamente aos seus hábitos mais antigos, notou que o aposento da esposa estava cheio de vozes animadas e alegres. Observou que Aurélia e Plínio se embriagavam no vinho de seus venenosos prazeres e, olhos traduzindo incoercível espanto, viu que a esposa o traía no próprio tálamo conjugal.

Emiliano Lucius sentiu que espinho mais agudo lhe penetrava o coração sensível e generoso, ao verificar, por si mesmo, aquela realidade cruel. Teve ímpetos de chamar o amante ao campo da honra para morrer ou eliminar-lhe a vida, mas considerou, simultaneamente, que Aurélia não merecia tal sacrifício.

Enojado de tudo que se referia à sua época e sentindo-se vencido nas desventuras do seu penoso destino, o nobre oficial retirou-se para o antigo gabinete do pretor Sálvio, onde estabelecera a sede de seus trabalhos diurnos e, tomado de sinistra e dolorosa resolução, abriu velho armário em que se alinhavam pequenos frascos, retirando um deles, de configuração especial, a fim de satisfazer os amargos propósitos do seu espírito exausto.

Diante da taça de cicuta, o cérebro dorido perdeu-se, por minutos, em pungentes conjeturas, mas, estudando intimamente todas as suas probabilidades de ventura, considerou, no auge do desespero, que, à traição da mulher, às ameaças de proscrição e de banimento ou à possibilidade de um ataque nas sombras, era preferível o que ele considerava o consolo derradeiro da morte.

Num instante, sem que os amigos espirituais pudessem demovê-lo do intento terrível, tal a subitaneidade do gesto desesperado e irrefletido, sorveu o conteúdo de pequena taça, descansando depois a jovem cabeça sobre os braços, estirado num leito próprio do triclínio, mas adaptado ao seu gabinete antigo, abarrotado de mármores e pergaminhos preciosos.

A morte horrível não se fez esperar muito, e, no círculo numeroso de suas relações de amizade, enquanto Aurélia representava nova farsa de pesares imaginários, comentava-se o suicídio de Emiliano, não como consequência direta de suas profundas desilusões domésticas, mas como fruto da tirania política do novo Imperador, sob cujo reinado tantos crimes foram cometidos, diariamente, nas sombras.

Sozinha, agora, no seu campo de ação, Aurélia entregou-se livremente aos seus desvarios, amplificando as suas inclinações nocivas e procurando reter, cada vez mais, junto de si, o homem de suas preferências, objeto de suas desenfreadas ambições.

Em casa dos Lentulus e dos Severus, a vida continuava a desfiar o rosário das desventuras.

Havia mais de cinco anos, em 57, que Saul de Gioras se encontrava definitivamente instalado em Roma, sem haver desistido dos seus desejos e propósitos a respeito da esposa do amigo e benfeitor. Consolidada a sua fortuna no comércio de peles do Oriente, não perdia ele as mínimas oportunidades para evidenciar a excelência de sua situação material à mulher cobiçada de longos anos; Flávia Lentúlia, porém, fizera da existência um calvário de resignação comovedora e silenciosa.

A vida pública do marido era, para o seu espírito, um prolongado e doloroso suplício moral. Sobre o assunto, fazia Saul, de vez em quando, referências indiretas, no intuito de chamar-lhe a atenção para o seu afeto, mas a pobre senhora nele não via outra individualidade, além de um amigo, ou irmão. Debalde, o moço judeu testemunhava-lhe sua admiração pessoal, em gestos de extrema gentileza, buscando oferecer-lhe a sua companhia, mas a verdade é que os apelos de sua alma impetuosa e apaixonada não encontravam ressonância no coração daquela mulher, que enfeitava com a dor a dignidade do matrimônio.

Tocado pelas expressões do seu dinheiro, Araxes animava-lhe as esperanças sem o deixar esmorecer nos seus perigosos instintos.

Plínio Severus só vinha ao lar de vez em quando, alegando serviços ou viagens numerosas para justificar a continuidade de sua ausência. Mal se precatava ele de que as despesas astronômicas lhe arruinavam, pouco a pouco, as possibilidades financeiras, conduzindo igualmente os seus familiares ao esgotamento de todos os recursos.

Algumas vezes, mantinha colóquios afetuosos com a esposa, a quem se sentia preso pelos laços de afeição eterna e profunda, mas as seduções do mundo eram já muito fortes no seu coração, para serem extirpadas. No íntimo, desejava voltar à calma do lar, à vida carinhosa e tranquila, mas o vinho, as mulheres e os ambientes ostentosos eram a permanente obsessão do seu espírito combalido; outras vezes, embora amando a esposa ternamente, não lhe perdoava a circunstância da sua superioridade moral, irritando-se contra a própria humildade que ela testemunhava em face dos seus desatinos, e regressava novamente aos braços de Aurélia, como vítima indecisa entre as forças do bem e do mal.

No ano 57, a saúde de Calpúrnia, abalada em extremo, obrigara a família a reunir-se em torno do leito da matrona generosa. Pela primeira vez, após o casamento do irmão, voltou Agripa Severus de suas longas aventuras em Massília e em Avênio, para junto de sua mãe enferma e abatida, atendendo-lhe os sentidos e carinhosos apelos. Reencontrar Flávia Lentúlia e participar com ela das claridades do ambiente doméstico, foi o mesmo que reavivar velho vulcão adormecido.

A um golpe de vista, compreendeu a situação conjugal de Plínio, procurando substituir-lhe o afeto junto da esposa desvelada e meiga. Desejava confessar-lhe todo o seu amor ardente e infeliz, mas guardava no coração sublime respeito fraternal por aquela mulher, que confiava nele como irmão muito amado.

Foi assim que, nas alternativas de melhora da velha enferma, Flávia lhe aceitou a companhia para distrair-se nalguns espetáculos da rumorosa cidade da época.

Tanto bastou para que Saul envenenasse os acontecimentos, supondo nessas expansões inocentes uma ligação menos digna, que lhe enchia de pavorosos ciúmes o coração violento e irascível.

Na primeira oportunidade, insinuou a Plínio Severus todas as suas cavilosas suspeitas, arquitetando, com a sua imaginação doentia, situações e acontecimentos que jamais se verificaram. O esposo de Flávia era desses homens caprichosos, que, organizando um círculo de liberdade ilimitada para si próprio, nada concedem à mulher, nem mesmo no terreno das afeições desinteressadas e puras. Dessa forma, Plínio Severus começou a acatar a palavra de Saul, concedendo-lhe aos conceitos insensatos o mais largo crédito, no seu foro íntimo. Ele, que deixara a companheira afetuosa ao abandono e que, por largos anos, dera azo às mais penosas amarguras domésticas, sentiu-se, então, ralado de ciúmes acerbos e inconcebíveis, passando a espionar os menores gestos do irmão e a desconfiar dos mais secretos pensamentos da esposa, esperando que a moléstia irremediável de sua mãe tivesse uma solução na morte, esperada em breve, a fim de se pronunciar com mais força na reivindicação dos seus direitos conjugais.

Entrava o ano de 58, com amarguradas perspectivas para as nossas personagens.

Um fato, porém, começava a ferir a atenção de todas as personagens desta história real e dolorosa.

A dedicação de Lívia à sua velha amiga doente era um exemplo raro de amor fraterno, de carinho e bondade indefiníveis. Oito meses a fio, sua figura franzina e silenciosa esteve a postos dia e noite, sem descanso, junto ao leito de Calpúrnia, provando-lhe com exemplos a excelência dos seus princípios religiosos.

Muitas vezes, a nobre matrona considerou, intimamente, a superioridade moral daquela doutrina generosa, que estava no mundo para levantar os caídos, confortar os enfermos e os tristes, disseminando as mais formosas esperanças com os desiludidos da sorte, em confronto com os seus velhos deuses que amavam os mais ricos e os que oferecessem os melhores sacrifícios nos templos, e aquele Jesus humilde e pobre, descalço e crucificado, de que lhe falava Lívia em suas palestras íntimas e carinhosas.

Calpúrnia estava plenamente modificada, às vésperas da morte. A convivência contínua da velha amiga renovara-lhe todos os pensamentos e crenças mais radicadas. Tratava melhor as escravas que lhe beiravam o leito e pedira à Lívia lhe ensinasse as preces do Profeta crucificado em Jerusalém, o que ambas faziam de mãos postas, quando os aposentos da enferma ficavam silenciosos e desertos. Nesses instantes, a viúva de Flamínio Severus sentia que as dores abrandavam, como se bálsamo suave lhe refrescasse os centros íntimos de força; cessavam as dispneias dolorosas e a respiração quase se normalizava, como se profundas energias do Plano Invisível lhe reanimassem o coração escleroso e fatigado.

Ao espírito de Publius não passavam despercebidos esses sintomas de modificação moral da velha matrona, nem tampouco o nobre procedimento da esposa, que nunca mais repousou, desde o instante em que a vira inerme e exausta. Os sofrimentos da vida haviam igualmente modificado muito a estrutura da sua organização espiritual e, como nunca, sentia o senador a necessidade de se reconciliar com a esposa, para enfrentar os invernos penosos da velhice que se aproximava.

Não só ele, como Lívia, já haviam ultrapassado meio século de existência, e agora, que tão bem conhecia a vida e os seus dolorosos mecanismos de aperfeiçoamento, se sentia apto a perdoar todas as faltas da esposa, no pretérito, considerando que os seus 25 anos de martírio moral, no sacrossanto ambiente doméstico, bastavam para redimi-la das faltas que, porventura, houvesse cometido, nas ilusões da mocidade, em terra estranha, conforme supunha em suas falsas observações, filhas ainda da calúnia que lhe destruíra a ventura e a paz de uma existência inteira.

Nos primeiros dias do ano 58, os padecimentos de Calpúrnia foram subitamente agravados, esperando-se a cada momento o penoso desenlace.

Os filhos e os mais íntimos lhe rodeavam o leito, grandemente comovidos, embora reconhecessem a necessidade de repouso para aquele corpo doente e esgotado.

Na antevéspera da morte, a veneranda senhora pediu que a deixassem sozinha com o senador, por algumas horas, alegando a necessidade de confiar a Publius Lentulus algumas disposições *in extremis*.

Atendida imediatamente, vamos encontrá-los em íntimo colóquio, como se estivessem juntos pela última vez, para decisão de assuntos importantes e supremos.

Publius, ainda em pleno vigor de sua compleição física, tinha os olhos rasos d'água, enquanto a velha matrona o contemplava, deixando transparecer um clarão de viva lucidez nos olhos calmos e profundos.

— Publius — começou ela gravemente, como se aquelas palavras fossem as suas últimas recomendações —, para os espíritos de nossa formação não pode existir o receio da morte, e é por esse motivo que deliberei falar-te nas minhas horas derradeiras...

— Mas, minha boa amiga — respondeu o senador, franzindo a testa e esforçando-se por dissimular a comoção que lhe ia na alma, lembrando-se de que, nas mesmas circunstâncias, lhe falara Flamínio pela última vez, entre as paredes daquele quarto —, somente os deuses podem decidir de nossos destinos e só eles conhecem os nossos últimos instantes!...

— Não duvido dessas verdades — acudiu a valorosa patrícia —, mas tenho a certeza de que as minhas horas na Terra chegam a termo e não quero levar para o túmulo o remorso de uma falta que reconheço haver cometido há mais de dez anos...

— Uma falta? Nunca... Vossa vida, Calpúrnia, foi sempre um dos mais raros exemplos de virtude nesta época de transição e degenerescência dos nossos mais belos costumes...

— Agradeço-te, meu grande amigo, mas tua gentileza não me exime da penitência perante o teu espírito, afirmando que há mais de dez anos errei num julgamento, pedindo-te hoje recebas a minha retificação, talvez tardia, mas ainda a tempo de santificarmos, com o mais justo respeito, uma vida de sacrifícios e de abnegações santificantes!...

Publius Lentulus adivinhou que se tratava de sua mulher e, com voz embargada pela emoção e pelas lágrimas, deixou que a velha amiga continuasse, de olhos enxutos, manifestando o mais subido valor moral em face da morte que se aproxima.

— Refiro-me à Lívia — continuou Calpúrnia em tom comovido —, a respeito de quem tive a infelicidade de te transmitir uma suposição errônea e injusta, cortando-lhe a última possibilidade de ventura na Terra, mas a morte renova as nossas concepções da vida e os que estão prestes a abandonar este mundo possuem uma visão mais clara de todos os problemas da existência.

"Hoje, meu amigo, digo-te, de alma serena, que tua esposa é imaculada e inocente..."

O senador sentia que o pranto lhe brotava espontaneamente dos olhos, mas estava intimamente confortado por saber que a venerável amiga confirmava, agora, as convicções que o tempo lhe aumentara quanto à nobilíssima companheira de sua existência.

— Não to digo simplesmente por uma questão de egoísmo pessoal, em penhor de agradecimento pelas supremas dedicações de Lívia para comigo no decurso desta dolorosa enfermidade — continuou ela, valorosamente. — Um espírito do nosso estofo deve estar com a verdade acima de tudo, e esta minha confissão não se verifica tão somente pelas observações da minha fraqueza toda humana.

"A realidade, todavia, meu amigo, é que, desde aquela noite em que me pediste opinasse sobre tua esposa e minha desvelada amiga, sinto o espinho de uma dúvida cruel no meu coração dilacerado. Lívia foi sempre a minha melhor companheira, e contribuir para a sua desventura, injustificadamente, era aos meus olhos a suprema falta de toda a vida...

"Por onze anos, orei constantemente e ofereci numerosos sacrifícios nos templos, para que os deuses me inspirassem a verdade sobre o assunto e, por todo esse tempo, tenho esperado pacientemente a revelação do Céu... Só hoje, porém, me foi dado obtê-la, já nos pórticos do sepulcro!...

"É possível que minha pobre alma, já semiliberta, esteja participando dos incompreendidos mistérios da vida do Além-Túmulo e talvez seja por isso que, hoje pela manhã, vi a figura de Flamínio neste quarto!... Era muito cedo e eu estava só com as minhas meditações e as minhas preces!..."

Nesse ínterim, a palavra da enferma tornara-se entrecortada de profundas emoções que a dominavam, enquanto Publius Lentulus chorava em doloroso silêncio.

— Sim... — prosseguiu Calpúrnia, depois de longa pausa —, no meio de uma luz difusa e azulada, vi Flamínio a estender-me os braços carinhosos e compassivos... No olhar, observei-lhe a mesma expressão habitual de ternura e, na voz, o timbre familiar, inesquecível... Avisou-me que dentro de dois dias penetrarei os mistérios indevassáveis da morte, mas essa revelação do meu fim próximo não me podia surpreender... porque, para mim... que há tantos anos vivo no meu exílio de saudades e sombras... acrescido das continuadas angústias da enfermidade longa e dolorosa... a certeza da morte constitui supremo consolo... Confortada pelas doces promessas da visão, as quais me auguravam esse brando alívio para breves horas... perguntei ao Espírito Flamínio sobre a dúvida cruel que me dilacerava há tantos anos... Bastou que a arguisse mentalmente, para que a radiosa entidade me dissesse em alta voz... meneando a cabeça num gesto delicado... como a exprimir infinita e dolorosa tristeza: "Calpúrnia, em má hora duvidaste daquela a quem deverias amar... e proteger como a filha querida e carinhosa... porque Lívia... é uma criatura imaculada e inocente..."

"Nesse instante..." — continuou a enferma com alguma dificuldade —, "tal foi a impressão dolorosa de minha alma... com a surpresa da resposta... que não mais lobriguei a visão carinhosa e consoladora... como se fosse repentinamente chamada às tristes realidades da vida prática..."

A velha matrona tinha os olhos marejados de lágrimas, enquanto o senador se entregava silenciosamente ao pranto de suas emoções penosas.

Longos minutos estiveram ambos assim, na atitude de quem dava curso ao remorso e ao sofrimento...

Afinal, foi ainda a valorosa patrícia quem rompeu o pesado silêncio, tomando as mãos do amigo entre as suas mãos descarnadas e brancas, exclamando:

— Publius, fala-te o coração de uma velha amiga, com as verdades serenas e tristes da morte... Acreditas piamente nas minhas dolorosas revelações?...

O senador fez um esforço para enxugar as lágrimas que lhe caíam copiosamente dos olhos, e, movimentando o máximo de energias, replicou firmemente:

— Sim, acredito.

— E que faremos agora... para reparar nossas faltas... ante o coração generoso e justo de tua mulher?...

Ele deixou transparecer um clarão de ternura nos olhos, e, passando as mãos inquietas pela fronte, como se houvera encontrado solução quase feliz, dirigiu-se à doente com uma irradiação de alegria e de tranquilidade no semblante, dizendo confortado:

— Sabeis da grande festa do Estado, que se realizará de hoje a poucos dias, na qual os senadores, com mais de vinte anos de serviço ao Império, serão coroados de mirto e rosas, como os triunfadores?

— Sim — respondeu a matrona —, tanto que já pedi a meus filhos que... não obstante a minha morte próxima... te acompanhem nessa justa alegria... porque serás um dos agraciados pelas nossas autoridades supremas...

— Ó minha grande amiga, ninguém pode esperar vossa morte, mesmo porque não poderemos prescindir da preciosa contribuição da vossa vida, mas já que cuidamos de reparar o meu erro grave no passado doloroso, esperarei mais uma semana para levar ao espírito de Lívia a expressão do meu reconhecimento, da minha gratidão e do meu profundo amor. Irei a essa festa, a realizar-se sob os auspícios de Sêneca,[22] que tudo tem feito por dissimular a penosa impressão causada pela conduta cruel do Imperador, seu antigo discípulo. Depois de receber a coroa da suprema vitória de minha vida pública, trarei todas as condecorações aos pés de Lívia, como preito justo à sua angustiada existência de penosos sacrifícios domésticos... Ajoelhar-me-ei ante a sua figura santificada e, retirando da fronte a auréola do Império, deporei as flores simbólicas a seus pés, que beijarei humildemente com o meu arrependimento e as minhas lágrimas, traduzindo-lhe gratidão e amor infindos!...

— Generosa ideia, meu filho — exclamou a enferma sensibilizada —, e peço-te que a executes... no momento oportuno. E, no instante... em que testemunhares à Lívia o teu amor supremo... dize-lhe que me perdoe... porque eu chorarei de alegria... vendo ambos felizes... lá das sombras tranquilas do meu sepulcro...

Ambos choravam comovidos, silenciosamente.

---

[22] N.E.: Sêneca (4 a.C. – 65 d.C.) foi um dos mais célebres advogados escritores e intelectuais do Império Romano. Conhecido também como o Moço, o Filósofo, ou ainda, o Jovem, sua obra literária e filosófica, tida como modelo do pensador estoico durante o Renascimento, inspirou o desenvolvimento da tragédia na dramaturgia europeia renascentista.

Em dado instante, a velha doente apertou as mãos do amigo, como a dizer-lhe um supremo adeus. Calpúrnia fixou nele os grandes olhos claros a desprenderem irradiações misteriosas, e, com lágrimas de emoção inexprimível, exclamou comovidamente:

— Publius... peço... não te esqueças... do prometido... Ajoelha-te aos pés de Lívia... como aos de uma deusa... de renúncia e de bondade... Não te importe... a minha partida deste mundo... Vai à festa do Senado... reparemos... nossa falta grave... e agora, meu amigo... um último pedido... Vela por meus filhos... como se fossem teus... Ensina-lhes ainda a honradez... a fortaleza... a sinceridade e o bem... Um dia... todos nós... nos reuniremos... na eternidade...

Publius Lentulus apertava-lhe as mãos, sensibilizado, ajeitando-lhe, nas sedosas almofadas, a cabeça encanecida, enquanto lágrimas de comoção lhe embargavam a voz.

Havia muito que a enferma era atacada, subitamente, de periódicas e prolongadas dispneias.

O senador abriu as portas do largo aposento aonde Lívia acorreu pressurosa, como enfermeira de todos os instantes, enquanto Flávia e algumas servas acudiram com unguentos e outras panaceias da Medicina do tempo.

Calpúrnia, porém, parecia atacada pelas últimas aflições que a levariam ao túmulo. Por vinte e quatro horas consecutivas, o peito arfou sibilante, como se a caixa torácica estivesse prestes a rebentar sob o impulso de uma força indomável e misteriosa.

Ao fim de um dia e uma noite de azáfama e angústias, a doente parecia haver experimentado ligeira melhora. A respiração fazia-se menos penosa e os olhos revelavam grande serenidade, embora todo o corpo estivesse salteado de manchas azuladas e violáceas, prenunciando a morte. Apenas a afonia continuava, mas, em dado instante, fez um gesto com a mão, chamando Lívia à cabeceira com a terna familiaridade dos antigos tempos. A esposa do senador atendeu ao apelo silencioso, ajoelhando-se, com os olhos cheios de lágrimas e compreendendo, pela intuição espiritual, que era chegado o instante doloroso da despedida. Via-se que Calpúrnia desejava falar, inutilmente. Foi então que cingiu Lívia, amorosamente, contra o peito, osculando-lhe os cabelos e a fronte num esforço supremo e, colando os lábios ao seu ouvido, balbuciou com infinita ternura: "Lívia, perdoa-me!" Somente a interpelada escutara o brando cicio da agonizante. Foram essas as derradeiras palavras de

Calpúrnia. Dir-se-ia que sua alma valorosa necessitava, tão somente, daquele último apelo para conseguir desvencilhar-se da Terra, elevando-se ao paraíso.

Abraçada à carinhosa amiga, a moribunda depôs novamente a cabeça nas almofadas, para sempre. Suor abundante transbordava de todo o seu corpo, que se aquietou de leve para a suprema rigidez cadavérica e, daí a minutos, seus olhos se fechavam, como se se preparassem para um grande sono. A respiração ia-se extinguindo brandamente, enquanto uma lágrima pesada e branca lhe rolava nas faces enrugadas, como um raio divino da luz que lhe clarificava a noite do túmulo.

As portas do palácio abriram-se, então, para os tributos afetuosos da sociedade romana. Às exéquias da valorosa matrona compareceu o que a cidade possuía de mais nobre e mais fino, em sua aristocracia espiritual, dado o elevado conceito em que eram tidas as peregrinas virtudes da morta.

Terminadas as cerimônias da incineração e guardadas as cinzas ilustres da nobre patrícia nas sombras do jazigo familiar, Flávia Lentúlia assumia a direção da casa, enquanto seus pais voltavam à residência do Aventino, para o necessário descanso.

Faltavam somente quatro dias para a realização das grandes festas, em que mais de uma centena de senadores receberia a auréola do supremo triunfo na vida pública. Publius Lentulus, que seria dos homenageados na festa memorável, não obstante o luto da família, aguardava o grande momento com ansiedade. É que, recebida a expressão suprema da vitória de um homem de Estado, levá-la-ia aos pés da esposa, como símbolo perene do seu afeto e do seu reconhecimento da vida inteira. No seu íntimo, arquitetava a maneira mais doce de se dirigir novamente à companheira, no timbre caricioso e suave que a sua voz havia perdido há 25 anos, e, verificando a continuidade do seu amor, cada vez mais profundo, pela esposa, esperava ansiosamente o instante da sua reintegração na felicidade doméstica.

De noite, naquelas horas longas que se passavam, enquanto o velho coração se preparava para as bênçãos da ventura conjugal, em breves dias, ia ele até as proximidades dos apartamentos da esposa, situados bem distantes dos seus, naqueles prolongados anos de amarguras infindas.

Na antevéspera das grandes festividades a que nos referimos, seriam 23 horas, quando a sua figura se postara em frente aos aposentos da companheira, antegozando o ditoso momento da penitência, que significava para ele uma alegria suprema.

Enquanto o pensamento se afundava nos abismos do passado longínquo, sua atenção espiritual foi repentinamente despertada pela melodia suave de uma voz de mulher, que cantava baixinho no silêncio da noite. O senador aproximou-se, vagarosamente, da porta, colando o ouvido à escuta... Sim! Lívia cantava em voz apagada e mansa, qual cotovia abandonada, fazendo soar levemente as cordas harmoniosas de uma lira de suas lembranças mais queridas. Publius chorava comovido, ouvindo-lhe as notas argentinas que se abafavam no ambiente restrito do quarto, como se Lívia estivesse cantando para si própria, adormentando o coração humilde e desprezado, para encher de consolo as horas tristes e desertas da noite. Era a mesma composição das musas do esposo, que lhe escapava dos lábios naquele instante em que a voz tinha tonalidades estranhas e maravilhosas, de indefinível melancolia, como se todo o seu canto fosse o lamento doloroso de rouxinol apunhalado:

Alma gêmea da minha alma,
Flor de luz da minha vida,
Sublime estrela caída
Das belezas da amplidão!...
Quando eu errava no mundo,
Triste e só no meu caminho,
Chegaste devagarinho,
E encheste-me o coração.

Vinhas na bênção dos deuses,
Na divina claridade,
Tecer-me a felicidade
Em sorrisos de esplendor!...
És meu tesouro infinito,
Juro-te eterna aliança,
Porque sou tua esperança,
Como és todo o meu amor!

Alma gêmea da minha alma,
Se eu te perder, algum dia,
Serei a escura agonia

Da saudade nos seus véus...
Se um dia me abandonares,
Luz terna dos meus amores,
Hei de esperar-te, entre as flores
Da claridade dos céus...

Daí a minutos, a voz harmoniosa calava, como se fora obrigada a um divino estacato. O senador retirou-se, então, com os olhos marejados de lágrimas, refletindo consigo mesmo: "Sim, Lívia, de hoje a dois dias hei de provar-te que foste sempre a luz da minha vida inteira... Beijarei teus pés com a minha humildade agradecida e saberei entornar no teu coração o perfume do meu arrependimento..."

Penetrando no aposento de Lívia, vamos encontrá-la genuflexa, depois de haver deposto, sobre um móvel predileto, a lira das suas recordações. Ajoelha-se, como sempre, diante da cruz de Simeão que, nesse dia, mostrava a seus olhos espirituais uma claridade mais intensa.

No curso de suas preces, ouviu a palavra do amigo invisível, cuja tonalidade profunda parecia gravar-se, para sempre, no imo da sua consciência: "Filha" — exclamava a voz amiga, do Plano Espiritual —, "regozija-te no Senhor, porque são chegadas as vésperas da tua ventura eterna e imorredoura! Eleva o pensamento humilde a Jesus, porque não está longe o instante ditoso da tua gloriosa entrada no seu reino!..."

Lívia deixou transparecer no olhar uma atitude de alegria e surpresa, mas, cheia de confiança e fé na Providência Divina, guardou, nos refolhos mais íntimos do coração, o conforto daquelas palavras sacrossantas.

V
Nas catacumbas da fé e no circo do martírio

No dia imediato à cena que acabamos de descrever, vamos encontrar, juntas, as duas grandes amigas que, longe de serem a senhora e a serva, eram duas almas unidas pelos mesmos ideais, ligadas pelos elos mais santos do coração.

Ana acabava de chegar à casa, depois de cumprir algumas obrigações no Fórum Olitorium,[23] quando, encontrando Lívia mais a sós, lhe disse confidencialmente:

— Senhora, hoje à noite uma nova voz se levantará no santuário das catacumbas, para as pregações da nossa fé. Amigos nossos me avisaram, esta manhã, que, já há alguns dias, se encontra na cidade um emissário da Igreja de Antioquia, chamado João de Cleofas, portador de significativas revelações para nós outros, os cristãos desta cidade...

Lívia deixou transparecer um clarão de íntimo contentamento nos olhos, exclamando:

— Ah! sim... havemos de ir hoje às catacumbas. Tenho necessidade de comungar com os nossos irmãos de crença, nas mesmas vibrações da

---
[23] Nota do autor espiritual: Mercado de legumes.

nossa fé! Além disso, preciso agradecer ao Senhor a misericórdia das suas graças imensas!...

E elevando um pouco a voz, como se desejasse comunicar à amiga o santo júbilo de suas esperanças mais íntimas, exclamou com terno sorriso a lhe irradiar no semblante calmo:

— Ana, desde a morte de Calpúrnia, noto que Publius está mais sereno e mais esclarecido... Nestes últimos dias, tem-me dirigido a palavra com a ternura de outros tempos, havendo-me afirmado, ainda ontem, que seu coração me reserva doce surpresa para amanhã, depois da sua vitória suprema na vida pública. Sinto que é muito tarde para que seja novamente feliz neste mundo, mas, em suma, estou intimamente satisfeita, porque nunca desejei morrer em desarmonia com o companheiro que Deus me concedeu para as lutas e alegrias da vida. Acredito que nunca me perdoará o crime de infidelidade que julga haver eu praticado há vinte e cinco anos, mas choro de contentamento ao reconhecer que Publius me sente redimida, ante a severidade de seus olhos!...

E chorava comovida, enquanto a velha criada lhe afiançava com ternura:

— Sim, minha senhora, talvez tenha ele reconhecido as suas abnegações santificantes no lar, nestes longos anos de sacrifícios abençoados.

— Agradeço a Jesus tamanha misericórdia — revidou Lívia sensibilizada. — Suponho mesmo que não estou longe de partir para o mundo das realidades celestes, onde todos os sofredores hão de ser consolados...

E depois de ligeira pausa, continuou:

— Ainda ontem, quando orava junto à cruz singela, lá no quarto, ouvi uma voz que me anunciava o reino de Jesus para muito breve.

Ouvindo-a, Ana lembrou-se subitamente de Simeão e das horas que antecederam os seus sacrifícios, mergulhando-se em dolorosas cismas. Suas recordações remontavam ao passado longínquo, quando a voz de Lívia novamente a despertou nestes termos:

— Ana — dizia com as heroicas decisões da sua fé —, não sei como serei chamada pelo Messias, mas, na hipótese da minha breve partida, peço-te continuares nesta casa, no teu apostolado de trabalho e sacrifício, porque Jesus há de abençoar-te os labores santificantes.

A antiga serva dos Lentulus queria dar novo rumo à conversação pungente e exclamou com a serenidade criteriosa que lhe conhecemos:

— Senhora, sabe Deus qual de nós partirá primeiro. Esqueçamos, hoje, este assunto para pensar tão somente nas suas santificadas alegrias.

E, como para encerrar a angustiada impressão daquela palestra íntima, rematou perguntando, confidencialmente:

— Então, iremos hoje, de fato, às catacumbas?

— Sim. Fica combinado. À noitinha, partiremos para as nossas orações e carinhosas lembranças do Messias Nazareno. Tenho necessidade desse desafogo espiritual, após os longos meses que estive retida junto da minha nobre Calpúrnia; além disso, desejo pedir aos nossos irmãos que orem comigo por ela, testemunhando ao mesmo tempo, ao Senhor, meu sincero agradecimento pelas suas graças divinas...

"Ao partirmos, peço-te me atives a memória, pois quero levar ao novo apóstolo uma espórtula destinada à Igreja de Antioquia.

"Se, amanhã, Publius vai receber o supremo galardão do homem do mundo, quero rogar a Jesus não lhe abandone o coração intrépido e generoso, para que as vaidades da Terra não o inibam de buscar, algum dia, o reino maravilhoso do Céu!"

Assim entendidas, separaram-se na azáfama dos misteres domésticos. E enquanto o senador, durante todo o dia, tomava providências numerosas para que nada faltasse ao brilho pessoal do seu grande triunfo no dia imediato, Lívia passava as horas, de alma voltada para o Cristo, em preces fervorosas.

À noitinha, consoante combinaram, lá se foram à secreta reunião das práticas primitivas do Cristianismo.

Todos os servos graduados do palácio viram-nas sair, sem preocupação nem surpresa. Em todo o longo período da moléstia de Calpúrnia, Lívia e Ana nunca mais haviam fixado a sua presença no interior do lar e não seria de estranhar que ambas houvessem deliberado buscar a residência dos Severus, naquela noite, de onde, possivelmente, não voltariam senão no dia seguinte, depois de confortarem o espírito abatido de Flávia, no desdobramento de seus fadigosos encargos domésticos.

Foi assim que as horas passaram tranquilas e descuidadas; e quando o senador se aproximou dos aposentos da esposa, antegozando as profundas alegrias esperadas para o dia seguinte, presumiu, no pesado silêncio ali reinante, a significação do seu calmo repouso, nas asas leves e cariciosas do sono. Imaginando que Lívia descansava na paz soberana da noite,

Publius Lentulus recolheu-se ao seu gabinete particular, com o cérebro referto de radiosas esperanças, no propósito de se penitenciar de todos os seus erros do passado.

Lívia, porém, em companhia de Ana, aproveitara-se das primeiras sombras da noite para atingir as catacumbas.

Passava das dezenove horas, quando ambas se ocultavam entre as pedras abandonadas que davam acesso aos subterrâneos, onde se amontoava a velha poeira dos mortos.

Num vasto espaço abobadado, que servira outrora às assembleias das cooperativas funerárias, reunia-se grande número de pessoas em torno da figura simpática e generosa do culto pregador, que chegara da Síria distante. A um canto, erguia-se improvisada tribuna, para onde, daí a minutos, subia João de Cleofas, dentro do halo de doçura que lhe aureolava a singular individualidade.

O apóstolo de Antioquia trazia à cabeça os primeiros cabelos brancos e toda a sua figura estava saturada de forte magnetismo pessoal, que ligava intimamente a sua personalidade a quantos se lhe aproximavam, levados pela doce afinidade da crença e dos sentimentos profundos.

Todos os presentes pareciam empolgados por sua palavra sedutora e impressionante, que se fez ouvir por quase duas horas sucessivas, caindo no coração do auditório como orvalho sublime da eloquência celeste. Conceitos elevados e proféticas observações ressoavam pelas arcadas silenciosas e sombrias, fracamente iluminadas pela claridade de algumas tochas.

De fato, a assembleia tinha razão de se eletrizar com aquele doloroso e sublime profetismo, porque João de Cleofas pronunciava profunda alocução, mais ou menos nestes termos:

— Irmãos, seja convosco a paz do Cordeiro de Deus, nosso Senhor Jesus Cristo, na intimidade da vossa consciência e no santuário do vosso coração!...

"O santo patriarca de Antioquia, nas suas preces e meditações de cada dia, recebeu numerosas revelações do Messias, ordenando a vinda de um mensageiro ao ambiente de vossos trabalhos na capital do mundo, a fim de anunciar-vos grandes coisas...

"Pelas revelações do Espírito Santo, os cristãos desta cidade impiedosa foram escolhidos pelo Cordeiro para o grande sacrifício. E eu vos venho anunciar nossa breve entrada no reino de Jesus, em nome dos seus apóstolos bem-amados!...

"Sim, porque aqui, onde todas as glórias divinas foram escarnecidas e humilhadas pela impenitência das criaturas, se hão de travar os primeiros grandes embates das forças do bem e do mal, preludiando o estabelecimento definitivo, no mundo, da divina e eterna mensagem do evangelho do Senhor!

"Na última reunião geral dos crentes de Antioquia, manifestaram-se as vozes do Céu, em línguas de fogo, como aconteceu nos dias gloriosos do cenáculo dos apóstolos, depois da divina ressurreição do nosso Salvador; e o vosso servo, aqui presente, foi escolhido para emissário dessas notícias confortadoras, porque as vozes celestes nos prometem o reino do Senhor, em breves dias...

"Amados, acredito que estamos em vésperas dos mais atrozes testemunhos da nossa fé, pelos sofrimentos remissores, mas a cruz do Calvário deverá iluminar a penosa noite dos nossos padecimentos...

"Eu também tive a felicidade de ouvir a palavra do Senhor, nas horas derradeiras da sua dolorosa agonia, à face deste mundo. E que pedia ele, meus queridos, senão o perdão infinito do Pai para os algozes implacáveis que o atormentavam? Sim, não duvidemos das revelações do Céu... Verdugos inflexíveis rondam nossos passos e eu vos trago a mensagem do amor e da fortaleza em nosso Senhor Jesus Cristo!

"Roma batizará sua nova fé com o sangue dos justos e dos inocentes, mas também importa considerar que o Cordeiro imáculo de Deus Todo-Poderoso se imolou no madeiro infamante, para resgatar os pecados e aviltamentos do mundo!...

"Andaremos, talvez, nestas vias suntuosas, como em novas ruas de uma Jerusalém apodrecida, cheia de desolação e de amargura... Clamam as vozes celestes que, aqui, seremos desprezados, humilhados, vilipendiados e vencidos, mas a vitória suprema do Senhor nos espera além das palmas espinhosas do martírio, nas claridades doces do seu reino, inacessível ao sofrimento e à morte!...

"Lavaremos com o nosso sangue e as nossas lágrimas a iniquidade destes mármores preciosos, mas, um dia, irmãos meus, toda esta Babilônia de inquietação e de pecado ruirá, fragorosamente, ao peso de suas misérias ignóbeis... Um furacão destruidor derrubará os falsos ídolos e confundirá as pretensiosas mentiras dos seus altares... Tormentas dolorosas do extermínio e do tempo farão chover sobre este Império poderoso as ruínas da pobreza e do mais triste esquecimento... Os circos da impiedade hão de desaparecer sob um punhado de cinzas, o Fórum e o Senado dos impenitentes hão de ser confundidos pela suprema Justiça Divina, e os guerreiros orgulhosos desta cidade pecadora rastejarão um dia, como vermes, pelas margens do mesmo Tibre que lhes carreia a iniquidade!...

"Então, novos Jeremias hão de chorar sobre os mármores, à piedosa luz da noite... os suntuosos palácios destas colinas soberbas e donosas cairão em penoso torvelinho de assombros e, sobre os seus monumentos de orgulho, de egoísmo e vaidade, gemerão os ventos tristes das noites silenciosas e desertas...

"Felizes todos aqueles que chorarem agora, por amor ao divino Mestre; venturosos todos os que derramarem seu sangue pelas sublimes verdades do Cordeiro, porque no Céu existem as moradas divinas para os bem-aventurados de Jesus..."

Falava a voz suave e terrível do emissário da Igreja de Antioquia e suas palavras ressoavam no profundo silêncio das abóbadas ermas.

Cerca de duas centenas de pessoas ali se encontravam, ouvindo-o atentamente.

Quase todos os cristãos presentes choravam embevecidos. No íntimo das almas pairava uma exaltação suave e mística, fazendo-lhes sentir as doces emoções de todos aqueles apóstolos anônimos, que tombaram nas arenas ignominiosas dos circos, para cimentar com sangue e lágrima a edificação da nova fé.

Depois das profecias singulares e dolorosas, que encheram todos os olhares de clarões indefiníveis de alegria interior, na antevisão do glorioso reino de Jesus, João foi consultado por numerosos confrades a respeito de vários assuntos de interesse geral para a marcha e desenvolvimento da nova doutrina, tal como acontecia nas primitivas assembleias do Cristianismo nascente, e a todos atendia com as mais francas expressões de bondade fraterna.

Interpelado, por um dos presentes, quanto ao motivo de sua alegria radiosa, quando as revelações do Espírito Santo anunciavam tão grandes provações e tantos padecimentos, o generoso emissário respondeu com sublimado otimismo:

— Sim, meus amigos, não podemos esperar senão o sagrado cumprimento das profecias anunciadas, mas devemos considerar com júbilo que se Jesus permite aos ímpios a realização de monumentos maravilhosos, como os desta cidade suntuosa e apodrecida, que não reservará ele, na sua infinita misericórdia, aos homens bons e justos, nas claridades do seu reino?

Aquelas respostas consoladoras caíam na alma da numerosa assembleia, como bálsamo dulcificante.

Palavras de amor e saudações afetuosas eram trocadas entre todos, com as mais doces demonstrações de júbilo e fraternidade.

Lívia e Ana tinham um clarão de alegria íntima a lhes brilhar nos olhos calmos.

Ao fim da reunião, todos se levantaram para as preces singelas e espontâneas das primitivas lições do Cristianismo, em fontes puras.

A voz do emissário de Antioquia, ainda uma vez, se fez ouvir, brilhante e clara:

Pai Nosso, que estais nos céus, santificado seja o vosso nome, venha a nós o vosso reino de misericórdia, seja feita a vossa vontade, assim na Terra, como nos céus...

Todavia, nesse instante, a palavra meiga e comovedora foi abafada por sinistro tinir de armaduras.

— É aqui, Luculo!... — gritava a voz estentórica do centurião Clódio Varrus, que avançava, com os seus numerosos pretorianos, para a massa atônita dos cristãos indefesos, constituída, na sua maioria, de mulheres.

Alguns crentes mais exaltados começaram então a apagar as tochas, provocando as trevas para a confusão e o tumulto, mas João de Cleofas descera da tribuna com a sua figura radiosa e impressionante.

— Irmãos — gritou com voz estranha e vibrante no seu apelo, como que saturado de extraordinário magnetismo —, recomendou o Senhor que jamais colocássemos a luz sob o alqueire! Não apagueis a claridade que deve iluminar o nosso exemplo de coragem e de fé!...

A esse tempo, os dois centuriões presentes já haviam articulado as suas forças, em comum, organizando os cinquenta homens que tinham vindo, sob suas ordens, para a hipótese de uma resistência.

Viu-se, então, o apóstolo de Antioquia caminhar com desassombro, sob o pasmo silencioso dos presentes, dirigindo-se a Luculo Quintilius, estendendo-lhe os braços pacificamente e solicitando com empenho:

— Centurião, cumpre a tua tarefa sem receio, porque eu não vim a Roma senão para as glórias do sacrifício.

O preposto do Império não se comoveu com essas palavras e, depois de brandir ao rosto do missionário os copos de sua espada, em dois tempos amarrou-lhe os braços, impossibilitando-lhe os movimentos.

Dois jovens crentes, dando largas ao seu temperamento ardoroso e sincero, revoltados com a crueldade, desembainharam as armas, que reluziram à claridade pálida daquele interior de penumbra, avançando para os soldados num gesto supremo de defesa e resistência, mas João de Cleofas advertiu ainda uma vez, com a sua palavra magnética e profunda:

— Meus filhos, não repitais neste recinto a cena dolorosa da prisão do Messias. Lembrai-vos de Malco e guardai a vossa espada na bainha, porque os que ferem com o ferro, com o ferro serão feridos...

Houve, então, na assembleia, um movimento de quietude e de assombro. A coragem serena e destemida do apóstolo contagiara todos os corações.

Nos grandes momentos da vida, há sempre uma vibração espiritual que flui doutros mundos, para conforto dos míseros viajores da jornada terrestre.

Observou-se, desse modo, o inaudito e inesperado. Todos os presentes imitaram o apóstolo valoroso, entregando os braços inermes para o sacrifício.

No seu doloroso momento, Lívia enchera-se de uma coragem que nunca havia possuído. Diante da sua figura nobre e da sua indumentária de patrícia detiveram-se, longamente, os olhares significativos dos verdugos. Naquela assembleia, era ela a única mulher que ostentava as insígnias do patriciado romano.

Clódio Varrus cumpria sua tarefa algo respeitoso e, daí a minutos, a pesada caravana estava a caminho da prisão, dentro das sombras espessas da meia-noite.

O cárcere onde os cristãos iam passar tantas horas ao relento, em angustiosa promiscuidade, que, de algum modo, representava para eles suave consolo, ficava anexo ao grande circo, sobre cujas proporções gigantescas somos obrigados a deter nossas vistas, dando ao leitor uma fraca ideia da sua grandeza.

O Circo Máximo ficava situado justamente no vale que separa o Palatino do Aventino, erguendo-se, ali, como uma das mais belas maravilhas da cidade invicta. Edificado nos primórdios da organização romana, suas proporções grandiosas se haviam desenvolvido com a cidade e, ao tempo de Domício Nero, tão grandiosa era a sua extensão, que ocupava 2.190 pés de comprimento, por 960 de largura, terminando em semicírculo, com capacidade para trezentos mil espectadores comodamente instalados. De ambos os lados, corriam duas ordens de pórticos, superpostos, ornados de colunas preciosas e coroadas de terraços confortáveis. Naquele luxo de construções e demasia de ornamentos, viam-se tascas numerosas e inúmeros lugares de devassidão, a cuja sombra dormiam os miseráveis e repousava a maioria do povo, embriagado e amolecido nos prazeres mais hediondos. Seis torres quadradas, denotando as mais avançadas expressões de bom gosto da arquitetura da época, dominavam os terraços, servindo de camarotes luxuosos às personalidades mais distintas, nos espetáculos de grande gala. Largos bancos de pedra, dispostos em anfiteatro, corriam por três lados, localizando-se, em seguida, em linha reta, o espaço ocupado pelos cárceres, de onde saíam os cavalos e carros, bem como escravos e prisioneiros, feras e gladiadores, para os divertimentos preferidos da sociedade romana. Sobre os cárceres, erguia-se o suntuoso pavilhão do Imperador, de onde as mais altas autoridades e áulicos acompanhavam o César nos seus entretenimentos. A arena era dividida longitudinalmente por uma muralha de 6 pés de altura, por 12 de largura, erguendo-se sobre ela altares e estátuas preciosas, que ostentavam bronzes finos e dourados. Bem no centro dessa muralha, imprimindo um traço majestoso de grandeza ao ambiente, levantava-se, à altura de 120 pés, o famoso obelisco de Augusto, dominando a arena colorida de vermelho e de verde, dando a impressão de relva deliciosa que se tingisse subitamente de flores de sangue.

Os míseros prisioneiros daquela caçada humana foram atirados a uma larga dependência dos cárceres, nas primeiras horas da madrugada.

Os soldados os despojaram, um a um, dos objetos de valor, ou das pequenas importâncias em dinheiro que traziam consigo. As próprias senhoras não escaparam ao esbulho humilhante, sendo roubadas nas suas joias mais preciosas. Apenas Lívia, pelo respeito que inspiravam suas vestes, foi poupada ao exame infamante.

Num gabinete privado, Clódio Varrus dava ciência ao seu superior, Cornélio Rufus, do êxito da diligência que lhe fora cometida aquela noite.

— Sim — exclamava Cornélio satisfeito —, pelo que vejo, a festa de amanhã correrá a inteiro contento do Imperador. Esta primeira caçada de cristãos era essencial ao glorioso feito das grandes homenagens aos senadores.

"Mas, escuta" — continuava ele mais discretamente, referindo-se à Lívia —, "quem é essa mulher que traz a toga das matronas da mais alta classe social?"

— Ignoro — respondeu o centurião assaz pensativo. — Aliás, muito me admirei de encontrá-la em tal ambiente, mas cumpri severamente as vossas ordens.

— Fizeste bem.

Todavia, como se estivesse adotando intimamente uma providência nova, Cornélio Rufus sentenciou:

— Deixá-la-emos aqui até amanhã, até o momento do espetáculo, quando, então, poderá ser posta em liberdade.

— E por que não a libertamos desde já?

— Ela poderia, na sua condição de nobreza, provocar algum movimento de protesto contra a decisão de César e isso nos colocaria em péssima situação. E como essas miseráveis criaturas serão atiradas às feras, na qualidade de escravos e condenados à última pena, nos derradeiros divertimentos da tarde, não convém nos comprometermos perante a sua família. Retendo-a aqui, satisfazemos os caprichos de Nero e, soltando-a em seguida, não nos incompatibilizaremos com os que gozam dos favores da situação.

— É verdade; essa é a solução mais razoável. Contudo, por que motivo essas criaturas serão condenadas como escravos, quando deveriam morrer como cristãos, pois tão somente essa é a causa de sua justa condenação? A razão de sua morte não está na humilhante doutrina que professam?

— Sim, mas temos de ponderar que o Imperador não se sente ainda com bastante força para enfrentar a opinião dos senadores, dos edis e de várias outras autoridades, que, certamente, desejariam advogar a causa destes infelizes, em desprestígio dele e no de seus mais íntimos conselheiros... Mas não duvido de que essa perseguição aos adeptos da odiosa doutrina do Crucificado será oficializada em breves dias,[24] tão logo os poderes imperiais estejam mais fortemente centralizados.

"Esperemos, pois, mais algum tempo e, até lá, fortifiquemos o prestígio de Nero, porque o detentor do poder deve representar sempre o melhor dos amigos."

Enquanto isso ocorria, todos os cristãos se dividiam em grupos, no interior do cárcere, trocando as mais íntimas impressões sobre o angustioso transe.

Em dado momento, todavia, abriu-se uma porta, por onde surgiu a figura detestável de Clódio, exclamando ironicamente:

---

[24] Nota do autor espiritual: A maioria dos historiadores do Império Romano assinala as primeiras perseguições ao Cristianismo somente no ano de 64, entretanto, desde 58 alguns dos favoritos de Nero conseguiram iniciar o criminoso movimento, salientando-se que os cristãos da época, antes do grande incêndio da cidade, eram levados aos sacrifícios, na qualidade de escravos misérrimos, para divertimento do povo.

— Cristãos, não há clemência de César para os que professam as perigosas doutrinas do Nazareno. Se tendes alguns negócios materiais a resolver, lembrai-vos de que é muito tarde, porquanto poucas horas vos separam das feras da arena, no circo.

Novamente, a pesada porta se fechava sobre a sua figura, enquanto os míseros condenados se surpreendiam amargamente com a notícia inquietante e dolorosa.

Através das grades reforçadas, podiam observar os movimentos dos numerosos soldados que os guardavam, dando guarida, nos primeiros instantes, às mais angustiosas conjeturas. Depressa, porém, voltara-lhes a calma e os prisioneiros se aquietaram com humildade. Alguns faziam preces fervorosas, enquanto outros trocavam pensamentos em voz baixa.

Os carcereiros não tardaram a separar as mulheres, instalando-as em dependência contígua, onde cada grupo de crentes ficou de alma voltada para Jesus, nos instantes supremos em que aguardavam a morte.

De manhãzinha, mal o Sol havia surgido de todo nas amplitudes do formoso firmamento romano, vamos encontrar Ana e Lívia em conversação quase serena, a sós, numa espécie de biombo dos muitos existentes na espaçosa sala reservada às mulheres, ao passo que numerosas companheiras aparentavam descansar estremunhadas.

— Senhora — exclamava a serva algo preocupada —, noto que vos tratam aqui com simpatia e deferência. Por que não pleiteardes imediatamente a vossa liberdade? Não sabemos o que de sinistro e terrível nos ocorrerá nas horas penosas deste dia!...

— Não, minha boa Ana — respondeu Lívia tranquila —, deves ficar certa de que minha alma está convenientemente preparada para o sacrifício. E ainda que me não sentisse confortada, não deverias apresentar-me semelhante alvitre, porque Jesus, sendo embora o Mestre de todos os mestres e Senhor do Reino dos Céus, não pleiteou sua liberdade junto aos algozes que o atormentavam e oprimiam...

— Isso é verdade, senhora. Mas acredito que Jesus saberia compreender o vosso gesto, porque tendes ainda um esposo e uma filha... — acentuou a velha empregada, como a lhe recordar as obrigações humanas.

— Um esposo? — retrucou a nobre matrona com heroica serenidade.

— Sim, agradeço a Deus a paz que me concedeu, permitindo que Publius me demonstrasse a sua contrição nestes últimos dias. Para mim, só essa tranquilidade era essencial e necessária, porque o esposo, na sua feição humana, eu o perdi há longos vinte e cinco anos... Debalde sacrifiquei todos os impulsos de minha mocidade para lhe provar o meu amor e a minha inocência, em contraposição à calúnia com que humilharam meu nome. Por um quarto de século tenho vivido com as minhas orações e as minhas lágrimas... Angustiosa tem sido a minha saudade e dolorosíssimo o triste degredo espiritual a que fui relegada, no plano dos meus afetos mais puros.

"Não creio possa reviver para mim, no coração do velho companheiro, a confiança antiga, cheia de felicidade e ternura...

"Quanto à filha, entreguei-a a Jesus, desde os dias de sua infância, quando me vi obrigada à terrível separação do seu afeto. Afastada de sua alma por imposição de Publius, tive de sufocar os mais doces entusiasmos do coração materno. Sabe o Senhor de minhas ansiosas angústias, nas noites silenciosas e tristes em que lhe confiava meus amargurosos padecimentos. Além disso, Flávia tem hoje um marido que procurou isolá-la ainda mais do meu pobre espírito, receoso da minha fé, qualificada por todos de demência..."

E depois de ligeira pausa, na sua confidência dolorosa, acentuou com serena tristeza:

— Para mim, não pode haver o reflorescimento das esperanças aqui na Terra... Só aspiro, agora, a morrer em paz confortadora com a minha consciência.

— Mas, senhora — tornou a criada com veemência —, hoje é o dia da maior vitória do vosso esposo.

— Não me esqueci dessa circunstância. Faz, porém, vinte e cinco anos que Publius segue rumo oposto ao meu caminho e não será demais que, buscando ele hoje a suprema recompensa do mundo, como triunfo final dos seus desejos, busque eu também não a vitória do Céu, que não mereci, mas a possibilidade de mostrar ao Senhor a sinceridade da minha fé, ansiosa pelas bênçãos lucificantes da sua infinita misericórdia.

"Depois, minha querida Ana, é muito grato ao coração sonhar com o seu reino santificado e misericordioso... Vermos, de novo, as mãos suaves do Messias abençoando-nos o espírito, com os seus gestos amplos de caridade e de ternura!..."

Lívia tinha um clarão divino nos olhos, que se molhavam em lágrimas espontâneas, como se houvesse caído sobre o seu coração o orvalho do paraíso.

Via-se, claramente, que suas ideias não estavam na Terra, mas sim flutuando num mundo de radiosidades suavíssimas, cheio de recordações carinhosas do passado e saturado de ternas esperanças no amor de Jesus Cristo.

— Sim — continuava falando, como se fora tão somente para a sua própria alma, na intimidade do coração —, ultimamente, muito me tenho lembrado do divino Mestre e de suas palavras inesquecíveis... Naquela tarde inolvidável de suas pregações, ainda era crepúsculo e o céu estava recamado de estrelas, como se as luzes do firmamento desejassem também ouvi-lo... As ondas do Tiberíades, que se apresentavam, frequentemente, tão rumorosas ao fustigo do vento, vinham, silenciosas, desfazer-se num leque de espumas, de encontro às barcas da praia, numa doce expressão de respeito, quando se faziam ouvir na paisagem os seus divinos ensinamentos! Tudo se aquietava de manso; era de ver-se o sorriso angelical das criancinhas, à claridade terna dos seus olhos de pastor dos homens e da Natureza...

"Nos meus anseios, minha boa Ana, desejava adotar todos aqueles petizes maltrapilhos e famintos, que surgiam nas assembleias populares de Cafarnaum, mas meu propósito materno de amparar aquelas mulheres desprezadas e aquelas crianças andrajosas, que viviam ao desamparo, não podia realizar-se neste mundo... Todavia, suponho que hei de realizar os ideais de minha alma, se Jesus me acolher nas claridades do seu reino..."

A velha serva chorava emocionada, ouvindo estas expansões carinhosas e comovedoras.

Depois de longa pausa, continuou como se desejasse bem aproveitar as derradeiras horas:

— Ana — disse com enérgica tranquilidade —, ambas fomos chamadas ao testemunho sagrado da fé, nas horas que passam e que devem ser gloriosas para o nosso espírito. Perdoa-me, querida, se algum dia te ofendi o coração com alguma palavra menos digna. Antes que Simeão te entregasse à minha guarda, já eu te amava ternamente, como se foras minha irmã ou minha própria filha!...

A serva chorava emocionada, enquanto Lívia, carinhosa, continuava:

— Agora, querida, tenho um derradeiro pedido a fazer-te...

— Dizei, senhora — sussurrou a serva com os olhos rasos de lágrimas —, antes de tudo, sou vossa escrava.

— Ana, se é verdade que temos de testemunhar ainda hoje a nossa fé, eu desejava comparecer ao sacrifício como aquelas criaturas desamparadas, que ouviam as consolações divinas junto do Tiberíades. Se puderes atender-me, troca hoje comigo a toga da senhora pela túnica da serva! Desejava participar do sacrifício com as vestes humildes e pobres da plebe, não porque me sinta humilhada perante as pessoas da minha condição, no momento ditoso do testemunho, mas porque, arrancando para sempre os derradeiros preconceitos do meu nascimento, daria à minha consciência cristã o conforto do último ato de humildade... Eu, que nasci entre as púrpuras da nobreza, desejava buscar o reino de Jesus com as vestiduras singelas dos que passaram pelo mundo no torvelinho doloroso das provações e dos trabalhos!...

— Senhora!... — obtemperou a serva hesitante...

— Não vaciles, se queres proporcionar-me a satisfação derradeira.

Ana não pôde recusar, ante os piedosos propósitos da generosa criatura e, num instante, na penumbra daquele improvisado recanto que as separava das demais companheiras, trocaram a toga e a túnica, que eram tão somente uma espécie de manto, sobre a complicada indumentária da época, tendo Lívia adornado a toga de lã finíssima, agora no corpo da serva, com as joias discretas que trazia usualmente consigo. Depois de entregar-lhe dois anéis preciosos e um gracioso bracelete, apenas um adorno de valor lhe restava, mas Lívia, passando a mão pelo pescoço e acariciando um pequeno colar, com imensa ternura, exclamou com decisão para a companheira:

— Está bem, Ana, fica-me apenas este pequeno colar, em que trago o camafeu com o perfil de Publius, em alto relevo, e que é um presente dele no dia longínquo das nossas núpcias. Morrerei com esta joia, como se ela fora um símbolo de união entre os meus dois amores, que são meu marido e Jesus Cristo...

Ana aceitou, sem protesto, todas as piedosas imposições da senhora e, em breves instantes, na sua antiga beleza virginal, o porte da serva humilde estava tocado de imponente nobreza, como se ela fosse uma soberana figura de marfim velho.

Para todos os prisioneiros, na terrível inquietação que os oprimia, embora as doces claridades interiores da prece que os integrava na precisa coragem moral para o sacrifício, as horas do dia passavam pesadas e vagarosas. João de Cleofas, com o resignado heroísmo do seu fervor religioso, conseguiu manter aceso o calor da fé em todos os corações: não faltaram os companheiros mais animosos que, na exaltação de sua confiança na

Providência Divina, ensaiaram os próprios cânticos de glória espiritual, para o instante supremo do martírio.

No palácio do Aventino, todos os domésticos mais íntimos acreditavam na permanência de Lívia em casa da filha, mas, um pouco antes do meio-dia, Flávia Lentúlia veio ter com o pai, a fim de beijá-lo antes do triunfo.

Informada pelo senador, quanto aos seus projetos de restabelecer a antiga felicidade doméstica, com as mais expressivas demonstrações públicas de confiança e de amor pela esposa, Flávia, com grande surpresa para o pai, procurava a mãe para as manifestações de sua justificada alegria.

Angustiosa interrogação se estampou, desse modo, em todos os semblantes.

Depois de vinte e cinco anos, era a primeira vez que Lívia e Ana se ausentavam de casa, de um dia para outro, provocando os mais justificados receios.

O senador sentiu o coração ferido de presságios angustiosos, mas os escravos já se encontravam preparados para conduzi-lo ao Senado, onde as primeiras cerimônias teriam início depois do meio-dia, com a presença de César. Observando-lhe a aflição e os olhares ansiosos e inquietos, Flávia Lentúlia buscou tranquilizá-lo com estas palavras, que dissimulavam as suas próprias aflições:

— Vai tranquilo, meu pai. Voltarei agora à casa, mas não me descuidarei das providências necessárias, porque, quando regressares, de tarde, com a auréola do triunfo, quero abraçar-te com a mamãe, entre as flores do vestíbulo, a fim de podermos ambas receber-te com as pétalas do nosso amor desvelado de todos os dias.

— Sim, filha — respondeu o senador entre inquieto e angustiado —, permitam os deuses que assim seja, porque as rosas do lar serão para mim as melhores recompensas!...

E tomando a liteira, saudado por amigos numerosos que o esperavam, Publius Lentulus demandou o Senado, onde multidões entusiásticas esfuziavam de alegria, em sinal de agradecimento pela farta distribuição de trigo com que as autoridades romanas haviam comemorado aquele evento, aplaudindo os homenageados com a gritaria ensurdecedora das grandes manifestações populares.

Da nobre casa política, onde os mais elegantes torneios de oratória foram proferidos para enaltecimento da personalidade do Imperador e antecedidos pela figura impressionante do César, que nunca desdenhou o fausto retumbante dos grandes espetáculos, na sua feição de antigo comediante, dirigiram-se os senadores para o famoso Templo de Júpiter,[25] onde os homenageados receberiam a auréola de mirto e rosas, como os triunfadores, obedecendo à inspiração de Sêneca, que tudo envidava por desfazer a penosa impressão do governo cruel do seu ex-discípulo, que, afinal, decretaria também a sua morte no ano 66. No Templo de Júpiter, o grande artista que era Domício Nero coroou a fronte de mais de cem senadores do Império, sob a bênção convencional dos sacerdotes, demorando-se as cerimônias na sua complicada feição religiosa, por algumas horas sucessivas. Somente depois das quinze horas, saía do Templo, em direção ao Circo Máximo, o grosso e desmesurado cortejo. A compacta procissão, tocada de aspecto solene, poucas vezes observado em Roma nos séculos posteriores, dirigiu-se primeiramente ao Fórum, atravessando pela massa formidável de povo, com o máximo respeito.

Para esclarecimento dos leitores, passemos a dar pálida ideia do maravilhoso cortejo, de conformidade com as grandes cerimônias públicas da época.

Na frente, vai um carro, soberba e magnificamente ornamentado, onde se instala molemente o Imperador, seguindo-se-lhe numerosos carros nos quais se aboletam os senadores homenageados, bem como os seus áulicos preferidos.

Domício Nero, junto de um dos favoritos mais caros, passa sobranceiro no seu traje vermelho de triunfador, com o luxo espalhafatoso que lhe caracterizava as atitudes.

Em seguida, numeroso grupo de jovens de 15 anos passa, a cavalo e a pé, escoltando as carruagens de honra e abrindo a marcha.

Passam, depois, os cocheiros guiando as bigas, as quadrigas, as séjuges, que eram carros a dois, a quatro e a seis cavalos, para as loucas emoções das corridas tradicionais.

Seguindo-se aos cocheiros, quase em completa nudez, surgem os atletas, que farão os números de todos os grandes e pequenos jogos da tarde; após eles, vão os três coros clássicos de dançarinos, o primeiro constituído por adultos, o segundo dos adolescentes insinuantes, e o terceiro por graciosas crianças, todos ostentando a túnica escarlate apertada com uma

---

[25] N.E.: Também conhecido como Capitólio, era o maior templo de Roma.

cinta de cobre, espada ao lado e lança na mão, salientando-se o capacete de bronze enfeitado de penachos e cocares, que lhes completam a indumentária extravagante. Esses bailarinos passam, seguidos pelos músicos, exibindo movimentos rítmicos e executando bailados guerreiros, ao som de harpas de marfim, flautas curtas e numerosos alaúdes.

Depois dos músicos, qual bando de sinistros histriões, surgem os Sátiros e os Silenos, personagens estranhas, que apresentam máscaras horripilantes, cobertos de peles de bode, sob as quais fazem os gestos mais horrendos, provocando o riso frenético dos espectadores, com as suas contorções ridículas e estranhas. Sucedem-se novos grupos musicais, que se fazem acompanhar de vários ministros secundários do culto de Júpiter e outros deuses, levando nas mãos grandes recipientes à guisa de turíbulos de ouro e de prata, de onde espiralam inebriantes nuvens de incenso.

Seguindo os ministros, com adornos de ouro e pedras preciosas, passam as estátuas das numerosas divindades arrancadas, por um momento, dos seus templos suntuosos e sossegados. Cada estátua, na sua expressão simbólica, faz-se acompanhar de seus devotos ou dos seus variados colégios sacerdotais. Todas as imagens, em grande aparato, são conduzidas em carros de marfim ou de prata, puxados por cavalos imponentes, guiados delicadamente por meninos nobres de 10 a 12 anos, que tenham pai e mãe vivos, e escoltados, com atenção, pelos patrícios mais em evidência na grande cidade.

Era tudo um deslumbramento de coroas de ouro, púrpuras, luxuosos tecidos do Oriente, metais brilhantes, cintilações de pedras preciosas.

Fecha o cortejo a última legião de sacerdotes e ministros do culto, seguindo-lhes a massa interminável do povo anônimo e desconhecido.

A formidável procissão penetra o Grande Circo com grande recolhimento, em observância às mais elevadas solenidades. O silêncio é apenas cortado pelas aclamações parciais dos diferentes grupos de cidadãos, quando passa a estátua da divindade que lhes protege as atividades e a profissão, na vida comum.

Depois de um volteio solene pelo interior do circo, as silenciosas figuras de marfim são depostas na edícula, junto aos cárceres, sob os fulgores radiosos do pavilhão do Imperador e onde se fazem as preces e sacrifícios de nobres e plebeus, enquanto o César e seus áulicos, em companhia dos políticos homenageados naquela tarde, fazem numerosas e extraordinárias libações.

Terminadas aquelas cerimônias, desaparece, igualmente, o silencioso recolhimento das multidões.

Começam, então, os jogos sob os olhares ávidos de mais de trezentos mil espectadores, que não se circunscrevem às massas compactas, comprimidas nas dimensões grandiosas do luxuoso recinto. Os palácios do Aventino e do Palatino, bem como os elegantes terraços do Célio, servem também de arquibancadas para a numerosa assistência, que não pôde ver de mais perto o formidando espetáculo.

Roma diverte-se e todas as suas classes estão deslumbradas.

A competição dos carros é o primeiro número a ser apresentado, mas os aplausos entusiásticos somente se verificam quando morrem na arena os primeiros cocheiros e os primeiros cavalos espatifados.

Os jogadores distinguem-se pelas cores da túnica. Há os que se vestem de vermelho, de azul, de branco e de verde, representando vários partidos, enquanto a plateia se reparte em grupos exaltados e enlouquecidos. Gritam apaixonadamente os admiradores e os sócios de cada facção, traduzindo a sua alegria, o seu receio, a sua angústia ou a sua impaciência. Ao fim dos primeiros números, verificam-se desoladoras cenas de luta entre os adversários desse ou daquele partido, no seio da enorme assistência, havendo sérios tumultos, imediatamente degenerados em sanha criminosa, retirando-se, em seguida, alguns cadáveres.

Após as corridas, houve uma caçada fabulosa, levando-se a efeito terríveis combates entre homens e feras, nos quais alguns escravos jovens perderam a vida em trágicas circunstâncias, ante as aclamações delirantes das massas inconscientes.

O Imperador sorri satisfeito, e continua nas suas libações pessoais, vagarosamente, junto de alguns amigos mais íntimos. Seis harpistas executam as melodias prediletas no pavilhão, enquanto os alaúdes fazem ouvir, igualmente, sons maviosos e claros.

Outros jogos passaram, vários, divertidos e terríveis, e, depois de algumas danças exóticas, executadas na arena, viu-se um áulico predileto de Domício Nero inclinar-se discretamente, falando-lhe ao ouvido:

— Chegou o instante, ó Augusto, da grande surpresa dos jogos desta tarde!

— Entrarão, agora, os cristãos na arena? — perguntou o Imperador em voz baixa, com o seu impiedoso e frio sorriso.

— Sim, já foi dada ordem para que fiquem em liberdade na arena os vinte leões africanos, tão logo se apresentem em público os condenados.

— Bela homenagem aos senadores! — glosou Nero sarcasticamente. — Esta festividade foi uma feliz lembrança de Sêneca, porque terei oportunidade de mostrar ao Senado que a lei é a força e toda a força deve estar comigo.

Poucos minutos faltavam para a apresentação do número surpreendente da tarde, quando Clódio Varrus aconselhava a um dos auxiliares de confiança:

— Aton — dizia ele circunspecto —, podes providenciar agora a entrada de todos os prisioneiros na arena, mas afasta com discrição uma mulher que lá se conserva com a toga do patriciado. Deixa-a por último, expulsando-a em seguida para a rua, porque não desejamos complicações com a sua família.

O soldado fez sinal, como quem havia guardado fielmente a ordem recebida, dispondo-se a cumpri-la e, daí a momentos, o numeroso grupo de cristãos, sob impropérios e apupos dos mais baixos servidores do circo, encaminhava-se, impavidamente, para o sacrifício...

Em primeiro lugar, ia João de Cleofas, murmurando intimamente a sua derradeira prece.

No instante, porém, de se abrir a grande porta, através da qual se ouviam os rugidos ameaçadores das feras esfomeadas, Aton aproximou-se de Ana e, reparando-lhe a toga finíssima de lã, as joias discretas que lhe adornavam o porte enobrecido, bem como a delicada rede de ouro que lhe prendia graciosamente os cabelos, exclamou respeitosamente, admirado da nobreza de sua figura:

— Senhora, ficareis aqui, até segunda ordem!

A velha criada dos Lentulus trocou significativo e angustioso olhar com a sua senhora, respondendo, todavia, com serena altivez:

— Mas por quê? Pretendeis privar-me da glória do sacrifício?

Aton e seus colegas se surpreenderam com aquela atitude de profundo heroísmo espiritual, e aquele, depois de um gesto evasivo, que exprimia a vacilação da resposta que lhe competia dar, esclareceu respeitosamente:

— Sereis a última!

Aquela explicação pareceu satisfazê-la, mas Lívia e Ana, nesse instante decisivo de separação, trocaram entre si um amoroso olhar, angustiado e inesquecível.

Tudo, porém, fora obra de alguns segundos, porque a porta sinistra estava agora aberta e as armas ameaçadoras dos prepostos de Domício Nero obrigavam os prisioneiros a demandar a arena, como um bloco de condenados ao terror da última pena.

O venerável apóstolo de Antioquia entestou a fileira com serenidade valorosa. Seu coração elevava-se ao Infinito, em orações sinceras e fervorosas. Em poucos instantes, todos os prisioneiros se encontravam reunidos à entrada da arena, saturados de uma força moral que, até então, lhes era desconhecida. É que, por detrás daquelas púrpuras suntuosas e além daqueles risos estridentes e impropérios sinistros, estava uma legião de mensageiros celestes fortalecendo as energias espirituais dos que iam sucumbir de morte infamante, para regar a semente do Cristianismo com as suas lágrimas fecundas. Uma estrada luminosa, invisível aos olhos mortais, abrira-se nas claridades do firmamento e, por ela, descia todo um exército de arcanjos do divino Mestre, para aureolar com as bênçãos da sua glória os valorosos trabalhadores da sua causa.

Sob os aplausos delirantes e ensurdecedores da turba numerosa, soltaram-se os leões famintos, para a espantosa cena de impiedade, de pavor e sangue, mas nenhum dos apóstolos desconhecidos, que iam morrer no depravado festim de Nero, sentiu as torturas angustiosas de tão horrenda morte, porque o brando anestésico das potências divinas lhes balsamizou o coração dorido e dilacerado no tormentoso momento.

Fustigados pela angústia e pela aflição do instante derradeiro, ante o público sanguinário, os míseros sacrificados não tiveram tempo de se reunir na arena dolorosa. As feras famintas pareciam tocadas de horrível ansiedade. E enquanto se estraçalhavam corpos misérrimos, Domício Nero mandava que todos os coros de dançarinos e todos os músicos celebrassem o espetáculo com os cânticos e bailados de Roma vitoriosa.

Incluindo-se a considerável assistência que se aglomerava nas colinas, quase meio milhão de pessoas vibrava em aplausos ensurdecedores e espantosos, enquanto duas centenas de criaturas humanas tombavam espostejadas...

Ingressando na arena, Lívia ajoelhara-se defronte do grande e suntuoso pavilhão do Imperador, onde buscou lobrigar o vulto do esposo, pela derradeira vez, a fim de guardar no fundo da alma a dolorosa expressão daquele último quadro, junto da imagem íntima de Jesus crucificado, que inundava de emoções serenas o seu pobre coração dilacerado no minuto supremo. Pareceu-lhe divisar, confusamente, na doce claridade do crepúsculo, a figura ereta do senador coroado de rosas, como os triunfadores e, quando seus lábios se entreabriram numa última prece misturada de lágrimas ardentes que lhe borbulhavam dos olhos, viu-se repentinamente envolvida pelas patas selvagens de um monstro. Não sentira, porém, qualquer comoção violenta e rude, que assinala comumente o minuto obscuro da morte. Figurou-se-lhe haver experimentado ligeiro choque, sentindo-se agora embalada nuns braços de névoa translúcida, que ela contemplou altamente surpreendida. Buscou certificar-se da sua posição, dentro do circo, e reconheceu, a seu lado, a nobre figura de Simeão, que lhe sorria divinamente, dando-lhe a silenciosa e doce certeza de haver transposto o limiar da eternidade.

Naquele instante, dentro do camarim de honra do Imperador, Publius Lentulus sentiu no coração inexprimível angústia. No turbilhão daquele ensurdecedor vozerio, o senador nunca sentira tão fundo desalento e tão amargo desencanto da vida. Horrorizavam-lhe agora aqueles tremendos espetáculos homicidas, de pavor e morte. Sem que pudesse explicar o motivo, seu pensamento voltou à Galileia longínqua, figurando-se-lhe divisar, novamente, a suave figura do Messias de Nazaré, quando lhe afirmava: "Todos os poderes do teu Império são bem fracos e todas as suas riquezas bem miseráveis!..."

Inclinando-se para o seu amigo Eufanilo Drusus, Publius desabafou a penosa impressão, discretamente:

— Meu amigo, este espetáculo de hoje me apavora!... Sinto, aqui, emoções de angústia, como jamais experimentei em toda a vida... Serão escravos destinados à última pena os que ora sucumbem, sob a crueldade das feras violentas e rudes?

— Não creio — respondeu o senador Eufanilo, segredando-lhe ao ouvido. — Corre o boato de que estes míseros condenados são pobres cristãos inofensivos, aprisionados nas catacumbas!...

Sem saber explicar a razão do seu profundo desgosto, Publius Lentulus lembrou-se repentinamente de Lívia, mergulhando-se, aflito, nas mais penosas conjeturas.

Enquanto ocorriam esses fatos, voltemos a examinar a situação de Ana, logo após a entrada dos companheiros na arena do sacrifício. Certa de que Jesus lhe havia reservado o último lugar no penoso momento do martírio, a antiga serva mantinha o espírito valoroso em orações sinceras e ardentes. Seus olhos, porém, não abandonaram a figura de Lívia, que se afastava para um recanto da arena, onde se ajoelhara, chegando a fixar o grande leão africano que lhe desferira um golpe fatal à altura do peito. Nesse instante, a pobre criatura sentiu algo de enfraquecimento, ante as tremendas perspectivas do testemunho, mas, num relance, antes que suas ideias tomassem novo curso, Aton e mais um dos colegas acercaram-se, exclamando:

— Senhora, acompanhai-nos!

Observando que os soldados a faziam voltar ao interior, protestou com energia:

— Soldados, eu nada mais desejo, senão morrer igualmente, nesta hora, pela fé em Jesus Cristo!

Reparando-lhe a coragem indomável, o preposto do Império agarrou-a fortemente pelo braço, e, trazendo-a para uma passagem do interior dos cárceres, que comunicava com a via pública, Aton dirigiu-lhe a palavra, quase ameaçadora.

— Retirai-vos, mulher! Fugi sem demora, pois não desejamos complicações com a vossa família!

E, dizendo-o, fechava a porta ampla, enquanto a antiga criada de Lívia tudo compreendia agora. Angustiada, chegou imediatamente à conclusão de que a indumentária da senhora lhe salvara a vida, no amargurado transe. Sentiu que o pranto lhe borbotava abundante dos olhos. Suas lágrimas eram bem um misto de inenarráveis sofrimentos morais e no íntimo inquiria a si mesma a razão pela qual não a admitira o Senhor à glorificação dos sacrifícios daquela tarde memorável e dolorosa.

Percebia o confuso rumor de mais de trezentas mil vozes, que se concentravam em gritos retumbantes de aplauso, aclamando a corrida sinistra das feras na sua caçada humana, e, passo a passo, carregando consigo o peso torturante de uma angústia sem termos, buscou o palácio do Aventino, que não distava muito do circo ignominioso, lá penetrando desalentada e silenciosa.

Apenas alguns escravos mais íntimos faziam a guarda da residência dos Lentulus, como de costume nos grandes dias de festas populares, das quais participavam quase todos os servos. Ninguém percebeu o retorno da serva, que conseguiu despojar-se da toga com a calma precisa. Alijou as joias preciosas do vestuário, das mãos e dos cabelos e, ajoelhando-se no aposento, deixou que as lágrimas dolorosas corressem livremente, ao influxo das orações amargas que elevava a Jesus, sob o peso de suas angustiosas mágoas.

Não chegou a saber quantos minutos infindos permaneceu naquela atitude súplice e dolorosa, entre rogativas ardentes e amarguradas conjeturas sobre o seu inesperado afastamento das torturas do circo, sentindo-se indigna de testemunhar ao Salvador a sua fé profunda e sincera, até que um rumor mais pronunciado lhe denunciava o regresso do senador.

Era quase noite e as primeiras estrelas brilhavam no azul do formoso céu romano.

Penetrando no lar com o espírito inquieto e desalentado, Publius Lentulus atingiu o vestíbulo vazio, de alma opressa, sendo, porém, imediatamente procurado pelo servo Fábio Túlio, que, havia muitos anos, substituíra Comênio, arrebatado pela morte naquele cargo de confiança.

Acercando-se do senador que entrara só, dispensando a companhia dos amigos sob a alegação de que a esposa se encontrava gravemente enferma, exclamou o antigo serviçal com atencioso respeito:

— Senhor, vossa filha manda comunicar, por um mensageiro, que continua providenciando, a fim de que tenhais notícias da senhora, dentro do menor prazo possível.

O senador agradeceu com leve sinal de cabeça, acentuando suas penosas preocupações íntimas.

Ana, contudo, na soledade de suas preces, no cômodo que lhe era reservado, verificando o regresso do amo, compreendeu o triste dever que lhe corria naquele instante inesquecível, de modo a cientificá-lo de todas as ocorrências e, em breves minutos, Fábio voltava a procurá-lo nos seus apartamentos, a fim de participar-lhe que Ana lhe pedia uma entrevista em particular. O senador atendeu imediatamente à velha serva de sua casa, tomado de indefinível surpresa.

Olhos inchados de chorar e com a voz frequentemente entrecortada por emoções rudes e penosas, Ana expunha todos os fatos, sem omitir nenhum detalhe dos trágicos incidentes, enquanto o senador, de olhos arregalados, tudo fazia por compreender aquelas confidências dolorosas, na sua incredulidade e no seu pavoroso espanto.

Ao fim do terrível depoimento, álgido suor lhe corria da fronte atormentada, enquanto as têmporas lhe batiam assustadoramente.

A princípio, desejou esmagar a criada humilde, como se o fizesse a uma víbora venenosa, tomado das primeiras comoções de revolta do seu orgulho e da sua vaidade. Não queria acreditar naquela confissão horrível e angustiosa, mas o coração lhe batia apressadamente e seus nervos se exaltavam em vibrações penosas, com sinistros augúrios.

Publius Lentulus experimentou a dor mais terrível de sua misérrima existência. Todos os seus sonhos, todas as suas aspirações e carinhosas esperanças esboroavam-se penosa e irremediavelmente, para todo o sempre, sob a maré sombria das realidades tenebrosas.

Sentindo-se o mais desventurado réu da justiça dos deuses, no momento em que presumia efetivar a sua suprema ventura, nada mais enxergou à frente dos olhos, senão a realidade esmagadora da sua dor sem limites.

Sob os olhares comovidos de Ana, que o observava receosa, levantou-se rígido e sem uma lágrima, com os olhos raiando pela loucura, tal a sua fixidez estranha e dolorosa, e como se fora um fantasma de revolta, de dor, de vingança e sofrimento indefiníveis, sem nada responder à serva atônita, que rogava silenciosamente a Jesus lhe serenasse as angustiosas mágoas, deu alguns passos como um autômato em direção à porta, que abriu de par em par e por onde entraram as brisas suaves e refrigerantes da noite...

Cambaleando de dor selvagem através do peristilo, caminhou, depois, resoluto, como se fosse disputar um duelo com as sombras, para defender a esposa caluniada e traída, martirizada pelos criminosos daquela corte de infâmia, dirigindo-se com rapidez, sem observar o desalinho de suas vestes, para o circo, onde a plebe rematava as paixões impiedosas do seu César desalmado.

Todavia, um espetáculo mais terrível se lhe deparou aos olhos agoniados, no insulamento da sua suprema angústia moral.

Embriagados nos baixos instintos da sua perversa materialidade, os soldados e o povo colocaram os restos sinistros do monstruoso banquete das feras, naquela tarde inesquecível, nas eminências de postes e colunas improvisados à maneira de tochas, e iluminavam todo o exterior do grande recinto com o incêndio tétrico dos fragmentos de carne humana.

Publius Lentulus sentiu toda a extensão da sua impotência diante daquela demonstração suprema de horror e crueldade, mas avançou cambaleante de dor, como ébrio ou louco, com espanto dos que o viam a pé, em tais lugares, contemplando boquiaberto as tochas sinistras, feitas de cabeças disformes e combustas.

Dava largas aos pensamentos doridos de angústia e de revolta, como se o seu espírito não passasse de um tigre encarcerado no arcabouço do peito envelhecido, quando notou a presença de dois soldados ébrios, em luta por causa de um delicado objeto, que lhe chamou repentinamente a atenção, sem que conseguisse explicar o motivo do seu inesperado interesse por alguma coisa.

Era um pequeno colar de pérolas, do qual pendia precioso camafeu antigo. Seus olhos fixaram aquele objeto estranho e o coração adivinhou o resto. Ele o reconhecera. Aquela joia fora o presente de núpcias, feito à esposa idolatrada e somente agora se recordava do apego carinhoso da mulher ao camafeu que lhe guardava o próprio perfil da juventude, recordando a única afeição da sua mocidade.

Postou-se à frente dos contendores, que se formalizaram imediatamente em atitude respeitosa, devida à sua presença.

Interpelado com severidade, um dos soldados esclareceu humilde e trêmulo:

— Ilustríssimo, esta joia pertenceu a uma das mulheres condenadas às feras, no espetáculo de hoje...

— Quanto quereis pelo achado? — perguntou Publius Lentulus sombriamente.

— Comprei-a de um companheiro por dois sestércios.

— Entregai-ma! — replicou o senador em tom ameaçador e imperativo.

Os soldados entregaram-lhe o colar, humildemente, e o senador, revolvendo as vestes, retirou pesada bolsa de moedas de ouro, jogando-a aos contendores num gesto de nojo e de supremo desprezo.

Publius Lentulus afastou-se do ambiente nefando, mal contendo as lágrimas que, agora, lhe subiam em torrente, do coração oprimido e dilacerado.

Apertando de encontro ao peito aquele adereço minúsculo, parecia tomado de força misteriosa. Afigurava-se-lhe que, conservando aquele último vestígio da toilette de sua mulher, arquivara, junto de si próprio e para sempre, alguma coisa da sua personalidade e do seu coração.

Longe das luzes sinistras que iluminavam macabramente em toda a extensão a via pública, o senador penetrou por uma viela cheia de sombras.

Depois de alguns passos, notou que à sua frente se elevava para o céu uma árvore gigantesca, que poetizava todo o ambiente, com a vetustez de sua majestade frondejante. Cambaleando, encostou-se ao tronco anoso, ávido de repouso e consolação. Contemplou as estrelas que matizavam de cintilações cariciosas todo o firmamento romano e lembrou-se de que, por certo, em tal momento, a alma puríssima da companheira deveria repousar na paz sublime das claridades celestes, sob a bênção dos deuses...

Num gesto espontâneo, beijou o colar minúsculo, apertou-o com delicado enlevo de encontro ao coração e, considerando o deserto árido da sua vida, chorou, como nunca o fizera em qualquer outra circunstância dolorosa da sua atribulada existência.

Num retrospecto profundo de todo o passado amarguroso, considerava que todas as suas nobres aspirações haviam recebido o escárnio dos deuses e dos homens. No seu orgulho desventurado, pagara ao mundo os mais pesados tributos de angústia e de lágrimas dolorosas e, na sua vaidade de homem, recebera as mais penosas humilhações do destino. Ponderava, tardiamente, que Lívia tudo fizera por torná-lo venturoso, numa vida de amor risonho, simples e despretensiosa. Recordou os mínimos incidentes do passado doloroso, como se o seu espírito estivesse procedendo a meticulosa autópsia de todos os seus sonhos, esperanças e ilusões, na caligem do tempo.

Como homem, vivera unido aos processos do Estado, que lhe roubavam os mais encantadores entretenimentos da vida doméstica e, como esposo, não tivera energia bastante para armar-se contra as calúnias insidiosas. Como pai, considerava-se o mais desgraçado de todos. De que lhe valia, então, a auréola do triunfo, se ela lhe chegava como intragável cálice de amargura? De que lhe valiam, agora, as vitórias políticas e a significação social dos títulos de nobreza, bem como a vultosa expressão da sua fortuna, sob a mão implacável do seu impiedoso destino neste mundo?

Perdiam-se as suas meditações em profundos abismos de sombra e de dúvidas acerbas, quando lhe surgiu na mente atormentada a figura suave e doce do sublime Profeta de Nazaré, com a riqueza indestrutível da sua paz e da sua humildade.

Na plenitude de suas lembranças, pareceu ouvir ainda as extraordinárias advertências que lhe dirigira com a voz carinhosa e compassiva, junto às águas marulhentas do Tiberíades. Recordando-se intensamente de Jesus, sentiu-se tomado por uma vertigem de lágrimas dolorosas, as quais, de alguma forma, lhe balsamizavam o deserto do coração. Ajoelhando-se sob a fronde opulenta e generosa, qual o fizera um dia na Palestina, exclamou para os céus, com os olhos marejados de pranto, lembrando-se da força moral que a doutrina cristã havia proporcionado ao coração da esposa, nutrindo-a espiritualmente para receber com dignidade e heroísmo todos os sofrimentos:

— Jesus de Nazaré! — disse com voz súplice e dolorosa — foi preciso perdesse eu o melhor e o mais querido de todos os meus tesouros, para recordar a concisão e a doçura de tuas palavras!... Não sei compreender a tua cruz e ainda não sei aceitar a tua humildade dentro da minha sinceridade de homem, mas, se podes ver a enormidade de minhas chagas, vem socorrer, ainda uma vez, meu coração miserável e infeliz!...

Penosa crise de lágrimas sobreveio a essa invocação tocada de uma franqueza rude, agressiva e dolorosa.

Figurou-se-lhe, todavia, que uma energia indefinível e imponderável o ajudava, agora, a atravessar o angustioso transe.

Terminada a súplica que lhe fluía do imo da alma lacerada, o orgulhoso patrício observou que a presença de inexplicável força modificava, naquele momento inesquecível, todas as disposições mais íntimas do seu coração e, conservando-se genuflexo, notou, com a visão interior do seu espírito, que a seu lado começava a surgir um ponto luminoso, que se desenvolveu prodigiosamente, na dolorosa serenidade daquele penoso instante de sua vida, surpreendendo-se com o fenômeno que lhe sugeria ao pensamento as conjeturas mais inesperadas.

Por fim, aquele núcleo de luz tomava forma e, diante de si, viu a figura radiosa de Flamínio Severus, que lhe vinha falar na tormentosa noite da sua infinita amargura.

Publius reconheceu-lhe a presença, surpreendido e espantado, identificando-lhe os traços fisionômicos e as saudações acolhedoras, como quando se dirigia a ele, na Terra. Seu semblante era o mesmo, na doce expressão de serenidade, agora tocada de triste e amargurado sorriso. Ostentava a mesma toga de barra purpurina, mas não apresentava o aspecto marcial e imponente dos dias terrestres. Flamínio contemplou-o como se estivesse assomado de piedade infinita e de ilimitada amargura. Seu olhar penetrante de espírito lhe devassava os mais recônditos refolhos da consciência, enquanto o senador se aquietava reverente, sensibilizado e surpreendido.

— Publius — disse-lhe carinhosamente a voz amiga do duende —, não te revoltes com a execução dos desígnios divinos, que hoje modificou todos os roteiros da tua vida!... Ouve-me bem! Falo-te com a mesma sinceridade e amor que nos une os corações, de há longos séculos!... Diante da morte, todas as nossas vaidades desaparecem... nas suas claridades sublimadas; nossos poderes terrenos são de uma fragilidade misérrima!... O orgulho, amigo meu, abre-nos além do túmulo uma porta de trevas densas, nas quais nos perdemos em nosso egoísmo e impenitência!... Volta a tua casa e sorve o conteúdo da taça amargurosa das provas rudes, com serenidade e valor espiritual, porque ainda estás longe de esgotar o cálice de tuas purificadoras amarguras, dentro das expiações redentoras e supremas... As grandes dores, sem remédio no mundo, hão de abrir para o teu raciocínio um caminho novo, nos eternos horizontes da crença!... Nossos deuses são expressões de fé respeitável e pura, mas Jesus de Nazaré é o Caminho, a Verdade e a Vida!... Enquanto nossas ilusões sobre Júpiter nos levam a render culto aos mais poderosos e aos mais fortes, considerados como prediletos de nossas divindades, pela expressão valiosa dos seus ricos sacrifícios, os ensinos preciosos do Messias Nazareno nos levam a considerar a miserabilidade de nossos falsos poderes à face do mundo, abraçando os mais pobres e os mais desventurados da sorte, como a impelir todas as criaturas a caminho do seu reino, conquistado com o sacrifício e o esforço de cada um, em demanda da única vida real, que é a vida do Espírito... Hoje sei que perdeste, um dia, a tua sublime oportunidade, mas o Filho de Deus Todo-Poderoso, na sua piedade infinita e infinito amor, atende agora ao teu apelo, permitindo que a minha velha afeição venha balsamizar as feridas dolorosas do teu coração atormentado!...

O senador deixou que todo o seu pensamento se perdesse na tempestade das mais abençoadas lágrimas de sua vida. Arfando nos soluços de sua compunção, suplicava mentalmente:

— Sim, meu amigo e meu mestre, eu quero compreender a verdade e almejo o perdão das minhas faltas enormes!... Flamínio, inspiração de minha alma dilacerada, sê o meu guia na tormentosa noite do meu triste destino!... Vale-me com a tua ponderação e bondade!... Toma-me, de novo, pelas mãos e esclarece-me o coração no tenebroso caminho!... Que fazer para alcançar do Céu o esquecimento de minhas faltas?!...

A serena visão, como se se houvera comovido intensamente ao receber aquele apelo, tinha agora os olhos iluminados por piedosa e divina lágrima.

Aos poucos, sem que Publius pudesse compreender o mecanismo daquele fenômeno insólito, observou que a silhueta do amigo se diluía levemente na sombra, afastando-se da tela de suas contemplações espirituais, mas, ainda assim, percebeu que seus lábios murmuravam, piedosamente, uma palavra: "Perdoa!..."

Aquela suave recomendação caiu-lhe na alma como bálsamo dulcificante. Sentiu, então, que seus olhos estavam agora abertos para as realidades materiais que o rodeavam, como se houvera acordado de sonho edificante.

Sentiu-se algo aliviado de suas profundas dores e levantou-se para retomar, com decidido valor, o fardo penoso da existência terrena.

Regressando à casa, por volta das 22 horas, ali encontrou Plínio e Flávia, que o esperavam aflitos.

Vendo-lhe a fisionomia profundamente abatida e transfigurada, a filha ansiosa o abraçou, num transporte de ternura indefinível, exclamando em lágrimas:

— Meu pai, meu querido pai, até agora não nos foi possível obter qualquer notícia.

Publius Lentulus, porém, fixou nos filhos o olhar triste e desalentado, enlaçando-os silenciosamente.

Em seguida, chamou-os ao gabinete particular, para onde determinou, igualmente, a vinda de Ana, e os quatro, em conselho de família, examinaram, emocionadamente, os inolvidáveis sucessos daquele dia de provações aspérrimas.

À medida que o senador transmitia aos filhos as revelações penosas de Ana, que lhe acompanhava as palavras extremamente comovida, via-se que Flávia e o esposo traduziam no rosto as emoções mais singulares e mais fortes, sob a angustiosa impressão daquela narrativa.

Ao fim do minucioso relato, Plínio Severus exclamou no seu orgulho irrefletido:

— Mas não poderíamos imputar toda a culpa dos fatos a esta mísera criatura que há tantos anos serve indignamente em vossa casa?

Assim se pronunciando, o oficial apontava a serva, que baixou a cabeça humildemente, rogando a Jesus lhe fortalecesse o espírito para o testemunho daquele momento, que adivinhava penoso para os sentimentos mais delicados do seu coração.

Publius Lentulus pareceu participar da opinião do genro, contudo, afigurou-se-lhe que as palavras de Flamínio ainda lhe ressoavam no ádito da consciência e respondeu com firmeza:

— Filhos, esqueçamos os julgamentos apressados e, se bem reconheça a falta de Ana aceitando as vestes de sua senhora, quero venerar nesta serva a memória de Lívia, para sempre. Companheira fiel dos seus angustiosos martírios de vinte e cinco anos consecutivos, ela continuará nesta casa com as mesmas regalias que lhe foram outorgadas por sua benfeitora. Apenas exijo que o seu coração saiba guardar os nossos lúgubres segredos desta noite, porque desejo honrar publicamente a memória de minha mulher, depois do seu tremendo sacrifício naquela festividade da infâmia.

Plínio e Flávia observaram-lhe, surpresos, a generosidade espontânea para com a criada que, por sua vez, agradecia a Jesus a graça do seu esclarecimento.

O senador pareceu profundamente modificado naquele choque terrível, experimentado por suas fibras espirituais.

Neste comenos, interveio Plínio Severus, esclarecendo:

— A vários amigos nossos, que aqui estiveram para cumprimentar-vos, declarei que, em vista do nosso luto por minha mãe, não comemoraríeis o vosso triunfo político na data de hoje, informando mais, no intuito de justificar vossa ausência, que a senhora Lívia se encontrava gravemente enferma, em Tibur, para onde fora em busca de melhoras, notícias essas que, aliás, eram recebidas pelos nossos íntimos com o máximo de naturalidade, porque a vossa consorte nunca mais frequentou a sociedade desde a volta da Palestina, sendo compreensível que todos os nossos amigos a considerassem doente.

O senador ouviu, com interesse, essas explicações, como se houvera encontrado solução para o angustioso problema que o oprimia.

Ao cabo de alguns momentos, depois de examinar a possibilidade da execução da ideia que lhe aflorara no cérebro dolorido, exclamou mais animado:

— Tua ideia, meu filho, neste particular, veio trazer-me a perspectiva de solução razoável para a angustiosa questão que me acabrunha.

"Cumpre-me defender a memória de minha mulher" — continuava o senador de olhos úmidos —, "e, se fora possível, iria lutar corpo a corpo com a mentalidade infame do governo cruel que atualmente nos conspurca as melhores conquistas sociais, mas, se eu fosse bradar pessoalmente a minha indignação e a minha revolta, na praça pública, seria tachado de louco; e se fosse desafiar Domício Nero seria o mesmo que tentar a imobilidade das águas do Tibre com o galho de uma flor. Neste sentido, pois, saberei agir nos bastidores políticos, para derrubar o tirano e seus asseclas, ainda que isso nos custe o máximo de tempo e paciência.

"Agora, o que me compete urgentemente é prestar todas as homenagens possíveis aos sentimentos imáculos da companheira arrebatada nos torvelinhos da insânia e da crueldade."

Plínio e Flávia escutavam-no silenciosos e comovidos, sem lhe perturbarem o curso rápido das palavras, enquanto ele prosseguia sensatamente:

— Há mais de dez anos que a sociedade romana via em minha pobre companheira uma enferma e uma demente. E já que os nossos amigos foram avisados de que Lívia se encontrava em Tibur, talvez aguardando a morte, partirei para lá, ainda esta noite, levando Ana em minha companhia...

E como se estivesse tomado por uma ideia fixa, com aquela preocupação de homenagear a morta inesquecível, Publius Lentulus continuou:

— Nossa casa em Tibur está agora desabitada porque, há mais de vinte dias, Filopátor foi a Pompeia, obedecendo a determinações minhas... Chegarei lá com Ana, levando uma urna funerária que, para todos os efeitos, encerrará os restos da minha pobre Lívia... Nossos servos devem partir amanhã, igualmente, quando então mandarei mensageiros a Roma, cientificando-lhes do acontecimento por satisfazer as pragmáticas da vida social!... Em Tibur, prestaremos à memória de Lívia todas as homenagens, transladando, em seguida, publicamente, as cinzas para aqui, onde farei celebrar as mais solenes exéquias, na visitação pública, testemunhando, assim, embora tardiamente, minha veneração pela santa criatura que se sacrificou por nós a vida inteira...

— Mas... e a incineração? — perguntou Plínio Severus prudentemente, ao conjeturar o êxito possível do projeto.

O senador, porém, não hesitou, resolvendo o assunto com a habitual energia das suas decisões:

— Se essa cerimônia requer a presença dos sacerdotes, saberei conduzir-me junto ao ministro do culto, na cidade, alegando o desejo de tudo fazer no mais reduzido círculo da minha intimidade familiar.

"O que resta, tão somente, é esperar de vocês, que me ouvem, silêncio tumular sobre as providências dolorosas desta noite, a fim de não ferirmos as suscetibilidades do preconceito social."

Estranhando aquela energia em tão penosas circunstâncias, Plínio Severus fez-lhe companhia naquelas horas avançadas, para a compra da urna mortuária, que foi adquirida, em poucos minutos, de um comerciante que nada indagou do estranho cliente, atendendo à circunstância da sua posição social e política, bem como à vultosa importância da compra, efetuada com significativas vantagens para o seu interesse.

Naquela mesma noite, Publius Lentulus e Ana se dirigiram com alguns escravos para a cidade de repouso dos antigos romanos, vencendo em algumas horas as sombras espessas dos caminhos e chegando com a possível tranquilidade, de modo a ambientar as derradeiras homenagens à memória de Lívia.

Todas as providências foram adotadas com profunda surpresa para todos os servos, que não ousavam discutir as ordens recebidas, e mesmo para os patrícios da cidade, que sabiam doente a esposa do senador, mas ignoravam o doloroso episódio da sua morte.

Flávia e Plínio foram chamados no dia seguinte, satisfazendo-se a todos os imperativos de ordem social, naquela penosa representação de condolências.

Um donativo mais rico e mais generoso de Publius Lentulus ao culto de Júpiter conquistava-lhe a plena autorização do clero tiburtino, no referente à sua decisão de incinerar o cadáver da esposa na intimidade da família, sendo a memória de Lívia homenageada com todos os cerimoniais do antigo culto dos deuses, invocando-se a proteção dos manes e divindades domésticas.

Numerosos portadores foram expedidos a Roma e daí a dois dias a urna funerária chegava à sede do Império, penetrando pomposamente no palácio do Aventino, onde a esperava um soberbo catafalco.

Durante três dias sucessivos, as cinzas simbólicas de Lívia estiveram expostas à visitação do povo, tendo o senador mandado distribuir vultosos donativos, em alimentos e dinheiro, à plebe que viesse prestar as últimas homenagens à memória da sua morta querida. Longas romarias visitaram a residência, dia e noite, dando-lhe o aspecto imponente de um templo aberto a todas as classes sociais. Toda a nobreza romana, inclusive o cruel Imperador, se fez representar nas pompas daquelas exéquias, que eram como que uma expressão de remorso e uma tentativa de reparação da parte do esposo amargurado. Publius Lentulus considerava que, somente assim, poderia agora penitenciar-se, publicamente, a respeito de sua mulher, que voltava a ocupar o lugar de veneração no círculo numeroso de amizades aristocráticas da sua família.

Terminado o último número daquelas cerimônias, o senador fez questão de que a filha e o genro, bem como Agripa, passassem a residir no palácio do Aventino, em sua companhia, no que foi atendido, em caráter provisório, segundo asseverava Plínio à mulher, e, naquela mesma noite, com a alma dilacerada de saudade e de angústias, transportou, em companhia de Ana, todos os objetos de uso pessoal da esposa para os seus aposentos particulares.

Terminada a tarefa, Publius Lentulus exclamou para a serva, com singular interesse:

— Tudo pronto?

Recebendo resposta afirmativa, insistiu, como se faltasse ainda alguma coisa, referindo-se à cruz de Simeão, guardada cuidadosamente pela dedicação de Ana, como se mais ninguém pudesse apreciar a significação especial daquele tesouro:

— Onde está uma pequena cruz de madeira tosca, que minha mulher tanto venerava?

— Ah! é verdade!... — exclamou a serva satisfeita por observar a modificação daquela alma austera.

E, retirando do seu quarto a modesta lembrança do apóstolo de Samaria, entregou-lha com reverência afetuosa. O senador, então, colocou-a num móvel secreto. Todavia, quem lhe acompanhasse a existência amargurada, poderia vê-lo, todas as noites, na solidão do seu aposento, junto do precioso símbolo das crenças da companheira.

Quando as luzes do palácio se apagavam, de leve, e quando todos buscavam o repouso no silêncio da noite, o orgulhoso patrício retirava do cofre de suas lembranças mais queridas a cruz de Simeão e, ajoelhado qual o fazia Lívia, parava a máquina do convencionalismo diuturno, para meditar e chorar amargamente.

VI
Alvoradas do reino do Senhor

Reportando-nos à dolorosa e comovedora cena do sacrifício dos mártires cristãos, na arena do circo, somos compelidos a acompanhar a entidade Lívia na sua augusta trajetória para o reino de Jesus.

Nunca os horizontes da Terra foram brindados com paisagens de tanta beleza, como as que se abriram nas esferas mais próximas do planeta, quando da partida em massa dos primeiros apóstolos do Cristianismo, exterminados pela impiedade humana, nos tempos áureos e gloriosos da consoladora doutrina do Nazareno.

Naquele dia, quando as feras famintas estraçalhavam os indefesos adeptos das ideias novas, toda uma legião de Espíritos sábios e benevolentes, sob a égide do divino Mestre, lhes rodeava os corações dilacerados no martírio, saturando-os de força, resignação e coragem para o supremo testemunho de sua fé.

Sobre as nefastas paixões desencadeadas naquela assistência ignorante e impiedosa, desdobravam os poderes do Céu o manto infinito de sua misericórdia, e além daquele vozerio sinistro e ensurdecedor havia vozes que abençoavam, proporcionando aos mártires do Senhor uma fonte de suaves e ditosas consolações.

Entardecia já, quando tombavam as últimas vítimas ao choque brutal dos leões furiosos e implacáveis.

Abrindo os olhos entre os braços carinhosos do seu velho e generoso amigo, Lívia compreendera, imediatamente, a consumação do angustioso transe. Simeão tinha nos lábios um sorriso divino e lhe acariciava os cabelos, paternalmente, com meiguice e doçura. Estranha emoção vibrava, porém, na alma liberta da esposa do senador, que se viu presa de lágrimas dolorosas. A seu lado notou, com penosa surpresa, os despojos sangrentos do corpo dilacerado e entendeu, embora o seu espanto, o doce mistério da ressurreição espiritual, de que falava Jesus nas suas lições divinas. Desejou falar, de modo a traduzir seus pensamentos mais íntimos e, todavia, tinha o coração repleto de emoções indefiníveis e angustiosas. Aos poucos, notou que, da arena ensanguentada, se erguiam entidades, qual a sua própria, ensaiando passos vacilantes, amparadas, porém, por criaturas graciosas, etéreas, aureoladas de graça incomparável, como jamais contemplara em qualquer circunstância da vida. Aos seus olhos desapareceu o cenário colorido e tumultuoso do circo da ignomínia e aos ouvidos não mais ressoaram as gargalhadas irônicas e perversas dos espectadores impiedosos. Notou que, do firmamento constelado, fluía uma luz misericordiosa e compassiva, afigurando-se-lhe que nova claridade, desconhecida na Terra, se acendera maravilhosamente dentro da noite. Imensa multidão de seres, que lhe pareciam alados, cercava-os a todos, enchendo o ambiente de vibrações divinas.

Deslumbrada, viu, então, que entre a Terra e o Céu se formava radioso caminho...

Por meio de uma esteira de luz intraduzível, que não chegara a ofuscar o brilho caricioso e terno das estrelas que bordavam, cintilando, o azul macio do firmamento, observou novas legiões espirituais que desciam, celeremente, das maravilhosas regiões do Infinito...

Empolgados com as sonoridades delicadas daquele ambiente indescritível, seus ouvidos escutaram, então, sublimes melodias do Plano Invisível, como se, de envolta com liras e flautas, harpas e alaúdes, cantassem no Alto as divinas toutinegras do paraíso, projetando as alegrias siderais nas paisagens escuras e tristes da Terra...

Seu espírito, como que impulsado por energia misteriosa, conseguiu, então, manifestar as emoções mais íntimas e mais queridas.

Abraçando-se ao velho e generoso amigo de Samaria, pôde murmurar, banhada em lágrimas:

— Simeão, meu benfeitor e mestre, roga comigo a Jesus para que esta hora me seja menos dolorosa...

— Sim, filha — respondeu o venerável apóstolo aconchegando-a ao coração, como se o fizesse a uma criança —, o Senhor, na sua infinita misericórdia, reserva o seu carinho a quantos lhe recorrem à magnanimidade, com a fé ardente e sincera do coração!... Acalma o teu espírito porque estás, agora, a caminho do reino do Senhor, destinado aos corações que muito amaram!...

Naquele instante, porém, uma força incompreensível parecia impelir para as Alturas quantos ali se conservavam sem a pesada indumentária da Terra...

Lívia sentiu que o terreno lhe faltava e que todo o seu ser volitava em pleno Espaço, experimentando estranhas sensações, embora fortemente amparada pelos braços generosos do venerando amigo.

Era, de fato, uma radiosa caravana de entidades puríssimas, que se elevava em conjunto, por meio daquele cintilante caminho traçado de luz, em pleno éter!...

Experimentando singulares sensações de leveza, a esposa do senador sentiu-se mergulhada num oceano de vibrações suavíssimas.

Todos os companheiros lhe sorriam e, contemplando-os, igualmente amparados pelos mensageiros divinos, ela identificava, um a um, quantos lhe haviam sido irmãos no cárcere, no martírio e na morte infamante. Em dado instante, todavia, como se a memória fosse chamada a todos os pormenores da realidade ambiente, lembrou-se de Ana, sentindo-lhe a falta naquela jornada de glorificação em Jesus Cristo.

Bastou que a recordação lhe aflorasse no íntimo, para que a voz de Simeão esclarecesse com a proverbial bondade:

— Filha, mais tarde poderás saber tudo... Na tua saudade, porém, inclina-te sempre aos desígnios divinos, inspirados em toda a sabedoria e misericórdia... Não te impressiones com a ausência de Ana neste banquete de alegrias celestiais, porque aprouve a Jesus conservá-la ainda algum tempo na oficina de suas bênçãos, entre as sombras do degredo terrestre...

Lívia ouviu e resignou-se silenciosa.

Reconheceu que seguiam sempre pela mesma estrada maravilhosa, que, a seus olhos, parecia ligar o Céu e a Terra num fraternal amplexo de luz, afigurando-se-lhe que todos os divinos componentes da luminosa caravana flutuavam num movimento de ascensão, em pleno Espaço, demandando regiões gloriosas e desconhecidas. No seio dos elementos aéreos, admirava-se de conservar todo o mecanismo de suas sensações físicas, através do eterizado e radioso caminho.

Ao longe, nos abismos do ilimitado, parecia divisar novos firmamentos estrelados, que se multiplicavam maravilhosamente no seio do Infinito, e observava radiações fulgurantes que, por vezes, lhe ofuscavam os olhos deslumbrados...

De outras vezes, olhando furtivamente para trás, via um acervo de sombras compactas e movediças, nas quais se localizavam as esferas de vida na Terra distante.

Em ambas as margens do caminho verificou a existência de flores graciosas e perfumadas, como se os lírios terrestres, com expressões mais delicadas, se houvessem transportado aos jardins do paraíso.

A eternidade apresentava-se-lhe com encantos e venturas indizíveis!...

Simeão falava carinhosamente da sua adaptação à vida nova e das belezas sublimadas do reino de Jesus, recordando com alegria as penosas angústias da vida na Terra, quando aos seus ouvidos ecoaram vozes argentinas e harmônicas dos rouxinóis siderais que festejavam, nas Alturas, a redenção dos mártires do Cristianismo, como se estivessem chegando às cercanias de uma nova Galileia, saturada de melodias e perfumes deliciosos, erguida à luz plena do Infinito, qual ninho de almas santificadas e puras balouçando, aos ventos perfumados de interminável primavera, na árvore maravilhosa e sem-fim da Criação...

Aquele hino suave e claro, ora se elevava às Alturas em sonoridades prodigiosas, como se fora um incenso sutil das almas procurando o sólio do Sempiterno em hosanas de amor, de alegria e de reconhecimento, ora descia em melodias arrebatadoras, demandando as sombras da Terra, como se fosse um brado de fé e esperança em Jesus Cristo, destinado a acordar no mundo os corações mais perversos e mais empedernidos...

A linguagem humana não traduz fielmente as harmoniosas vibrações das melodias do Invisível, mas aquele cântico de glória, ao menos palidamente, deve ser lembrado por nós outros como suave reminiscência do paraíso:

Glória a ti, Senhor do Universo, Criador de todas as maravilhas!...

É por tua sabedoria inacessível que se acendem as constelações nos abismos do Infinito e é por tua bondade que se desenvolve a erva tenra na crosta escura da Terra!...

Por ti, Senhor, fez-se o verbo do princípio, ilimitado e sem-fim!...

Por tua grandeza inapreciável e por tua justiça misericordiosa, abre o tempo os seus ilimitados tesouros para as almas!...

Por teu amor, sacrossanto e sublime, florescem todos os risos e todas as lágrimas no coração das criaturas!...

Abençoa, Senhor do Universo, as sagradas esperanças deste reino. Jesus é para nós o teu Verbo de amor, de paz, de caridade e beleza!... Fortalece as nossas aspirações de cooperar em sua Seara Santa!...

Multiplica as nossas energias e faze chover sobre nós o fogo sagrado da fé, para espalharmos na Terra as divinas sementes do amor de teu Filho!...

Basta uma gota do orvalho divino de tua misericórdia para que se purifiquem todos os corações, mergulhados no lodo dos crimes e das impenitências terrestres, e basta um raio só do teu poder para que todos os Espíritos se convertam ao bem supremo!...

E agora, ó Jesus, Cordeiro de Deus, que tira o pecado do mundo, recebe as nossas súplicas ardentes e fervorosas!

Abençoa, ó divino Mestre, os que chegam redimidos da terra da amargura, santifica-lhes as esperanças com o anélito criador de tuas bênçãos sacratíssimas!...

Vítimas da perversidade humana, cumpriram, valorosamente, os teus missionários, todas as obrigações que os prendiam ao cárcere do penoso degredo!...

O mundo, no torvelinho de suas inquietações e iniquidades, não lhes compreendeu o coração amantíssimo, mas, na tua bondade e misericórdia, abres aos mártires da verdade as portas divinas do teu reino de luz...

Estrofes de profunda beleza espalhavam nas estradas claras e sublimadas do éter universal as bênçãos da paz e das alegrias harmoniosas!

Os seres inferiores, das esferas espirituais mais próximas do planeta, recebiam aqueles eflúvios sacrossantos do celeste banquete reservado por Jesus aos mártires da sua doutrina de redenção, como se fossem também convidados pela misericórdia do divino Mestre, e muitos deles, recebendo no íntimo aquelas vibrações maravilhosas, se converteram para sempre ao amor e ao bem supremos.

Harmonias suavíssimas saturavam todas as atmosferas espirituais, derramando sobre a Terra claridades augustas e soberanas.

Naquela região de belezas ignotas e prodigiosas, intraduzíveis na pobreza da linguagem humana, Lívia retemperou as forças morais, depois do austero cumprimento de sua missão divina.

Ali, compreendeu a extensão do conceito de "muitas moradas", dos ensinamentos de Jesus, contemplando junto de Simeão as mais diversas esferas de trabalho, localizadas nas cercanias da Terra, ou estudando a grandeza dos mundos disseminados pela Sabedoria Divina no oceano imensurável do éter, na imortalidade. Obedecendo às tendências do seu coração, não se esqueceu das antigas amizades nos círculos espirituais, colocados nas zonas terrestres.

Depois de alguns dias de emoções suaves e carinhosas, todos os Espíritos, reunidos naquela paisagem luminosa, se prepararam para receber a visita do Senhor, como quando da sua divina presença na bucólica moldura da Galileia.

Num dia de maravilhosa e indefinível beleza, em que uma claridade de cambiantes divinos entornava saboroso mel de alegria em todos os corações, descia o Cordeiro de Deus da esfera superior de suas glórias sublimes e, tomando a palavra naquele cenáculo de maravilhas, recordava as suas inesquecíveis pregações junto às águas tranquilas do pequeno "mar" da Galileia. De modo algum se poderia traduzir fielmente, na Terra, a beleza nova da sua palavra eterna, substância de todo o amor, de toda a verdade e de toda a vida, mas constitui para nós um dever, neste escorço, lembrar a sua ilimitada sabedoria, ousando reproduzir, imperfeitamente e de leve, a essência sagrada de sua lição divina naquele momento inesquecível.

Figurava-se, a todos os presentes, a cópia fiel dos quadros graciosos e claros do Tiberíades. A palavra do Mestre derramava-se no ádito das almas, com sonoridades profundas e misteriosas, enquanto de seus olhos vinha a mesma vibração de misericórdia e de serena majestade.

— Vinde a mim, vós todos que semeastes, com lágrimas e sangue, na vinha celeste do meu reino de amor e verdade!...

"Nas moradas infinitas do Pai, há luz bastante para dissipar todas as trevas, consolar todas as dores, redimir todas as iniquidades...

"Glorificai-vos, pois, na sabedoria e no amor de Deus Todo-Poderoso, vós que já sacudistes o pó das sandálias miseráveis da carne, nos sacrifícios purificadores da Terra! Uma paz soberana vos aguarda, para sempre, no reino dilatado e sem-fim, prometido pelas divinas aleluias da Boa-Nova, porque não alimentastes outra aspiração no mundo, senão a de procurar o Reino de Deus e de sua justiça.

"Entre a manjedoura e o Calvário, tracei para as minhas ovelhas o eterno e luminoso caminho... O evangelho floresce, agora, como a seara imortal e inesgotável das bênçãos divinas. Não descansemos, contudo, meus amados, porque tempo virá na Terra, em que todas as suas lições hão de ser espezinhadas e esquecidas... Depois de longa era de sacrifícios para consolidar-se nas almas, a doutrina da redenção será chamada a esclarecer o governo transitório dos povos, mas o orgulho e a ambição, o despotismo e a crueldade hão de reviver os abusos nefandos de sua liberdade! O culto antigo, com as suas ruínas pomposas, buscará restaurar os templos abomináveis do bezerro de ouro. Os preconceitos religiosos, as castas clericais e os falsos sacerdotes restabelecerão novamente o mercado das coisas sagradas, ofendendo o amor e a sabedoria de nosso Pai, que acalma a onda minúscula no deserto do mar, como enxuga a mais recôndita lágrima da criatura, vertida no silêncio de suas orações ou na dolorosa serenidade de sua amargura indizível!...

"Soterrando o evangelho na abominação dos lugares santos, os abusos religiosos não poderão, todavia, sepultar o clarão de minhas verdades, roubando-as ao coração dos homens de boa vontade!...

"Quando se verificar este eclipse da evolução de meus ensinamentos, nem por isso deixarei de amar intensamente o rebanho das minhas ovelhas tresmalhadas do aprisco!...

"Das esferas de luz que dominam todos os círculos das atividades terrestres, caminharei com os meus rebeldes tutelados, como outrora entre os corações impiedosos e empedernidos de Israel, que escolhi, um dia, para mensageiro das verdades divinas entre as tribos desgarradas da imensa família humana!...

"Em nome de Deus Todo-Poderoso, meu Pai e vosso Pai, regozijo-me aqui convosco, pelos galardões espirituais que conquistastes no meu reino de paz, com os vossos sacrifícios abençoados e com as vossas renúncias purificadoras! Numerosos missionários de minha doutrina ainda tombarão, exânimes, na arena da impiedade, mas hão de constituir convosco a caravana apostólica, que nunca mais se dissolverá, amparando todos os trabalhadores que perseverarem até o fim, no longo caminho da salvação das almas!...

"Quando a escuridão se fizer mais profunda nos corações da Terra, determinando a utilização de todos os progressos humanos para o extermínio, para a miséria e para a morte, derramarei minha luz sobre toda a carne e todos os que vibrarem com o meu reino e confiarem nas minhas promessas, ouvirão as nossas vozes e apelos santificadores!...

"Pela sabedoria e pela verdade, dentro das suaves revelações do Consolador, meu verbo se manifestará novamente no mundo, para as criaturas desnorteadas no caminho escabroso, por meio de vossas lições, que se perpetuarão nas páginas imensas dos séculos do porvir!...

"Sim! amados meus, porque o dia chegará no qual todas as mentiras humanas hão de ser confundidas pela claridade das revelações do Céu. Um sopro poderoso de verdade e vida varrerá toda a Terra, que pagará, então, à evolução dos seus institutos, os mais pesados tributos de sofrimento e de sangue... Exausto de receber os fluidos venenosos da ignomínia e da iniquidade de seus habitantes, o próprio planeta protestará contra a impenitência dos homens, rasgando as entranhas em dolorosos cataclismos... As impiedades terrestres formarão pesadas nuvens de dor que rebentarão, no instante oportuno, em tempestades de lágrimas na face escura da Terra e, então, das claridades da minha misericórdia, contemplarei meu rebanho desditoso e direi como os meus emissários: 'Ó Jerusalém, Jerusalém!...'

"Mas nosso Pai, que é a sagrada expressão de todo o amor e sabedoria, não quer se perca uma só de suas criaturas, transviadas nas tenebrosas sendas da impiedade!...

"Trabalharemos com amor na oficina dos séculos porvindouros, reorganizaremos todos os elementos destruídos, examinaremos detidamente todas as ruínas buscando o material passível de novo aproveitamento e, quando as instituições terrestres reajustarem a sua vida na fraternidade e no bem, na paz e na justiça, depois da seleção natural dos Espíritos e dentro das convulsões renovadoras da vida planetária, organizaremos para o mundo um novo ciclo evolutivo, consolidando, com as divinas verdades do Consolador, os progressos definitivos do homem espiritual."

A voz do Mestre parecia encher os âmbitos do próprio Infinito, como se Ele a lançasse, qual baliza divina do seu amor, no ilimitado do espaço e do tempo, no seio radioso da eternidade.

Terminando a exposição de suas profecias augustas, sua figura sublimada elevava-se às Alturas, enquanto um oceano de luz azulada, de mistura aos sons de melodias divinas e incomparáveis, invadia aqueles domínios espirituais, com as tonalidades cariciosas das safiras terrestres.

Todos os presentes, genuflexos na sua doce emoção, choravam de reconhecimento e alegria, enchendo-se de santificada coragem para as elevadas tarefas que lhes competia levar a efeito, no curso incessante dos séculos. Flores de maravilhoso azul-celeste choviam do Alto sobre todas as frontes, desfazendo-se, todavia, ao tocarem nas delicadas substâncias que formavam o solo daquela paisagem de soberana harmonia, como se fossem lírios fluídicos, de perfumada neblina.

Lívia chorava de comoção indefinível, enquanto Simeão, com seus generosos ensinamentos, a instruía das novas missões de trabalho santificante, que lhe aguardavam a dedicação no Plano Espiritual.

— Meu amigo — disse ela entre lágrimas —, as agonias terrestres são um preço misérrimo para estas recompensas radiosas e imortais!... Se todos os homens tivessem conhecimento direto de semelhantes venturas, não possuiriam outra preocupação além da de buscar o glorioso Reino de Deus e de sua Justiça.

— Sim, filha — murmurou Simeão, como se os seus olhos pousassem serenamente nos quadros do futuro —, um dia, todos os seres da Terra hão de conhecer o evangelho do Mestre, observando-lhe os ensinos!... Para isso, haveremos de sacrificar-nos pelo Cordeiro de Deus, quantas vezes forem necessárias. Organizaremos avançados postos de trabalho entre as sombras terrestres, buscaremos acordar todos os corações adormecidos nas reencarnações dolorosas, para as harmonias sublimes destas divinas alvoradas!...

"Se for preciso, voltaremos de novo ao mundo, em missões santificadoras de paz e verdade... Sucumbiremos na cruz infamante, ou daremos o sangue em repasto às feras da ambição e do orgulho, do ódio e da impiedade, que dormitam nas almas dos nossos companheiros da existência terrestre, convertendo todos os corações ao amor de Jesus Cristo!..."

Nesse instante, todavia, Lívia notou que um grupo gracioso de entidades angélicas distribuía as graças do Senhor naquela paisagem florida do Infinito, organizada no Além como estância de repouso, recompensando com as suas excelsitudes os que haviam partido das angústias terrenas, após o cumprimento de missão divina.

Todos os que haviam alcançado a vitória celeste com os seus esforços, nos martírios santificantes, retemperavam agora as forças morais e desejavam conhecer novas esferas de gozo espiritual, novas expressões da vida noutros mundos, renovando conhecimentos nos templos radiosos e sublimes da eternidade e restabelecendo, ao mesmo tempo, o equilíbrio de suas emoções mais queridas.

Junto à magnanimidade dos mensageiros de Jesus, sublimados planos foram arquitetados. Novos cenários, novas oficinas de estudo, novas emoções no reencontro de afetos inesquecíveis, que haviam antecedido os missionários do Senhor na noite escura e fria da morte.

Chegando-lhe a vez de externar seus mais recônditos desejos, a nobre companheira do senador, depois de auscultar os seus sentimentos mais profundos, respondeu, entre lágrimas, ao emissário de Jesus que a interpelava:

— Mensageiro do bem, as maravilhas do reino do Senhor teriam para mim uma nova beleza, se eu pudesse penetrar-lhes as excelsitudes, em companhia do coração que é metade do meu, da alma gêmea da minha, que a sabedoria de Deus, em seus profundos e doces mistérios, destinou ao meu modo de ser, desde a aurora dos tempos!...

"Não desejo menosprezar a glória sublime destas regiões de felicidade e de paz indizíveis, mas, no meio de todas estas alegrias que me rodeiam, sinto saudades da alma que é o complemento da minha própria vida!...

"Dai-me a graça de voltar às sombras da Terra e erguer, do lodaçal do orgulho e das vaidades impiedosas, o companheiro do meu destino!... Permiti que possa protegê-lo em Espírito, a fim de um dia trazê-lo aos pés de Jesus, igualmente, de modo que também receba as suas divinas bênçãos!..."

A entidade angélica sorriu com profunda compreensão e terna complacência, exclamando:

— Sim, o amor é o laço de luz eterna que une todos os mundos e todos os seres da imensidade; sem ele, a própria Criação infinita não teria razão de ser, porque Deus é a sua expressão suprema... As perspectivas deslumbrantes das esferas felizes perderiam a divina beleza, se não guardássemos a esperança de participar, um dia, de suas ilimitadas venturas, junto dos nossos bem-amados, que se encontram na Terra ou noutros círculos de provação, do Universo...

E, fixando o lúcido olhar nos olhos serenos e fulgurantes de Lívia, continuou como se lhe devassasse os pensamentos mais secretos e mais profundos:

— Conheço toda a tua história e sei de tuas lutas incessantes e redentoras, nas encarnações do passado, justificando assim os teus propósitos de prosseguir, em Espírito, trabalhando na Terra pelo aperfeiçoamento daqueles a quem muito amaste!...

"Também o Cordeiro de Deus, por muito amar a Humanidade, não desdenhou a humilhação, o martírio, o sacrifício...

"Vai, minha filha. Poderás trabalhar livremente entre as falanges radiosas que operam na face sombria do planeta terrestre. Voltarás aqui, sempre que necessitares de novos esclarecimentos e novas energias. Regressarás junto de Simeão, logo que o desejares. Ampara o teu infeliz companheiro na longa esteira de suas expiações rudes e amargas, mesmo porque o desventurado Publius Lentulus não está longe da sua mais angustiosa provação na atual existência, perdida, infelizmente, pelo seu desmarcado orgulho e pela sua vaidade fria e impiedosa!..."

Lívia sentiu-se tomada de indizível emoção em face daquela revelação dolorosa, mas, simultaneamente, externou todo o seu reconhecimento à Misericórdia Divina, na intimidade do seu coração sensível e amoroso.

Naquele mesmo dia, em companhia de Simeão, a generosa criatura voltava à Terra, afastando-se provisoriamente daqueles domínios esplendorosos.

Através da sua excursão espiritual, sublime e vertiginosa, observou as mesmas perspectivas encantadoras e deslumbrantes do caminho, recebendo, extasiada, elevados ensinamentos do venerando amigo da Samaria.

Em pouco tempo aproximavam-se ambos de larga mancha escura.

Já na atmosfera da Terra, Lívia sentiu a singular diversidade da natureza ambiente, experimentando os mais penosos choques fluídicos.

Num ápice, notou que se encontravam na mesma Roma da sua infância, da sua juventude e das suas amargas provações.

Era meia-noite. Todo o hemisfério estava mergulhado nos abismos de sombra.

Amparada pelos braços e pela experiência de Simeão, chegou ao seu antigo palácio do Aventino, identificando-lhe os mármores preciosos.

Lá penetrando, Lívia e Simeão se dirigiram imediatamente ao quarto do senador, então iluminado por frouxa claridade.

Com exceção das ruas, onde se movimentavam ruidosamente os escravos, nos serviços noturnos de transporte, segundo os costumes do tempo, toda a cidade repousava na sombra.

De joelhos ante a relíquia de Simeão, como de seu recente costume, Publius Lentulus meditava. Seu pensamento descia aos abismos tenebrosos do passado, nos quais buscava rever, angustiadamente, as afeições inesquecíveis que o haviam precedido nas sendas tristes da morte. Fazia mais de um mês que a esposa havia demandado, igualmente, os mistérios do túmulo, em trágicas circunstâncias.

Mergulhado nas trevas do seu exílio de amargores e profundas saudades, o orgulhoso patrício serenava as inquietações dolorosas do dia, a fim de melhor consultar os mistérios do ser, do sofrimento e do destino... Em dado instante, quando mais fundas e melancólicas as penosas reminiscências, notou, através do véu de suas lágrimas, que a pequena cruz de madeira como que emitia delicados fios de luz prateada, qual se fora banhada de luar misericordioso e brando.

Publius Lentulus, absorto nas vibrações pesadas e obscuras da carne, não viu a nobre silhueta de sua mulher, que ali se encontrava junto do venerável apóstolo da Samaria, regozijando-se no Senhor, ao verificar as profundas e benéficas modificações espirituais da alma gêmea da sua, na peregrinação iterativa das encarnações terrenas. Tomada de alegria e reconhecimento para com a Providência Divina, Lívia beijou-lhe a fronte num transporte de indefinível ternura, ao passo que Simeão erguia aos céus uma prece de amor e agradecimento.

O senador não lhes percebeu, diretamente, a presença suave e luminosa, mas no íntimo da alma sentiu-se tocado por uma força nova, ao mesmo tempo que o seu coração dilacerado se viu envolto na luz cariciosa de uma consolação inefável e até então desconhecida.

VII
Teias do infortúnio

Parecia que o ano 58 estava destinado a assinalar os mais penosos incidentes para a vida do senador Lentulus e a de sua família.

A morte de Calpúrnia e o falecimento inesperado de Lívia, dolorosos acontecimentos que impuseram à casa um luto permanente, obrigaram Plínio Severus a conchegar-se um pouco mais ao ambiente doméstico, onde instituíra uma trégua aos seus desatinos de homem ainda novo, para viver em relativa calma ao lado da esposa.

Aurélia, contudo, na violência de suas pretensões, não descansava. Conseguindo introduzir uma serva astuta junto de Flávia, de conformidade com antigo projeto da sua mentalidade doentia, iniciou a sinistra execução de um plano diabólico, no sentido de envenenar, vagarosamente, a rival retraída e desditosa.

A princípio, observou a filha do senador que lhe surgiam algumas erupções cutâneas que, consideradas de somenos importância, foram tratadas tão somente à pasta de miolo de pão misturado ao leite de jumenta, medicamento havido na época como específico dos mais eficazes para a conservação da pele. A esposa de Plínio, todavia, queixava-se incessantemente de fraqueza geral, apresentando o mais profundo desânimo.

Quanto a Plínio, o retomar a normalidade da vida pública e entregar-se, de novo, ao violento amor de Aurélia, foi questão de poucos dias, regressando à vida espetaculosa, com a amante e, agora, com a situação sentimental muito agravada pelas caluniosas denúncias de Saul, acerca das relações afetuosas de Agripa com a esposa.

Plínio Severus, embora generoso, era impulsivo: no regime familiar, seu espírito era o desses tiranos domésticos, que, adotando a conduta mais desregrada e incompreensível, não toleram a mínima falta no santuário da família. A despeito de sua orientação errônea e condenável, passou a vigiar constantemente o irmão e a esposa, com a feroz impulsividade do leão ofendido.

Saul de Gioras, por sua vez, despeitado com a sublime e fraternal afeição entre Flávia e Agripa, não perdia ensejo para envenenar o coração impetuoso do oficial, levando-lhe as calúnias mais torpes e injustificáveis.

Agripa, na sua generosidade e no seu sentimentalismo, não podia adivinhar as ciladas que o enredavam na vida comum e prosseguia com a preciosa atenção de sua amizade, junto da mulher que não podia amá-lo senão com sublimado amor fraterno.

O ex-escravo dos Severus não perdia, contudo, as esperanças. Procurando frequentemente o velho Araxes, que aumentava de cupidez e ambição à medida que se lhe multiplicavam os anos, aguardava ansiosamente o instante de realizar sua apaixonada aspiração.

Observando que Flávia Lentúlia dispensava profunda afeição a Agripa, não trepidou em ver sinceramente nos seus menores gestos uma prova de amor intenso e correspondido, procurando insinuar-se por todos os modos, a fim de captar-lhe, igualmente, o interesse e a atenção.

Uma noite, depois de mais de dois meses de expectativa ansiosa para atingir seus fins ignóbeis, conseguiu aproximar-se da jovem senhora, quando sozinha, ela repousava em largo divã do espaçoso terraço.

Do alto, contemplavam-se os mais belos panoramas da cidade, então clareada pelo brilho das primeiras estrelas, na languidez suave do crepúsculo. As brisas cariciosas da tarde tranquila traziam sons de alaúdes e harpas, tangidos nas vizinhanças, como se fossem vozes harmoniosas do seio imenso da noite.

Saul fixou a mulher cobiçada, observando-lhe o formoso e delicado semblante de madona, de uma palidez de neve, sob o domínio de um langor doentio e inexplicável!... Aquela criatura representava o objeto de todas as suas aspirações violentas e rudes, a meta da sua felicidade impossível e impetuosa. Na materialidade dos seus sentimentos, não a podia amar como se fora um irmão, e sim com a brutalidade dos seus impuros desejos.

— Senhora — disse resoluto, depois de fitar-lhe o rosto demoradamente —, há muitos anos espero um minuto como este, para poder confessar-vos a enorme afeição que vos dedico. Quero-vos acima de tudo, até da própria vida! Sei que para mim estais num plano inacessível, mas que fazer, se não consigo dominar esta adoração, este intenso amor de minha alma?

Flávia abriu desmesuradamente os olhos serenos e tristonhos, tomada de penosa surpresa.

— Senhor Saul — revidou corajosamente, triunfando da sua emoção —, serenai vosso ânimo... Se me tendes tamanha afeição, deixai-me no caminho dos meus deveres, no qual precisa conservar-se toda mulher ciosa da sua virtude e do seu nome! Calai, portanto, vossas emoções neste sentido, porque o amor que me confessais não pode passar de um desejo violento e impuro!...

— Impossível, senhora! — ajuntou o liberto exasperado. — Já fiz tudo para esquecer-vos... Tenho feito tudo que era possível para afastar-me definitivamente de Roma, desde o dia infausto em que vos vi pela primeira vez!... Regressei para Massília decidido a nunca mais voltar, porém, quanto mais me apartava da vossa presença, mais se me enchia a alma de tédio e de amargura! Fixei-me aqui, novamente, onde tenho vivido da minha desventura e das minhas tristes esperanças!... Por mais de dez anos, senhora, tenho esperado pacientemente. Sempre tributei respeito às vossas indiscutíveis virtudes, aguardando que um dia vos cansásseis do esposo infiel que o destino colocou, impiedosamente, no vosso caminho!...

"Agora, pressinto que esgotastes o cálice das amarguras domésticas, porque não hesitastes em ceder ao afeto de Agripa... Desde que vos vi na companhia de um homem que não é o vosso marido, tremo de ciúmes, porque sinto que fostes talhada apenas para mim... Ardo em zelos, senhora, e todas as noites sonho intensamente com os vossos carinhos e com a doce ternura de vossas palavras, que me enchem a alma toda, como se de vós tão somente dependesse toda a felicidade da minha vida!...

"Atendei aos apelos da minha afeição interminável! Não me façais esperar mais tempo, porque eu poderia morrer!..."

Flávia Lentúlia ouvia-o, agora, entre surpreendida e aterrada. Quis levantar-se, mas faltou-lhe o ânimo preciso. Mesmo assim, teve a coragem necessária para responder-lhe:

— Enganai-vos! Entre mim e Agripa existe apenas uma afeição santificada e pura, de irmãos que se identificam nas provações e nas lutas da vida.

"Não aceito as vossas insinuações acrimoniosas à vida particular de meu marido, porque, tenha ele a conduta que lhe aprouver na existência, eu devo ser a sentinela do seu lar e a honra do seu nome...

"Se puderdes compreender o respeito devido a uma mulher, retirai-vos daqui, porque os vossos propósitos de traição me causam a mais profunda repugnância!"

— Deixar-vos? Nunca!... — exclamou Saul com terrível entono. — Esperar tantos anos e nada conseguir? Nunca, nunca!...

E avançando para a senhora indefesa, que se levantara num esforço supremo, abraçou-lhe o busto, em ânsias apaixonadas, retendo-a nos braços impulsivos, por um rápido minuto.

Saul, todavia, na sua excitação e terrível impulsividade, não teve ânimo para resistir à força sobre-humana com que a pobre senhora se defendeu naquele transe penoso para a sua alma sensível, e perdeu a presa que se lhe escapou inopinadamente das mãos criminosas, descendo imediatamente aos seus aposentos, onde se recolheu, chorando as lágrimas da sua dignidade ofendida, mas evitando qualquer nota escandalosa sobre o incidente.

Só no dia seguinte, à noite, Plínio Severus regressou a casa, encontrando a esposa desalentada e abatida.

Censurando-lhe a ausência, na intimidade conjugal, o esposo infiel respondeu-lhe secamente:

— Mais uma cena de ciúmes? Bem sabes que isso é inútil!

— Plínio, meu querido — esclareceu entre lágrimas —, não se trata de ciúme, mas da justa defesa de nossa casa!...

E, em rápidas palavras, a desventurada criatura o pôs ao corrente de todos os fatos, todavia, o oficial esboçou um sorriso de incredulidade, acentuando com certa indiferença:

— Se esta longa história é mais um artifício de mulher ciumenta, para me reter na insipidez do ambiente doméstico, todo o esforço é dispensável, porque Saul é o meu melhor amigo. Ainda ontem, quando me encontrava em sérias aperturas financeiras para resgatar algumas dívidas, foi ele quem me emprestou oitocentos mil sestércios. Seria melhor, portanto, que prezasses mais alto a honra do nosso nome, abandonando as tuas relações com Agripa, já excessivamente comentadas, para que eu alimente qualquer dúvida!

E, assim falando, retirava-se novamente para os prazeres da vida noturna, enquanto a consorte sofria, em silêncio, o seu inominável martírio moral, sentindo-se abandonada e incompreendida, sem qualquer esperança.

Alguns dias correram lentos, amargos, dolorosos.

Flávia, dado o seu natural retraimento feminino, não teve coragem de confiar ao pai, já de si tão acabrunhado pelos golpes da vida, a sua enorme desdita.

Agripa, observando-lhe o abatimento, buscava confortar-lhe o coração com generosas palavras, examinando as perspectivas de melhores dias no porvir.

A pobre senhora, todavia, definhava a olhos vistos, sob o domínio das moléstias inexplicáveis que lhe dominavam os centros de força e sob a tortura íntima dos seus penosos segredos.

Saul de Gioras, como se tivesse todos os seus instintos açulados por aquele minuto em que tivera entre os braços impetuosos a mulher dos seus desejos impulsivos, jurava, intimamente, possuí-la a qualquer preço, enchendo-se dos mais terríveis propósitos de vingança contra o filho mais velho de Flamínio. Foi assim que continuou a frequentar o palácio do Aventino, tomado das intenções mais sinistras.

Respeitando as antigas tradições da família Severus, que sempre fizera questão de proporcionar àquele liberto um perfeito tratamento de amigo íntimo, Publius Lentulus, embora a pouca simpatia que lhe inspirava, concedia-lhe o máximo de liberdade na sua residência, sem de leve suspeitar dos seus propósitos condenáveis. Agora, Saul não buscava a intimidade da família nem procurava avistar-se, de modo algum, com a esposa de Plínio ou com o pai, conservando-se na companhia dos servos da casa ou permanecendo nos aposentos particulares de Agripa ou do irmão, que nunca lhe haviam negado a mais sincera confiança.

Da sua permanência nas sombras, todavia, procurava observar os mínimos gestos do irmão mais velho de Plínio, que, atendendo à situação de abatimento de Flávia Lentúlia, se conservava horas a fio, muitas vezes, em companhia do velho senador, nos seus apartamentos privados, ora prolongando as suas tristes esperanças no futuro, com a possível compreensão do irmão, ora dando-lhe a conhecer os versos mais admirados da cidade, comentando-se, fraternalmente, as bagatelas encantadoras da vida social.

Diariamente, contudo, o sicofanta[26] Saul procurava o marido de Flávia, para colocá-lo ao corrente de fatos injustificáveis e inverossímeis, a respeito da vida íntima de sua mulher.

Plínio Severus dava todo o crédito aos desarrazoamentos do falso amigo, afervorando cada vez mais sua dedicação a Aurélia, que lhe empolgava o coração, assediado e enceguecido pelas mais torpes tentações da vida material.

Envenenado pelas intrigas criminosas e reiteradas de Saul, licenciara-se o oficial, de modo a realizar uma viagem às Gálias, com a amante, por satisfazer-lhe caprichosos desejos há muito manifestados.

No dia da partida para Massília, de onde pretendia demandar o interior da província, foi procurado por Saul na residência de Aurélia, a qual ficava próxima do Fórum, ouvindo-lhe, em febre de ódio, as mais tremendas assacadilhas, terminadas com esta aleivosa sugestão:

— Se quiseres verificar por ti mesmo a traição de Agripa e tua mulher, volta hoje à noite, furtivamente, a tua casa e busca penetrar inesperadamente no teu quarto. Não precisarás, então, dos zelos da minha dedicação amiga, porque encontrarás teu irmão em atitudes decisivas.

Naquele momento, Plínio Severus ultimava os preparativos de viagem, tendo mesmo, pela manhã, apresentado suas despedidas em casa, aos mais íntimos familiares; para justificar os imperativos de sua ausência, alegara determinações expressas da chefia de suas atividades militares, embora fossem muito diversos os verdadeiros e inconfessáveis motivos da partida.

Ouvindo, entretanto, as graves denúncias do liberto judeu, o oficial preparou-se para enfrentar qualquer eventualidade, dirigindo-se, à noite, para o palácio do Aventino, com o espírito atormentado por tigrinos sentimentos.

O ex-escravo, porém, que planejara executar seus projetos criminosos, nas suas intenções impiedosas e terríveis, postou-se, à noitinha, com a cumplicidade natural de todos os servidores da casa, nos apartamentos particulares de Agripa, procedendo de tal modo que os próprios escravos não poderiam atinar com a sua permanência nos aposentos referidos.

À noite, Plínio Severus procurou a casa, inopinadamente, com surpresa para alguns criados, que tinham ciência de suas despedidas e, sem dizer palavra, enceguecido pelas calúnias injuriosas do falso amigo, penetrou

---

[26] N.E.: Aquele que delata ou presta informações falsas, acusador.

cautelosamente no gabinete da esposa, ouvindo a voz despreocupada do irmão, embora não conseguisse identificar o que dizia.

Abrindo um pouco a cortina sedosa e delicada, viu Agripa nos seus gestos de carinho íntimo e fraterno, acariciando as mãos de Flávia com um leve e doce sorriso.

Por muito tempo observou-lhes, ansioso, os menores gestos, surpreendendo-lhes as recíprocas demonstrações de suave estima fraternal, representados, agora, a seus olhos cegos de ódio e ciúme, como os mais francos indícios de prevaricação e adultério.

No auge da desesperação, abriu as cortinas num gesto brusco, penetrando a câmara conjugal, como se fora um tigre atormentado.

— Infames! — acentuou em voz baixa e enérgica, procurando evitar a escandalosa assistência dos criados. — Então, é deste modo que manifestam o respeito devido à dignidade do nosso nome?

Flávia Lentúlia, com os seus padecimentos físicos profundamente agravados, fazia-se pálida de neve, enquanto Agripa enfrentava o terrível olhar do irmão, singularmente surpreendido.

— Plínio, com que direito me insultas desta forma? — perguntou ele energicamente. — Saiamos daqui, imediatamente. Discutiremos as tuas injuriosas objeções no meu quarto. Aqui permanece uma pobre criatura enferma e abandonada pelo esposo, que lhe humilha o nome e os melindres com a vileza de um proceder criminoso e injustificável, uma senhora que requer o nosso amparo e o nosso respeito!...

Os olhos de Plínio Severus fuzilavam de ódio, enquanto o irmão se levantava serenamente, retirando-se para os seus aposentos, acompanhado do oficial que fremia de raiva, agravada pela humilhação que lhe infligia a calma superior do adversário.

Chegados, porém, aos aposentos de Agripa, o impulsivo oficial, depois de numerosas acusações e reprimendas, explodia em exclamações deste jaez:

— Vamos! Explica-te, traidor!... Então, lanças a lama da tua ignomínia sobre o meu nome e te acovardas nesta serenidade incompreensível?!

— Plínio — disse ponderadamente Agripa, obrigando o interlocutor a calar por alguns momentos —, é tempo de pores termo aos teus desatinos.

"Como poderás provar semelhante calúnia contra mim, que sempre te desejei o maior bem? Qualquer comentário menos digno, acerca da conduta de tua mulher, é um crime imperdoável. Falo-te, nesta hora grave dos nossos destinos, invocando a memória irrepreensível de nossos pais e o nosso passado de sinceridade e confiança fraterna..."

O impetuoso oficial quase se imobilizava, como um leão ferido, ouvindo essas ponderações superiores e calmas, enquanto Agripa continuava a externar suas impressões mais íntimas e mais sinceras:

— E agora — prosseguia com serenidade —, já que reclamas um direito que nunca cultivaste, em vista da sucessão interminável dos teus desatinos na vida social, devo afirmar-te que adorei tua mulher acima de tudo, em toda a vida!... Quando gastavas a tua mocidade junto do espírito turbulento de Aurélia, vimos Flávia, na sua juventude, pela primeira vez, logo após o seu regresso da Palestina e descobri nos seus olhos a claridade afetuosa e terna que deveria iluminar a placidez do lar que eu idealizei nos dias que se foram!... Mas descobriste, simultaneamente, a mesma luz e eu não hesitei em reconhecer os direitos que te cabiam ao coração, porque ela correspondeu à intensidade do teu afeto, parecendo-me unida a ti pelos laços indefiníveis de santificado mistério!... Flávia te amava, como sempre te amou, e a mim só competia esquecer, buscando ocultar as minhas ansiedades torturantes e angustiosas!...

"Ao ensejo do teu casamento, não resisti vê-la partir nos teus braços e, depois de ouvir a palavra materna, amorosa e sábia, demandei outras terras com o coração esfacelado! Por dez anos amargurosos e tristes, peregrinei entre Massília e a nossa propriedade de Avênio, em aventuras loucas e criminosas. Nunca mais pude acarinhar a ideia da constituição de uma família, atormentado constantemente pelas recordações da minha desventura silenciosa e irremediável.

"Ultimamente, voltei a Roma com os derradeiros resquícios da minha ilusão dolorosa e malograda...

"Encontrei-te no abismo das afeições ilícitas e não te exprobrei os deslizes injustificáveis.

"Sei que gastaste três quartas partes dos nossos bens comuns, satisfazendo a louca prodigalidade de tuas aventuras infelizes e degradantes, e não te censurei o procedimento inesperado.

"E aqui, nesta casa, sob este teto que constitui para nós ambos o prolongamento carinhoso do teto paternal, não tenho sido para a tua nobre mulher senão um irmão dedicado e amigo!..."

Vendo-se acusado, claramente, por suas faltas e sentindo-se ferido nas suas vaidades de homem, Plínio Severus reagiu com mais ferocidade, exclamando exaltadamente na sua desesperação:

— Infame, é inútil aparentares esta superioridade inacreditável! Somos iguais, nos mesmos sentimentos, e não creio na tua dedicação desinteressada nesta casa. Há muito tempo vives com Flávia, ostensivamente, em aventuras criminosas, mas resolveremos, agora, toda a nossa questão pela espada, porque um de nós deve desaparecer!...

E, arrancando a arma de que fora munido para qualquer eventualidade, avançou decididamente para o irmão, que cruzou os braços, serenamente, esperando-lhe o golpe implacável.

— Então, onde se encontram os teus brios de homem? — exclamou Plínio exasperado. — Esta serenidade expressa bem a tua covardia... Coloca-te em defesa da vida, porque, quando dois irmãos disputam a mesma mulher, um deles deve morrer!

Agripa Severus, porém, sorriu tristemente, retorquindo:

— Não retardes muito a consumação dos teus propósitos, porque me prestarás o bem supremo da sepultura, já que a minha vida, com as suas torturas de cada instante, nada mais representa que um caminho escabroso e longo para a morte.

Reconhecendo-lhe a nobreza e o heroísmo, mas acreditando na infidelidade da mulher, Plínio guardou novamente a espada, exclamando:

— Está bem! Eu podia eliminar-te, mas não o faço, em consideração à memória de nossos pais inesquecíveis, todavia, continuando a acreditar na tua infâmia, partirei daqui para sempre, levando no íntimo a certeza de que tenho em teu espírito de traidor o meu maior e pior inimigo.

Sem mais palavra, Plínio retirava-se a passos largos, enquanto o irmão, caminhando até a porta, lançava-lhe um derradeiro apelo afetuoso, para que não se fosse.

Alguém, todavia, acompanhara a cena, detalhe por detalhe. Esse alguém era Saul que, saindo do seu esconderijo e apagando inopinadamente a luz do quarto, alcançou Agripa num salto certeiro, pelas costas, vibrando-lhe violento golpe. O pobre rapaz caiu redondamente numa poça enorme de sangue, sem que lhe fosse possível articular uma palavra. Em seguida ao ato criminoso, fugiu o liberto, afetando despreocupação, sem que ninguém pudesse atinar com a dolorosa ocorrência.

No seu quarto, porém, Flávia Lentúlia se surpreendia com a demora da solução de um caso em que se via envolvida e também considerado, por ela, à primeira vista, como um acontecimento sem importância.

Levantou-se, depois de considerável esforço, dirigindo-se à porta que comunicava os apartamentos de Agripa com o peristilo, mas, surpreendida com a escuridão e silêncio reinantes, apenas escutou, vindo do interior, um leve rumor, semelhante aos sons roucos de uma respiração fatigada e opressa.

Dominada por dolorosos pressentimentos, a desventurada criatura sentiu bater-lhe o coração descompassadamente.

A ausência de luz, aquele ruído de respiração estertorosa e, sobretudo, o profundo e pavoroso silêncio fizeram-na recuar, buscando o socorro e a experiência de Ana, que lhe conquistara igualmente o coração, pela dedicação e pela humildade, em todos os dias daquele amargurado período da sua existência.

Gozando do respeito e da estima de todos, a velha criada de Lívia era, agora, quase a governanta da casa, a quem, por determinação dos senhores, todas as escravas do palácio do Aventino deviam obediência.

Chamada por Flávia aos seus aposentos particulares, a velha servidora dos Lentulus, depois de ouvir a apressada confidência da senhora, compartilhando-lhe os receios, acompanhou-a ao quarto de Agripa, em cuja porta de entrada também parou pensativa, embora já não mais se ouvisse a respiração opressa, observada minutos antes pela esposa de Plínio.

— Senhora — disse afetuosa —, estais abatida e ainda necessitais de repouso. Voltai ao quarto; se algo houver que justifique os vossos receios, procurarei resolver o assunto junto de vosso pai, a quem cientificarei do que houver, lá no seu gabinete particular.

— Agradecida, Ana — respondeu a senhora visivelmente emocionada —, concordo contigo, mas esperarei aqui no peristilo o resultado de tuas providências.

Com uma prece, a antiga criada penetrou no aposento, fazendo um pouco de luz e parando o olhar, quase estarrecida.

No tapete, o cadáver de Agripa Severus, caído de borco, descansava numa poça de sangue, que ainda corria do profundo ferimento aberto pela arma homicida de Saul.

Ana precisou mobilizar todas as reservas de serenidade da sua fé, para não gritar escandalosamente, alarmando a casa inteira. Ela, porém, que tantos padecimentos havia já experimentado em todo o curso da vida, não tinha grande dificuldade em juntar mais uma nota angustiosa ao concerto de suas amarguras, sofridas sempre com resignação e serenidade.

Todavia, sem poder dissimular a angústia e a profunda palidez, voltou novamente ao peristilo, exclamando algo inquieta, para Flávia Lentúlia, que lhe observava os mínimos gestos, ansiosamente.

— Senhora, não vos assusteis, mas o senhor Agripa está ferido...

E aos primeiros movimentos de curiosidade angustiosa da filha do senador, a qual se lembrava da profunda desesperação do esposo, momentos antes, Ana acalmou-a com estas palavras:

— Não temos tempo a perder! Procuremos o senador, para as primeiras providências, contudo, suponho que devo cuidar sozinha dessa tarefa, aconselhando-vos a buscar a tranquilidade do vosso quarto.

Silenciosas e inquietas, dirigiram-se as duas apressadamente ao gabinete de Publius, absorvido em numerosos processos políticos, no seio tranquilo da noite.

— Agripa, ferido?! — perguntou altamente surpreendido o senador, depois de se inteirar da ocorrência pela palavra de Ana. — Mas quem teria sido o autor de semelhante atentado nesta casa?

— Meu pai — respondeu Flávia entre lágrimas —, ainda há pouco, Plínio e Agripa tiveram séria altercação no interior dos meus aposentos!...

Publius Lentulus percebeu o perigo das palavras confidenciais da filha, em tais circunstâncias, e, como não podia acreditar que os filhos de Flamínio, sempre tão unidos e generosos, fossem ao extremo das armas, acentuou decisivamente:

— Minha filha, não acredito que Plínio e Agripa se abalançassem a tais extremos.

E como estivessem na presença de Ana, que por mais conceituada que fosse, agora, na sua confiança pessoal, não podia modificar a estrutura de suas rígidas tradições familiares, acrescentou, como se quisesse prevenir o espírito da filha contra qualquer revelação inconveniente que pudesse envolver o seu nome em escândalos sociais irremediáveis:

— Além disso, não me pareces muito certa em tuas lembranças, porque Plínio se despediu de manhã, seguindo viagem para Massília. Não podemos esquecer esta circunstância.

"Não se viu algum desconhecido nesta casa?"

— Senhor — respondeu Ana com humildade —, há alguns minutos vi que o senhor Saul se retirava apressado lá do quarto do ferido. De acordo com as minhas observações e atenta à sua familiaridade com os vossos amigos, suponho-o pessoa indicada para nos dar qualquer esclarecimento.

Os olhos do velho senador brilharam estranhamente, como se houvesse encontrado a chave do enigma.

Nesse instante, porém, enquanto organizava os seus papéis apressadamente, a fim de prestar os primeiros socorros ao ferido, Flávia Lentúlia, como se as observações de Ana lhe suscitassem novas explicações, rompeu soluçante.

— Meu pai, meu pai, só agora me recordo de que vos deveria cientificar de coisas muito graves!...

— Filha — acudiu com decisão —, estás doente e fatigada. Recolhe-te ao quarto, procurarei a tudo remediar!... É muito tarde para qualquer ponderação. As coisas graves são sempre más e o mal que não se corta pela raiz, com o esclarecimento oportuno, é sempre uma semente de calamidade guardada em nosso coração, para rebentar em lágrimas de amarguras, nas horas inesperadas da vida!... Falaremos, pois, mais tarde. Urge, agora, providenciar o que seja mais urgente e necessário.

Retirando-se apressado, com a serva, em demanda dos apartamentos do rapaz, notou que Flávia obedecia, sem discussão, às suas determinações, recolhendo-se ao quarto.

Penetrando nos aposentos de Agripa, em companhia da velha serva, Publius Lentulus conseguiu medir toda a extensão da tragédia ali desenrolada, sob o seu teto respeitável.

Fechando a porta de acesso, o senador verificou que o filho mais velho do seu inesquecível Flamínio estava morto, restando saber os íntimos detalhes daquele drama doloroso, cujo fim sangrento era a única cena que ali se deparava.

Ajoelhando-se ao lado do cadáver, no que foi acompanhado pela serva e amiga leal, falou compungidamente:

— Ana, é muito tarde!... O meu pobre Agripa já não vive, nem haveria possibilidade de socorro para um ferimento desta natureza!... Parece haver expirado há poucos momentos!...

Alçando ao Alto o olhar marejado de lágrimas, exclamou amarguradamente:

— Ó manes de meu desventurado filho, acolhei as nossas súplicas pelo descanso perpétuo de sua alma!...

Todavia, aquela prece morrera-lhe no íntimo. A voz tornara-se-lhe frouxa e oprimida. Aquele espetáculo hediondo abalara-o profundamente.

Queria falar, sem o conseguir, porquanto tinha a garganta como que dilacerada e rebelde, sob a força dos singultos do coração, que lhe morriam latentes na soledade da sua imperiosa fortaleza espiritual.

Ana o contemplou aflita, porque seus olhos nunca o haviam observado em atitudes tão íntimas, em todo o longo tempo de serviço naquela casa.

Publius Lentulus, aos seus olhos, era sempre o homem frio e impiedoso, em cujo peito pulsava um coração de ferro, que não podia vibrar senão para as loucas vaidades mundanas.

Naquele instante, contudo, entre assustada e comovida, observava que também o senador tinha lágrimas para chorar. De seus olhos sempre altivos, caíam lágrimas ardentes, que rolavam, silenciosas e tristes, sobre a cabeça inerte do rapaz, também considerado por ele um filho, como se nada mais lhe restasse, além do consolo supremo de abraçar carinhosamente os seus despojos, através do véu escuro de suas dúvidas angustiosas.

Ana, profundamente tocada pela amargura daquela cena íntima, exclamou com humildade, desejosa de confortar a dor imensa daquele mal sem remédio:

— Senhor, tenhamos coragem e serenidade. Nas minhas orações obscuras, sempre peço ao Profeta de Nazaré que vos ampare do Céu, confortando-vos o coração sofredor e desalentado!

O pensamento do senador vagava no dédalo das dúvidas tenebrosas. Cotejando as observações da filha e as palavras de Ana, buscava descobrir, no íntimo, a intuição sobre a culpabilidade do delito. A qual dos dois, Plínio ou Saul, deveria imputar a autoria do atentado nefando? Ele, que decidira tantos processos difíceis na sua vida, ele, que era senador e não perdia também ensejo de participar dos esforços da edilidade romana, sentia agora a dor suprema de exercer a justiça em sua própria casa, na perspectiva da destruição de toda a ventura dos seus filhos muito amados!...

Ouvindo, porém, as expressões consoladoras da serva, recordou a figura extraordinária de Jesus Nazareno, cuja doutrina de piedade e misericórdia a tantos fortalecia para afrontar as situações mais ríspidas da vida, ou para morrer, heroicamente, como sua própria mulher. Dirigindo-se, então, à criada, com intimidade imprevista, em gesto comovedor de simplicidade generosa, qual a serva jamais lhe observara, em qualquer circunstância da vida doméstica, disse:

— Ana, sempre fui um homem enérgico, em toda a vida, mas chega sempre um momento em que o nosso coração se sente acabrunhado diante da rudeza das lutas que o mundo nos oferece com as suas desilusões amargas e dolorosas! Se és tão somente uma serva, eu sei hoje apreciar-te o coração, embora tardiamente!...

Uma lágrima espontânea embargava-lhe a voz, porém o velho patrício continuava:

— Em toda a minha existência, tenho julgado uma imensidade de processos de várias naturezas, relativos à justiça do mundo, mas, de tempos a esta parte, parece-me que estou sendo julgado pela força incoercível de uma Justiça suprema, cujos tribunais não se encontram na Terra!...

"Desde a morte de Lívia, sinto o coração modificado, a caminho de uma sensibilidade, para mim, até então desconhecida.

"A aproximação da velhice parece um prenúncio da morte de todos os nossos sonhos e esperanças!...

"Diante deste cadáver, que, certamente, vai aumentar a sombra dos nossos segredos de família, sinto quão dolorosa é a tarefa de justificar os nossos entes amados; e, já que te referes ao Mestre de Nazaré, cuja doutrina de paz e fraternidade a tantos tem ensinado a morrer com resignação e heroísmo supremos, pela vitória da cruz dos seus martírios terrestres, como procederia Ele num caso destes, em que as mais tremendas dúvidas me pairam no coração, quanto à culpabilidade de um filho muito amado?"

— Senhor — respondeu Ana com humildade, profundamente comovida ante aquela prova de consideração e afeto —, muitas vezes, Jesus nos ensinou que jamais devemos julgar, para não sermos também julgados.

O senador se surpreendia, ao receber, de uma criatura tão simples e tão inculta aos seus olhos, essa maravilhosa síntese da filosofia humana, repassando, no espírito, o seu doloroso pretérito.

— Mas — aventou, como se quisesse justificar-se a si mesmo dos erros profundos do seu passado de homem público — os que não julgam perdoam e esquecem; e, se mandam as leis da vida que sejamos agradecidos ao bem que se nos faça, não podemos perdoar ao mal que se nos atira no caminho!...

Ana, porém, não perdeu o ensejo de consolidar o ensinamento evangélico, acrescentando com doçura:

— Mesmo na minha terra, a Lei antiga mandava que se cobrasse olho por olho e dente por dente, mas Jesus de Nazaré, sem destruir a essência dos ensinos do templo, esclareceu que os que mais erram no mundo são os mais infelizes e mais necessitados do nosso amparo espiritual, recomendando, na sua doutrina de amor e caridade, não perdoássemos uma vez só, mas setenta vezes sete vezes.

Publius Lentulus admirava-se de aprender aqueles generosos conceitos da sua criada, dentro dos princípios do perdão irrestrito. Perdoar? Nunca o fizera em suas porfiadas lutas no mundo. Sua educação não admitia piedade ou comiseração para os inimigos, porque todo perdão e toda humildade significavam, para os de sua classe, traição ou covardia.

Lembrava-se, porém, agora, de que em numerosos processos políticos poderia haver perdoado e que, em muitas circunstâncias da sua vida, poderia ter fechado os olhos da sua severidade com amoroso esquecimento.

Sem saber a razão, como se uma energia ignorada lhe reconduzisse o pensamento aos tempos idos, suas lembranças se transportaram ao período remoto de sua viagem à Judeia, revendo com os olhos da imaginação a cena em que, com o seu rigorismo, escravizara impiedosamente um mísero rapaz. Sim, também aquele jovem se chamava Saul e ele trazia agora o cérebro ralado por dúvidas atrozes, entre aquele Saul, liberto dos seus amigos, e a figura de Plínio, sempre guardada no seu conceito num halo de amor e generosidade.

Perdoar?

E o pensamento do senador se quedava em meditações amargas e penosíssimas, naqueles minutos angustiados e longos. Era, talvez, uma das poucas vezes na vida, em que o seu cérebro duvidava, receoso de fazer cair a austeridade do julgamento sobre a fronte de um filho muito querido.

Mas, saindo dessa apatia de alguns minutos, exclamou com resolução:

— Ana, o Profeta Nazareno devia ser, de fato, uma figura divina aqui na Terra!... Eu, porém, sou humano e careço de forças novas para viver uma existência fora de minha época... Quero perdoar e não posso... Quero julgar neste caso e não sei como fazê-lo... Mas hei de saber decidir, quanto à solução deste terrível problema! Farei o possível por observar os preceitos do teu Mestre, guardando uma atitude de silêncio, até que venha a conhecer o verdadeiro culpado, quando, então, buscarei não julgar como os homens, mas pedir a essa Justiça Divina que se manifeste, amparando meus pensamentos e esclarecendo os meus atos...

E como se retomasse a sua energia usual para as lutas da vida, o velho patrício sentenciou:

— Agora, tratemos da vida nas suas realidades dolorosas.

Colocou o cadáver de Agripa no leito, e, recomendando à serva que preparasse o espírito da filha, amparando-lhe o coração no angustioso transe, abriu as portas do aposento, requisitou a presença de todos os fâmulos da casa, levando a ocorrência ao conhecimento das autoridades e procedendo, simultaneamente, a rigoroso inquérito, a fim de apurar a procedência do crime, embora um episódio daquela natureza fosse considerado vulgaríssimo nos dias atribulados da Roma de Domício Nero.

Alguns criados alegavam ter visto Plínio Severus com o irmão, durante a noite, mas a palavra do senador anulava-lhes as informações, com a afirmativa de que o irmão da vítima havia partido, durante o dia, em demanda do porto de Massília.

Saul era, desse modo, a pessoa naturalmente indicada para prestar declarações e, antes mesmo que se realizassem as cerimônias fúnebres, o senador, interrogando-o particularmente, supunha ter razões para crer na sua culpa, observando-lhe as evasivas e alusões descabidas, que não satisfaziam às exigências da sua perquirição psicológica. Suas afirmações e indiretas não coincidiam com asseverações incisivas de Ana, cuja retidão de palavra ele bem conhecia. Em alguns tópicos de suas informações, negou estivesse presente nos aposentos de Agripa e isso foi o bastante para que o senador verificasse que mentia.

Quanto a Plínio, não fora de fato encontrado, obtendo-se tão somente a lacônica participação da sua partida para Massília, o que realmente ocorrera na mesma noite da tragédia, depois da altercação decisiva com o irmão, no palácio do Aventino.

E, assim, em companhia de Aurélia, demandava ele as Gálias, em suntuosa galera, singrando as águas calmas do antigo mar romano.

O senador, porém, apenas desejava ouvir melhor as confidências da filha, para arrancar a confissão suprema do mísero liberto de Flamínio, de cuja culpabilidade não tinha mais dúvida.

Procurou, dessarte, realizar com a maior discrição os funerais do filho do seu inesquecível amigo, aos quais Saul de Gioras teve a desfaçatez de assistir, com toda a serenidade venenosa do seu espírito mesquinho.

Flávia Lentúlia, porém, sob o efeito pernicioso de tóxicos letais, que lhe haviam sido aplicado por Ateia, a serva traidora, paga por Aurélia, a qual, na sua inconsciência, havia envenenado todos os cosméticos de uso da sua ama, destinados ao tratamento da pele e dos cílios, tinha, agora, todos os padecimentos físicos singularmente agravados, além da terrível situação moral em face da penosa ocorrência e de seu acabrunhamento por força de insolúveis dúvidas.

Aquele mal da infância parecia reviver, porque o corpo novamente se abria em chagas dolorosas, enquanto os olhos pareciam seriamente atacados de moléstia implacável.

Três dias depois das exéquias de Agripa, Publius Lentulus, profundamente penalizado, ouviu-lhe o depoimento íntimo e angustioso, com o máximo de atenção amorosa e interessada. Findo o relato minucioso da filha, cujas desventuras conjugais lhe tocavam o âmago do coração, o velho senador requereu novo interrogatório de Saul, com a sua presença, mas, enviando emissários à procura do liberto de Flamínio, ficara atônito com uma nova surpresa.

Saul de Gioras, depois de responder às arguições particulares de Publius Lentulus, quando ainda não se haviam realizado os funerais de Agripa Severus, percebeu claramente a atitude mental do senador para consigo, concluindo que lhe não seria possível enganar o tato psicológico do velho senador.

Dois dias após as cerimônias fúnebres, o liberto procurou Araxes no seu miserável refúgio do Esquilino, com o espírito exacerbado e inquieto.

Crendo sinceramente nas intervenções maravilhosas do mago, à vista das suas faculdades divinatórias, aproveitadas, aliás, por forças tenebrosas do Plano Invisível, ligadas às suas sinistras ambições de dinheiro, notou Saul que o adivinho o recebia com a misteriosa fleuma de sempre. Deixou bem visível a volumosa bolsa, recheada, como a demonstrar-lhe as ricas possibilidades financeiras, para aquisição do talismã de sua ventura.

O velho feiticeiro, encarquilhado pelos anos, reconhecendo-lhe as disposições generosas, desfazia-se em sorrisos de benevolência ambiciosa e enigmática, parecendo devassar-lhe o olhar assustadiço e inquieto, com o fulgor estranho dos seus olhos móveis e penetrantes.

— Araxes — exclamou Saul com voz quase súplice —, estou cansado de esperar o amor da mulher que adoro! Estou aflito e preocupado... Preciso serenar minhas penosas aflições. Ouve-me! Quero de tuas mãos o talismã da felicidade para o meu amor desventurado!...

O velho adivinho guardou por minutos a cabeça entre as mãos, no gesto que lhe era peculiar e, depois, respondeu em voz quase sumida:

— Senhor, dizem-me as vozes do Invisível que as vossas aflições não são resultantes de um amor incompreendido e desesperado...

O liberto de Flamínio, que sofria o mais fundo desespero de consciência por haver eliminado um amigo e benfeitor, em plena floração de juventude, cortou-lhe a palavra, exclamando incisivamente:

— Como ousas contradizer-me, feiticeiro infame?

Araxes, todavia, com um brilho estranho nos olhos buliçosos, revidou com presteza:

— Julgais-me, então, um feiticeiro infame? Nem por isso, todavia, deixarei de falar a verdade, quando a verdade me convenha.

— Pois repito o que disse! Mas a que verdades misteriosas aludes em tuas vagas afirmativas? — falou o liberto profundamente exasperado.

— A verdade, meu amigo — dizia o mago com serenidade quase sinistra —, é que se estais tão perturbado é somente porque sois um criminoso. Assassinastes, friamente, um benfeitor e um amigo, e a consciência do celerado teme a implacável ação da justiça!

— Cala-te, miserável! Como o soubeste? — exclamava Saul excitadíssimo, ao mesmo tempo que arrancava o punhal de entre as dobras do manto.

E avançando para o velho indefeso, acrescentava com voz cavernosa:

— Já que as tuas ciências ocultas te proporcionam conhecimentos perniciosos à tranquilidade alheia, deves também desaparecer!...

Araxes compreendeu que o momento era decisivo. Aquele homem arrebatado era capaz de eliminá-lo de um só golpe. Medindo a situação num relance e movimentando toda a sua argúcia para conservar os bens da vida, esboçou um sorriso fingido e complacente, exclamando:

— Ora, ora, se falei a verdade foi somente para poderdes avaliar os meus poderes espirituais, porquanto, se é do vosso desejo, poderei integrar-vos, imediatamente, na posse do necessário talismã. Com ele, sereis profundamente amado pela mulher de vossas preferências... Com ele, modificareis os mais íntimos sentimentos dessa criatura que adorais e que vos fará, então, a felicidade de toda a vida. Quanto ao mais, não sois o primeiro a tirar a vida de um semelhante, porque todos os dias me aparecem fregueses nas vossas condições, batendo a estas portas. Além disso, entre nós deve existir grande confiança recíproca, porque sois meu cliente há mais de dez anos.

Ouvindo-lhe as palavras benevolentes e serenas, o liberto de Flamínio guardou novamente a arma, considerando novas perspectivas de felicidade e concordando em tudo com o adivinho, que, fazendo-o sentar-se, lhe ocupou a atenção por mais de uma hora com a descrição de fatos idênticos aos que lhe ocorriam, demonstrando teoricamente a eficiência dos seus amuletos miraculosos. Ia a palestra em boa forma, quando Saul lhe solicitou a entrega imediata do talismã, porquanto desejava experimentar-lhe o efeito naquele mesmo dia, ao que Araxes respondeu pressuroso:

— O vosso talismã está pronto. Posso entregar-vos essa preciosidade agora mesmo, dependendo tão somente de vós mesmo, porque precisareis beber o filtro mágico, que vos colocará na situação espiritual requerida pelo cometimento.

Saul não fez questão de submeter-se às imposições do velho egípcio, nas suas manobras estranhas e misteriosas, penetrando uma câmara, ornamentada de vários símbolos extravagantes, que lhe eram totalmente desconhecidos.

Araxes levava a efeito as encenações mais sugestivas. Vestiu-lhe, sobre a toga comum, larga túnica igual à sua e, depois de fingidas posições de magia incompreensível, foi ao interior do pequeno laboratório, onde tomou de um tóxico violento, monologando intimamente de si para consigo: "Vais receber o talismã que mais te convém neste mundo."

Deitou algumas gotas do perigoso filtro numa taça de vinho e, com largos gestos espetaculosos, como se estivesse obedecendo a ritual ignorado, deu-lhe a beber o conteúdo, prosseguindo nos gestos exóticos, que eram bem as expressões pitorescas e sinistras de extravagante magia de morte.

Ingerindo o vinho na melhor intenção de guardar o amuleto da sua felicidade, o perigoso liberto sentiu que os membros se relaxavam sob o império de uma força desconhecida e destruidora, porquanto lhe faltava a própria voz para externar as emoções mais íntimas. Quis gritar, mas não o conseguiu, e inúteis foram todos os esforços para levantar-se. Aos poucos, os olhos turvaram-se lugubremente, como enevoados por sombra espessa e indefinível. Desejou manifestar seu ódio ao mago assassino, defender-se daquela angústia que lhe sufocava a garganta, mas a língua estava hirta e um frio penetrante invadiu-lhe os centros vitais. Deixando pender a cabeça sobre os cotovelos apoiados ao longo da mesa ampla, compreendeu que a morte violenta lhe destruía todas as forças vivas do organismo.

Araxes fechou tranquilamente o quarto, como se nada houvesse acontecido, e voltou à loja, atendendo solícito à clientela numerosa, sem quebra da habitual serenidade.

Antes da noite, porém, penetrou na câmara mortuária e esvaziou a bolsa do cadáver, guardando as moedas silenciosamente entre as suas fartas reservas de avarento.

Depois das vinte e três horas, quando a cidade dormia, o velho feiticeiro do Esquilino misturava-se aos escravos que faziam o serviço noturno dos transportes, conduzindo uma pequena carroça de mão, dentro da qual ia um grande volume.

Após longo trajeto, ganhava as cercanias do Fórum, entre o Capitólio e o Palatino, onde descansou, esperando o derradeiro quarto da madrugada, quando, então, despejou a carga num ângulo escuro da via pública, voltando tranquilamente para o seu sono de cada noite.

De manhã, o cadáver de Saul foi facilmente identificado e, quando o senador buscava o liberto para declarações, recebeu a surpresa daquela notícia, inquirindo a si mesmo as razões daquela morte imprevista e estranha, aturdido com a entrosagem do mecanismo da Justiça Divina e perguntando intimamente, à própria consciência, se Saul não seria daqueles criminosos imediatamente justiçados pela lei das compensações, no caminho infinito dos destinos.

Seu coração, mais que nunca inclinado ao exame das profundas questões filosóficas, perdia-se num abismo de conjeturas, recordando a recomendação do Espírito Flamínio e as elevadas lições de Ana, calcadas no Evangelho: procurava, com a maior boa vontade, resolver o problema do perdão e da piedade. Desejoso de satisfazer a própria consciência nas atividades da vida prática, buscou contrariar suas tradições e costumes em face do acontecimento, e, dirigindo-se à residência do algoz de seus filhos, tomou todas as providências para que não lhe faltassem a decência e o respeito nas cerimônias fúnebres. Alguns escravos e servos de confiança estavam habilitados a resolver todos os problemas atinentes aos negócios deixados pelo morto, mas, cooperando nas exéquias, Publius Lentulus se sentia satisfeito por vencer a aversão pessoal, homenageando, ao mesmo tempo, a memória de Flamínio.

Localizando-se com a nova companheira em Avênio, Plínio Severus soube, por intermédio de amigos, da tragédia que se desenrolara em Roma na noite de sua ausência, sendo igualmente cientificado das dúvidas penosas que pairavam a seu respeito. Profundamente tocado nas suas fibras emotivas, lembrando-se do irmão que, tantas vezes, lhe testemunhara as mais altas provas de afeto, desejou regressar, de maneira a esclarecer convenientemente o assunto, vingando-lhe a morte, todavia, amolecido nos braços de Aurélia e receoso do julgamento do velho senador, respeitado como um pai, além da suspeita que lhe causava a notícia da inexplicável enfermidade da esposa, deixou-se ficar na sua vida incompreensível, através de Avênio, Massília, Arelate, Antípolis e Nice, buscando esquecer no vinho dos prazeres as grandes responsabilidades que lhe cabiam.

Junto de Aurélia, a vida do oficial decorreu em tranquilidade condenável, por três longos anos, quando um dia teve a dolorosa surpresa de encontrar a companheira pérfida e insensível nos braços do músico e cantor Sérgio Acerronius, chegado a Massília com as ruidosas alegrias da capital do Império.

Nesse dia amargurado da sua existência, o filho de Flamínio investiu sobre a mulher traidora, de arma na mão, disposto a tirar-lhe a vida criminosa e dissoluta. No instante, porém, da sua desforra, considerou intimamente que o assassínio de uma mulher, ainda que diabolicamente perversa, não deveria entrar nos trâmites da sua vida, supondo ainda que, deixá-la viver no caminho escabroso de suas crueldades, seria a melhor vindita do seu coração traído e desventurado.

Abandonou, então, para sempre, aquela mísera criatura, que foi eliminada mais tarde, em Ântium, pelo punhal implacável de Sérgio, que lhe não tolerou a infidelidade e a pervicácia no crime.

Sentindo-se só, Plínio Severus considerou, amarguradamente, os erros clamorosos da sua vida. Reviu o passado de futilidades condenáveis e atitudes loucas. Quase pobre, viu-se misérrimo para voltar ao ambiente romano, onde, tantas vezes, brilhara na mocidade, em aventuras pródigas e felizes.

Debalde lhe enviara o senador apelos afetuosos. Chamado a brios pelas lições dolorosas do próprio destino, o oficial, amparado por alguns amigos de Roma, preferiu esforçar-se pela reabilitação nas cidades das Gálias, onde permaneceria longos anos em trabalho silencioso e rude, pelo reerguimento do seu nome diante dos parentes e amigos mais íntimos.

Já entrado na idade madura, das profundas reflexões, grande lhe foi o esforço de reabilitação, distante dos entes mais caros.

Quanto ao velho senador, resistiu, decididamente, dentro da sua rígida estrutura espiritual, aos golpes aspérrimos do destino. Fazendo da luta de cada dia o melhor caminho de esclarecimento, viu passar os anos sem desânimo e sem ociosidade.

Desde os trágicos acontecimentos em que Agripa e Saul haviam perdido a vida misteriosamente, com o abandono definitivo do marido, Flávia Lentúlia tinha a saúde abalada para sempre. Na epiderme, os venenos de Ateia haviam sido anulados e vencidos pelas substâncias medicamentosas aplicadas, mas a luz dos seus olhos fora aniquilada para todo o sempre. Desalentada e cega, encontrou, porém, no coração generoso de Ana, o carinho materno que lhe faltava em tão penosas circunstâncias da vida.

A constituição física do senador, contudo, resistia a todos os embates e infortúnios.

Entre os esforços de carinhosa assistência à filha e as lides políticas que lhe tomavam o máximo de atenção, seus dias decorreram cheios de lutas acerbas, mas silenciosos e tristes, como sempre. Em seu espírito, havia agora as melhores e mais sinceras disposições para apreender a essência sagrada dos ensinamentos do Cristianismo e foi assim que o seu coração penetrou o crepúsculo da velhice, como se as sombras fossem clarificadas por estrelas cariciosas e suaves. No seu íntimo, permanecia uma serenidade imperturbável, mas, na vida do homem, corria o sopro inquieto do esforço pelas realizações do seu tempo. O coração estava resignado com as desilusões penosas e amargas do destino, mas no poder supremo do Império estava um tirano, que precisava cair, em benefício das construções do direito e da família; e, por isso, junto de numerosos companheiros, entregou-se ao trabalho sutil da política interna, para a queda de Domício Nero, que prosseguia avassalando a cidade com os espetáculos odiosos do seu nefando reinado.

Gaius Piso,[27] Sêneca, bem como outras figuras veneráveis da época, mais exaltadas no patriotismo e amor pela justiça, caíram sob as mãos criminosas do celerado que cingia a coroa, mas Publius Lentulus, ao lado de outros irmãos de ideal que trabalharam no silêncio e na sombra da diplomacia secreta, junto dos militares e do povo, esperou pela morte ou pelo banimento do tirano, aguardando as claridades do futuro, surgidas com o efêmero reinado de Servius Sulpicius Galba,[28] que, no dizer de Tácito, teria sido por todos considerado digno do governo supremo do Império, se não houvesse sido Imperador.

---

[27] N.E.: Gaius Calpurnius Piso foi um senador romano que viveu durante o século I. Foi o principal idealizador da chamada Conspiração de Pisão, o mais famoso e abrangente dos diversos atentados que foram realizados contra a vida do imperador Nero.

[28] N.E.: Lucius Livius Ocella Servius Sulpicius Galba (3 a.C. – 69 d.C.) foi imperador romano de 8 de junho de 68 até a sua morte. Proclamado imperador, marchou sobre Roma com o apoio de Otho, obtendo o reconhecimento tanto do Senado quanto dos pretorianos. Galba foi assassinado no Fórum.

VIII
Na destruição de Jerusalém

Mais de dez anos correram, silenciosamente amargurados, depois de 58, sobre a vida comum das personagens desta história.

Somente em 68, conseguira a política conciliatória de grande número de patrícios, entre os quais Publius Lentulus, o definitivo afastamento de Domício Nero e suas nefandas crueldades. Todavia, a ascensão de Galba durara poucos meses e aquele ano de 69 ia definir grandes acontecimentos na vida do Império.

Lutas numerosas encheram a cidade de pavor e sangue.

A terrível contenda entre Otho[29] e Vitellius[30] dividira todas as classes da família romana em facções hostis, que se odiavam ao extremo.

Afinal, a famosa batalha de Bedriacum dava o trono a Vitellius, que instaurou novo círculo de crueldades em todos os setores políticos.

---

[29] N.E.: Marcus Salvius Otho (32 d.C. – 69 d.C.) foi imperador romano por cerca de três meses, de 15 de janeiro até o seu suicídio. Apoiou a ascensão de Galba ao trono, mas veio a promover o golpe de Estado que culminou no assassínio do idoso imperador. Teve de enfrentar a rebelião do exército de Vitellius, que derrotou as suas tropas na batalha de Bedriacum. Perante a derrota, Otho cometeu suicídio.

[30] N.E.: Aulus Vitellius Germanicus (15 d.C. – 69 d.C.) foi imperador romano. Foi aclamado pelas legiões que comandava, estacionadas na Germânia, e venceu as tropas de Otho na batalha de Bedriacum. Ficou famoso por seu apetite e sua crueldade. Foi o primeiro imperador a acrescentar o *cognome* honorífico de *Germânico* ao seu nome, em vez do de *César*.

A diplomacia interna, porém, vigiava na sombra, examinando atentamente a situação, de modo a não permitir a continuidade de novo surto de extermínio e de infâmia.

Vitellius apenas conservou o governo por oito meses e dias, porque, no mesmo ano de 69, as legiões do território africano, trabalhadas pela orientação sutil dos que haviam destronado Nero e seus asseclas, proclamaram Vespasianus[31] para a suprema investidura do Império. O novo Imperador, que ainda se encontrava no campo de seus feitos de armas, empenhado na pacificação da Judeia distante, satisfazia as exigências mais avançadas de todas as classes civis e militares, sendo recebido em triunfo para o posto supremo, iniciando-se, assim, a era prestigiosa dos Flávios.

Vespasianus integrava aquele grupo de patrícios operosos que contribuíra, sem alardes, para a queda dos tiranos.

Amigo pessoal de Publius Lentulus, o Imperador se tornara famoso, não só por suas vitórias militares, mas também por seu criterioso tirocínio político, evidenciado em Roma desde os dias turbulentos de Calígula.[32]

Sob a sua orientação administrativa, ia abrir-se uma trégua nas imoralidades governamentais, inaugurar-se-ia novo período de compreensão das necessidades populares e, na rota dos seus planos econômico-financeiros, o Império ia caminhar para os dias regeneradores de uma era nova.

Publius recebeu todos os acontecimentos com a velada alegria possível aos seus 67 anos de lutas e fortes experiências da vida. Sob a claridade serena da velhice, todavia, sua fibra moral e resistência física eram as mesmas de sempre.

Dentro da perspectiva de melhores dias para as realizações patrióticas, considerava, agora, como bem empregado todo o tempo que roubara à filha cega, para atender ao trabalho do bem coletivo; e foi nesse estado de espírito, com a consciência satisfeita pelo dever cumprido, de conformidade com as suas concepções, que se dirigiu ao palácio para atender a chamado especial do Imperador, que, muitas vezes, não deixou de recorrer ao conselho dos seus mais antigos companheiros de ideal.

---

[31] N.E.: Titus Flavius Vespasianus (9 – 79), foi um imperador romano, o primeiro da dinastia Flaviana, que ocupou o poder em 69 d.C., logo após o suicídio de Nero (68 d.C.) e o conturbado ano dos quatro imperadores (69 d.C.). Foi proclamado imperador pelos seus próprios soldados em Alexandria.

[32] N.E.: Gaius Julius Caesar Augustus Germanicus (12 d.C. – 41 d.C.), também conhecido como Caio César ou Calígula, foi imperador romano de março de 37 até o seu assassinato, em 41. Foi o terceiro imperador romano e membro da *dinastia Júlio-Claudiana*, instituída por Augusto. A sua alcunha *Calígula*, à qual significa "botinhas" em português, foi posta pelos soldados das legiões comandadas pelo pai, que achavam graça em vê-lo mascarado de legionário, com pequenas *caligae* (sandálias militares) nos pés.

— Senador — disse-lhe Vespasianus, na intimidade tranquila de um dos magníficos gabinetes da residência imperial —, mandei chamá-lo para me amparar com a sua tradicional dedicação ao Império, na solução de assunto que julgo de suma importância.[33]

— Dizei, Augusto!... — respondeu Publius comovido.

Mas o Imperador, gentil, cortou-lhe a palavra:

— Não, meu caro, entendamo-nos com a velha intimidade de outros tempos. Deixemos, por um instante, os protocolos.

E, vendo que o senador esboçava um sorriso de reconhecimento à sua palavra fluente e generosa, continuou a expor a questão que o interessava:

— Chamado a Roma para o cargo supremo, não ousei desobedecer às sagradas injunções que me impeliam ao cumprimento desse grande dever, embora obrigado a deixar meu filho na obra de pacificação da Judeia amotinada, trabalho esse que considerarei, em toda a vida, o meu melhor esforço pela vitalidade do Império, no desdobramento de suas gloriosas tradições.

"Acontece, todavia, que o cerco de Jerusalém se vai prolongando demasiado, acarretando as mais sérias consequências para meus projetos econômicos, no programa restaurador que me propus realizar no governo.

"Suponho que o meu valoroso Tito esteja necessitando de um conselho de civis, além dos assistentes militares que o acompanham na arrojada empresa, e lembrei-me de organizá-lo tão somente com os amigos mais íntimos, que conheçam Jerusalém e suas cercanias.

"Quando das minhas primeiras incursões na edilidade, tive conhecimento dos seus processos na reforma administrativa da Judeia, sabendo, portanto, da sua permanência em Jerusalém há mais de vinte anos.

"Era, pois, meu desejo que aceitasse, com outros poucos companheiros nossos, a incumbência de orientar melhor a tática militar de meu filho. Tito está necessitando da cooperação política de quem conheça a cidade nos seus menores recantos, bem como os seus idiomas populares, de maneira a vencer a situação que se vai tornando cada vez mais penosa."

Publius Lentulus pensou na filha doente, um instante, mas, recordando-se da dedicação absoluta de Ana, que poderia perfeitamente substituir seus zelos por algum tempo, respondeu com decisão e energia:

---

[33] Nota do autor espiritual: Vespasianus esteve em Roma logo após a sua proclamação.

— Meu nobre Imperador, vossa palavra augusta é a palavra do Império. O Império manda e eu obedeço, honrando-me em cumprir vossas determinações e correspondendo aos impulsos generosos da vossa confiança.

— Muito agradecido! — revidou Vespasianus, estendendo-lhe a mão, extremamente satisfeito. — Tudo estará pronto, de modo que sua partida, e de mais dois ou três amigos nossos, se verifique dentro de duas semanas, o mais tardar.

Assim aconteceu.

Depois das dolorosas despedidas da filha, que ficara aos cuidados da serva dedicada, no palácio do Aventino, o senador tomava a suntuosa galera que, largando de Óstia, penetrou depressa o mar largo, rumo à Judeia.

O velho patrício reviveu, com penosa serenidade, as peripécias da viagem dos seus tempos de juventude venturosa, quando a felicidade era para ele incompreensível, em companhia da esposa e dos dois filhinhos.

Sim, a pequenina figura de Marcus, o filho desaparecido, parecia surgir novamente a seus olhos, sob uma auréola de radioso e santificado enlevo.

Um dia, em Cafarnaum, levado pelas palavras caluniosas de Sulpício Tarquinius, duvidou da honorabilidade da mulher, acreditando, mais tarde, que o rapto da criança fosse uma consequência da sua infidelidade. Mas Lívia agora estava redimida de todas as culpas, no tribunal da sua consciência. Seus sacrifícios domésticos e a morte heroica no circo constituíam a prova máxima da sublimada pureza do seu coração. Naqueles instantes de meditação, figurava-se-lhe que voltava ao passado com os seus sofrimentos intermináveis, esbarrando sempre na sombra pesada do mistério, quando tentava reler as páginas desse doloroso capítulo da sua existência.

A que abismos insondáveis e desconhecidos teria sido levado o pequenino que lhe perpetuaria a estirpe nobre?

Suas emoções paternais pareciam alarmar-se de novo, depois de tantos anos e tantos padecimentos em família.

Mas, embora lhe flutuassem no íntimo as mais penosas dúvidas, o senador, na rigidez da sua enfibratura moral, preferia crer, consigo mesmo, que Marcus Lentulus havia sido assassinado por malfeitores vulgares, dados ao roubo e ao terrorismo, para nunca mais requisitar os seus desvelos paternais.

Assim quereria crer, mas aquela viagem afigurava-se-lhe uma análise de suas lembranças mais queridas e mais pungentes.

De tarde, ao suave clarão do crepúsculo no Mediterrâneo, parecia-lhe ver ainda o vulto de Lívia acalentando o pequenino, ou falando-lhe ao coração em termos afetuosos de consolação, supondo lobrigar, igualmente, a figura de Comênio, o servo de confiança, entre os subalternos e escravos.

Em companhia de três outros conselheiros civis, chegou sem maior dificuldade ao destino, colocando-se esse reduzido conselho de íntimos do Imperador à imediata disposição de Tito, que lhe aproveitou carinhosamente os pareceres, utilizando com grande êxito as suas opiniões, filhas de larga experiência da região e dos costumes.

O filho do Imperador era generoso e leal para com todos os compatriotas, que o consideravam como benfeitor e amigo. No entanto, para os adversários, Tito era de uma crueldade sem nome.

Em torno da sua figura ardente e desassombrada, desdobravam-se legiões numerosas de soldados que combatiam encarniçadamente.

O cerco de Jerusalém, terminado em 70, foi um dos mais impressionantes da história da Humanidade.

A cidade foi sitiada, justamente quando intermináveis multidões de peregrinos, vindos de todos os pontos da província, se haviam reunido junto ao templo famoso, para as festas dos pães ázimos. Daí, o excessivo número de vítimas e as lutas acérrimas da célebre resistência.

O número de mortos nos terríveis recontros elevou-se a mais de um milhão, fazendo os romanos quase cem mil prisioneiros, dos quais onze mil foram massacrados pelas legiões vitoriosas, depois da escolha dos homens válidos, entre cenas penosas de sangue e de selvageria por parte dos soldados.

O velho senador sentia-se amargurado com aqueles pavorosos espetáculos de carnificina, mas cumpria-lhe desempenhar a palavra dada e era com o melhor espírito de coragem que dava pleno cumprimento ao seu mandato.

Seus pareceres e conhecimentos foram, muitas vezes, utilizados com êxito, tornando-se íntimo conselheiro do filho do Imperador.

Diariamente, em companhia de um amigo, o senador Pompílio Crasso, visitava os postos mais avançados das forças atacantes, verificando a eficácia da nova orientação observada pela estratégia militar dos seus patrícios. Os chefes de operações várias vezes lhes chamaram a atenção, para não avançarem muito em suas atitudes de desassombro, mas Publius Lentulus não manifestava o menor receio, realizando, na sua idade, minuciosos serviços de reconhecimento topográfico da famosa cidade.

Afinal, na véspera da queda de Jerusalém, já se lutava quase corpo a corpo em todos os pontos de penetração, havendo incursões de parte a parte nos campos inimigos, com recíprocas crueldades contra todos os que tivessem a infelicidade de cair prisioneiros.

Apesar do zelo de que eram cercados, Publius e o amigo, em virtude da coragem de que davam testemunho, caíram nas mãos de alguns adversários que, ao lhes observarem a indumentária de altos dignitários da Corte imperial, os conduziram imediatamente a um dos chefes da desesperada resistência, instalado num casarão à guisa de quartel, próximo da Torre Antônia.

Publius Lentulus, observando as cenas de selvajaria e sangue da plebe anônima e amotinada, que exterminava numerosos cidadãos romanos em trágicas circunstâncias, sob as suas vistas, lembrou a tarde dolorosa do Calvário, em que o piedoso Profeta de Nazaré sucumbira na cruz, sob a vozerio terrificante das multidões enfurecidas. Enquanto caminhava tangido com brutalidade e aspereza, o velho senador considerava, igualmente, que, se aquele momento assinalasse a sua morte, devia morrer heroicamente, como sua própria mulher, em holocausto aos seus princípios, embora houvesse fundamental diferença entre o reino de Jesus e o império de César. A ideia de deixar Flávia Lentúlia órfã do seu afeto preocupava-lhe o íntimo, todavia, ponderava que a filha teria no mundo a dedicação generosa e assídua de Ana, bem como o amparo material da sua fortuna.

Foi nesse estado de espírito, surpreso com a sucessão dos acontecimentos, que atravessou longas ruas cheias de movimento, de gritos, de impropérios e de sangue.

Jerusalém, tomada de assombro, mobilizava as derradeiras energias para evitar a ruína completa.

Ao cabo de algumas horas, extenuados de fadiga e sede, Publius e o amigo foram introduzidos no sombrio gabinete de um chefe judeu, que expedia as mais impiedosas ordens de suplício e morte para todos os romanos presos, revidando às atrocidades do inimigo.

Bastou que Publius fitasse aquele velho israelita de traços característicos, para procurar, sofregamente, uma figura semelhante no acervo de suas lembranças mais íntimas e mais remotas.

Não pôde, porém, de pronto, identificar aquela personagem.

O velho chefe, contudo, pousou nele o olhar astuto e, fazendo um gesto de satisfação, exclamou com uma chispa de ódio a lhe transparecer de cada palavra:

— Ilustríssimos senadores — enfatizou com ironia e desprezo —, eu vos conheço de longos anos...

E, fixando Publius, acentuou com malícia:

— Sobretudo, honro-me com a presença do orgulhoso senador Publius Lentulus, antigo legado de Tibério e de seus sucessores nesta província perseguida e flagelada pelas pragas romanas. Ainda bem que as forças do destino não me permitiram partir para a outra vida, na minha velhice trabalhosa, sem me desafrontar de uma injúria inolvidável.

Avançando para o velho patrício que o contemplava supinamente surpreendido, repetia com insistência irritante:

— Não me reconheceis?...

O senador, porém, tinha o semblante a evidenciar o seu penoso abatimento físico, em face daquela rude provação da sua vida; debalde, encarava a figura franzina e maquiavélica de André de Gioras, agora com elevado ascendente nos trabalhos do templo famoso, em vista da fortuna que conseguira amealhar.

Verificando a impossibilidade de ser identificado pelo prisioneiro, cuja presença, ali, mais o interessava e que lhe respondera a todas as perguntas com silencioso gesto negativo, o velho judeu retornou com sarcasmo:

— Publius Lentulus, sou André de Gioras, o pai a quem insultaste um dia com o excesso da tua autoridade orgulhosa. Lembras-te agora?

O prisioneiro fez um sinal afirmativo com a cabeça.

Vendo, porém, que o seu atrevimento não o intimidava, o chefe de Jerusalém insistia exasperado:

— E por que não te humilhas neste momento, diante de minha autoridade? Ignoras, porventura, que posso hoje decidir dos teus destinos?... Qual a razão por que não me pedes comiseração?

Publius estava exausto. Lembrou os seus primeiros dias em Jerusalém, recordou a visita daquele agricultor inteligente e revoltado. Procurou rememorar, intimamente, as providências que adotara na qualidade de homem público, a fim de que o filho do judeu voltasse ao lar paterno, não se lembrando de haver destilado tanto fel naquele coração irresignado. Deliberara nada dizer, diante da sua figura exasperada e truculenta, atendendo às suas íntimas disposições espirituais, mas, em face da ousada insistência, sem abdicar as antigas tradições de orgulho e vaidade que o caracterizavam noutros tempos, e como se desejasse demonstrar desassombro em tão penosas circunstâncias, replicou, afinal, com energia:

— Se vos julgais aqui no cumprimento de uma obrigação sagrada, acima de qualquer sentimento particular e menos digno, não espereis que se vos peça comiseração, pelo fato de cumprirdes o vosso dever.

André de Gioras franziu o sobrolho, exasperado com a resposta imprevista, andando de um lado para outro no amplo gabinete, como se estivesse a cogitar o melhor meio de executar a tremenda vingança.

Depois de alguns momentos de sombrio silêncio, como se houvesse chegado a uma solução condigna dos seus tigrinos projetos, chamou com voz soturna um dos guardas numerosos, ordenando:

— Vai depressa e dize a Ítalo, de minha parte, que deve aqui estar amanhã, às primeiras horas, de modo a cumprir minhas determinações.

E enquanto o emissário saía, dirigia-se aos dois prisioneiros nestes termos:

— A queda de Jerusalém está iminente, mas darei a última gota de sangue da minha velhice para exterminar as víboras do vosso povo. Vossa raça maldita veio cevar-se na cidade eleita, mas eu prezo a minha vingança em vós ambos, orgulhosos dignitários do império da impiedade e do crime! Quando se abrirem as portas de Jerusalém, terei executado meus implacáveis desígnios!

Calando-se, bastou um gesto para que os dois amigos fossem atirados numa enxovia escura e úmida, onde passaram uma noite terrível de conjeturas dolorosas, trocando amarguradas confidências.

Na manhã seguinte, eram chamados à prova suprema.

Já se ouviam na cidade os primeiros rumores das forças romanas vitoriosas, entregando-se ao terror e ao saque da população humilhada e inerme.

Por toda parte, o êxodo precipitado de mulheres e crianças em gritaria infernal e angustiosa, mas, naquele casarão de grossas paredes de pedra, refugiara-se considerável número de chefes e combatentes, para a resistência suprema.

Publius e Pompílio foram conduzidos a uma sala ampla, de onde podiam ouvir o ruído crescente da vitória das armas imperiais, depois de lances dramáticos e cruentos, em tanto tempo de terror, de rapina e de luta, todavia, ali, naquele compartimento espaçoso e fortificado, tinha à frente centenas de guerreiros armados e alguns chefes políticos da resistência israelita, que os contemplavam com supremo desprezo.

Diante do avanço vitorioso das legiões romanas, era de notar a inquietação e o pavor que dominavam todos os semblantes, mas havia um interesse geral pelos dois prisioneiros importantes do Império, como se eles representassem o último objeto em que se pudessem cevar o ódio e a vingança.

Modificando, todavia, aquela situação indecisa, André de Gioras tomou a palavra em voz estranha e sinistra, que retumbou por todos os ângulos da casa:

— Senhores, estamos chegando ao fim da nossa desesperada defesa, mas temos o consolo de guardar dois grandes chefes da amaldiçoada política de rapina do Império Romano!... Um deles é Pompílio Crasso, que começou a sua carreira de homem público nesta província desventurada, inaugurando um longo período de terror entre os nossos compatriotas infelizes! O outro, senhores, é Publius Lentulus, orgulhoso legado de Tibério e de seus sucessores na Judeia humilhada de todos os tempos; que escravizou nossos filhos ainda jovens e organizou processos criminosos em todas as zonas provinciais, fomentando o pavor de nossos irmãos perseguidos e flagelados, lá da sua residência senhorial da Galileia!... Pois bem! antes que os malditos soldados da pilhagem imperial nos aprisionem e aniquilem, cumpramos nossos desígnios!...

Todos os presentes ouviram-lhe a palavra, como se fora a ordem suprema de um chefe a quem se devesse obedecer cegamente.

Os dois senadores foram, então, amarrados com pesadas peças de ferro aos postes do suplício, sem liberdade para qualquer movimento, restringindo suas expressões de mobilidade aos olhos silenciosos e serenos no sacrifício.

— Nossa vingança — voltava o odiento israelita a explicar — deve obedecer ao critério da Antiguidade. Primeiramente, deverá morrer Pompílio Crasso, por ser o mais velho e para que o vaidoso senador Publius Lentulus compreenda o nosso esforço para eliminar a vitalidade do seu Império maldito.

Pompílio fitou longamente o amigo, como se estivesse fazendo suas despedidas angustiosas e mudas, na hora extrema.

— Nicandro, este trabalho te compete — exclamou André, voltando-se para um dos companheiros.

E dando ao vigoroso soldado uma espada sinistra, acrescentou com profunda ironia:

— Tira-lhe o coração para o amigo, que deverá conservar a cena de hoje na sua memória, para sempre.

Os olhos do condenado brilhavam de intensa angústia, enquanto as faces descoravam ao extremo, acusando as emoções dolorosas que lhe iam na alma. Entre ele e o companheiro de amargura, foi trocado, então, um olhar inesquecível.

Em minutos rápidos, Publius Lentulus assistiu ao desenrolar da operação terrível e nefanda.

A cabeça branca do supliciado pendeu ao primeiro golpe de espada e do seu tórax encarquilhado foi arrancado violentamente o coração palpitante, sangrento.

Entretanto, o senador sobrevivente ouvia já o rumor dos patrícios vitoriosos que se aproximavam, afigurando-se-lhe que já se lutava corpo a corpo, às portas daquela turbulenta assembleia da vindita e do crime. A monstruosa cena estarrecia-lhe o ânimo, sempre otimista e decidido, mas não perdeu a compostura altiva e rígida que ele a si mesmo se impunha, naquele angustioso transe.

Terminada a execução de Pompílio, feita à pressa, porquanto todos os presentes tinham consciência da horrorosa situação que os esperava diante dos triunfadores, André de Gioras levantou novamente a voz:

— Meus amigos — afirmava soturnamente —, ao mais velho, a penalidade misericordiosa da morte, mas a este patrício infame que nos ouve, concederemos a pena amarga da vida, dentro do sepulcro das suas ilusões desvairadas, de vaidade e orgulho!... Publius Lentulus, o antigo emissário dos imperadores, deverá viver!... Sim, mas sem os olhos que lhe clarearam o caminho do egoísmo supremo sobre os nossos grandes infortúnios!... Deixá-lo-emos com vida, para que nas trevas da sua noite busque ver com os olhos dos escravos que ele espezinhou no curso da vida.

Havia um penoso silêncio interior, embora se ouvisse, lá fora, o patear dos cavalos e o tinir das armaduras, aliados ao rumor sinistro de vozes praguejantes no ataque e na resistência desesperada do último reduto.

André de Gioras parecia, porém, embriagado com a volúpia de sua vingança e, mantendo o equilíbrio da assistência naquela hora trágica do destino que a todos aguardava, com a palavra magnética e persuasiva exclamou energicamente:

— Ítalo, compete às tuas mãos a tarefa deste momento.

Da assistência compacta e inquieta destacou-se um homem, aparentando quase 40 anos, surpreendendo o senador pelos seus traços finos de patrício. Seus olhares encontraram-se e ele supôs descobrir naquela alma um laço de afinidade estranha e incompreensível.

Ítalo? Aquele nome não lhe recordava alguma coisa das proximidades da sua Roma inesquecida? Por que motivo estaria ali aquele homem, evidentemente de sangue nobre, combatendo ao lado dos judeus amotinados e intoxicados de ódio? Por sua vez, o verdugo, indicado pela voz soberana de André, parecia inclinado à ternura e à piedade por aquele homem velho e sereno, de mãos e pés amarrados ao poste da injúria, parecendo hesitar se devia ou não cumprir o sinistro e despiedado desígnio do seu chefe.

Daí a minutos, surgia, de uma porta larga e sombria, um guerreiro israelita, trazendo em ampla bandeja de bronze uma lâmina de ferro incandescente, cuja ponta aguçada repousava entre brasas vivas.

Contemplando com interesse a enigmática figura de Ítalo, na vitalidade da idade adulta, o senador, silencioso, não podia dissimular a curiosidade em face do seu vulto ereto e delicado.

André, porém, gozando o quadro e percebendo a acurada atenção do condenado, arrancou-o daquele estado de conjetura e surpresa, asseverando com ironia:

— Então, senador, estais admirando o porte nobre de Ítalo?... Lembrai-vos de que se os patrícios se dão ao luxo de possuir escravos israelitas, os senhores da Judeia também apreciam os servos de tipo romano. Aliás, sou obrigado a considerar que é sempre perigoso guardarmos um escravo como este, na cidade, em vista da praga do patriciado, hoje excessivo por toda a parte, mas eu consegui manter este homem de trabalho no ambiente rural, até agora...

Publius Lentulus mal poderia decifrar o sentido oculto daquelas irônicas palavras, não lhe sobrando tempo, ali, para qualquer introspecção. Observou que André se calara, atendendo à urgência com que devia ser levada a efeito a operação em perspectiva, de modo a não se perder o vermelho incandescente da lâmina fatídica. Diante de muitos olhares atônitos e desesperados, que não sabiam se fixavam a cena macabra ou se atentavam para a ruidosa penetração das forças de Tito a quebrarem naquele instante os obstáculos do último reduto, o algoz implacável entregou a Ítalo o terrível instrumento do sacrifício.

— Ítalo — recomendou com a máxima energia —, este minuto é precioso... Vamos queimar-lhe as pupilas, de modo a lhe proporcionarmos uma sepultura de sombras eternas, dentro da vida.

O pobre homem, todavia, sensibilizado até as lágrimas, em face do suplício que deveria infligir por suas mãos, parecia indeciso e titubeante.

— Senhor... — disse súplice, sem conseguir formular objeções.

— Por que hesitas?... — revidou André, tiranicamente, cortando-lhe a palavra. — Será preciso o chicote para que me obedeças?

Ítalo tomou, então, da lâmina, humildemente. Aproximou-se de leve do condenado cheio de resignação e de fortaleza interior. Antes do instante supremo, seus olhares se encontraram, trocando vibrações de simpatia recíproca. Publius Lentulus ainda lhe fixou o porte, tocado de incontestável nobreza, esfacelada em suas linhas mais características pelos trabalhos mais impiedosos e mais rudes; e tão grande foi a atração que experimentou por aquele homem, fixado pelos seus olhos em plena luz, pela vez derradeira, que chegou a se recordar, inexplicavelmente, do seu pequenino Marcus, considerando que, se ele ainda vivesse num ambiente tão hostil, deveria ter aquele porte e aquela idade.

As mãos de Ítalo, trêmulas e hesitantes, aproximaram-se dos seus olhos exaustos, como se o fizessem numa doce atitude de carinho, mas o ferro incandescente, com a rapidez do relâmpago, feriu-lhe as pupilas orgulhosas e claras, mergulhando-as na treva para todo o sempre.

Nisso, observou a vítima que uma gritaria infernal reboava em toda a sala.

Uma dor indefinível irradiava-se da queimadura, fazendo-lhe experimentar atrozes padecimentos.

Ele nada mais divisava, além das trevas espessas que lhe cobriam o espírito, mas adivinhava que as forças vitoriosas chegavam tardiamente para libertá-lo.

No meio dos ruídos ensurdecedores, André de Gioras ainda se aproximou do condenado, falando-lhe ao ouvido:

— Poderia matar-te, senador infame, mas quero que vivas. Vou revelar-te, agora, quem é Ítalo, teu algoz do último instante!...

Mas um golpe violento de espada, brandida por um legionário romano, fizera o velho israelita cair ao solo sem sentidos, enquanto certeira punhalada atingia Ítalo, indeciso na sua estupefação, que caiu pesadamente junto do supliciado, abraçando-lhe os pés, num gesto significativo e supremo.

Vozes amigas rodearam, então, Publius Lentulus, naquele ambiente tumultuário. Desataram-lhe imediatamente os pés e as mãos, restituindo-lhe a liberdade dos movimentos, enquanto outros legionários retiraram o cadáver de Pompílio Crasso, com o peito vazio, num quadro pavoroso de selvajaria sanguinosa.

Serenados os primeiros tumultos e guardando as mais penosas dúvidas sobre as palavras reticenciosas do inimigo implacável, Publius Lentulus, antes de ser levado pelo braço dos companheiros que o amparavam, ao comando das forças em operações, onde receberia os primeiros socorros, recomendou que tratassem com o máximo respeito o cadáver de Ítalo, que jazia ao lado de um montão de despojos sangrentos, no que foi atendido, obtemperando-lhe, porém, um companheiro:

— Senador, antes de tudo, não vos esqueçais do vosso estado, que está requerendo de todos nós os mais urgentes cuidados.

E como se quisesse provocar uma explicação espontânea do ferido, quanto ao seu interesse pelo morto, acentuou delicadamente:

— Não foi esse homem quem vos infligiu o horrendo suplício?

À vista da pergunta inopinada e necessitando justificar sua atitude perante os compatriotas que o ouviam, Publius exclamou com voz pungente:

— Enganai-vos, meus amigos. Esse homem, cujo cadáver agora não vejo, era nosso conterrâneo, prisioneiro de muito tempo pela sanha vingativa de um poderoso senhor de Jerusalém... Observai-lhe os traços nobres e concordareis comigo!...

E enquanto se retirava amparado pelos amigos, a fim de receber socorros imediatos e imprescindíveis, supôs haver cumprido um dever, pronunciando aquelas palavras, porque misteriosas vozes lhe falavam ao coração, acerca daquele olhar generoso que pousara em seus olhos pela última vez.

Vários dias esteve Jerusalém entregue ao saque e à desordem, levados a efeito pela soldadesca do Império, faminta de prazeres e envenenada no vinho sinistro do triunfo. Todos os chefes da resistência israelita foram presos, a fim de comparecerem a Roma para o último sacrifício, em homenagem às festas comemorativas da vitória. Entre eles incluía-se André de Gioras, que, restabelecido das escoriações recebidas, representava um dos que deveriam ser exterminados para gáudio da assistência festiva na capital do Império.

Depois da matança de onze mil prisioneiros feridos ou inválidos, massacrados pelas legiões vencedoras; depois dos pavorosos espetáculos da destruição e saque do templo magnífico, no qual Israel julgava contemplar a sua obra eterna e divina para todas as gerações da sua posteridade prolífica, voltou a caravana compacta dos vencidos e vencedores, cheia de riquezas ilícitas e troféus maravilhosos, de modo a exibir em Roma todos os ornamentos ilustrativos da vitória, entre vibrações tumultuárias e cânticos de triunfo.

Numa galera confortável e tranquila, viajou Publius Lentulus, resignado dentro da noite cerrada da sua cegueira, rodeado de amigos prestimosos que tudo faziam por minorar-lhe os sofrimentos morais.

Antes de chegar a Roma, muitas vezes cogitou da melhor maneira de se dirigir diretamente a André, para arrancar-lhe a verdade e serenar as dúvidas íntimas, quanto à identidade do escravo de tipo romano, que o ferira para sempre, nos preciosos dons da vista. Ele, porém, agora, estava cego, e para realizar esse desejo teria de empregar um largo processo de providências, de colaboração estranha, e, assim, não havia atinado com a melhor maneira de ouvir o judeu sem ferir as tradições de dignidade pessoal, mantida em todos os tempos da vida pública.

Foi, ainda, nesse impasse que chegou, novamente, ao palácio do Aventino, acompanhado de numerosos companheiros de labores políticos, surpreendendo amarguradamente o coração da filha com a notícia trágica e dolorosa da sua cegueira.

Ana, qual anjo fraterno, valorosa irmã de todos os infortunados, sincera discípula do Cristianismo, esperou carinhosamente o seu senhor junto de Flávia que exclamava cheia de incoercível desalento:

— Meu pai, meu pai, mas que desgraça!...

O velho patrício, todavia, no seu otimismo, confortava-lhe o espírito, obtemperando:

— Filha, não te dês ao trabalho de conjeturar a fundo os problemas do destino. Em todos os acontecimentos da vida temos de louvar os soberanos desígnios dos céus e espero que te encorajes de novo, porque somente assim viverei agora, junto de ti, em consolação afetuosa e recíproca! Foi o próprio destino que me afastou compulsoriamente das lides do Estado, a fim de viver doravante somente por ti.

Abraçaram-se então efusivamente, fundiram-se em beijos do mesmo infortúnio, vibrações de duas almas presas aos mesmos padecimentos.

Publius Lentulus, porém, embora o necessário descanso, e apesar da cegueira que lhe impossibilitava as iniciativas, não perdeu a esperança de ouvir a palavra do inimigo implacável, ainda uma vez, e, para isso, aguardou o dia ansiosamente esperado pelo povo romano, das soberanas festas do triunfo.

Convém acentuar que o velho senador foi conduzido à cidade imediatamente, em virtude da sua especialíssima situação, mas o vencedor e as suas legiões infindáveis entrariam em Roma com todos os faustosos protocolos dos triunfadores, de conformidade com os numerosos regulamentos da própria antiga República.

No dia aprazado, toda a capital, com a sua população de um milhão e meio de habitantes, aproximadamente, aguardava as magníficas comemorações da vitória.

Desde as primeiras horas do dia, começaram a grupar-se às portas da cidade as legiões vencedoras, desarmadas, vestindo delicadas túnicas de seda, ostentando soberbas auréolas de louro. Transpondo as portas da cidade, sob os aplausos estrondosos de multidões sem-fim, foi-lhes oferecido esplêndido banquete, presidido pelo próprio Imperador e seu filho.

Vespasianus e Tito, logo após as cerimônias do Senado, no Pórtico de Otávio, encaminharam-se para a Porta Triunfal. Ali, ofereceram um sacrifício aos deuses e tomaram os símbolos do triunfo nas aparatosas festividades imperiais. Realizada essa cerimônia, pôs-se em marcha o grande cortejo, ao qual Publius Lentulus não faltou, com a secreta intenção de ouvir a palavra reveladora do chefe prisioneiro, cujo cadáver, depois dos sacrifícios daquele dia, seria atirado às águas do Tibre, de acordo com as tradições vigentes.

Todos os troféus das batalhas sanguinolentas e todos os vencidos, em número considerável, eram levados igualmente em procissão, na festa indescritível.

À frente do cortejo imenso, seguia incalculável quantidade de obras de ouro puro, enfeitadas de cores variadas e berrantes, acompanhadas de pedras preciosas em número incontável, não só em coroas de fulgurante beleza, como também em estofos que maravilhavam os espectadores pela variedade, sendo de notar que todos esses tesouros eram carregados por jovens legionários trajando túnicas de púrpura, com graciosos ornamentos dourados.

Depois da exibição dos tesouros conquistados pelo triunfador, vinham, às centenas, as estátuas dos deuses, talhadas em marfim, em ouro, em prata, de tamanhos prodigiosos.

Em seguida aos deuses, todo um exército de animais, das mais variadas espécies, entre os quais se distinguiam numerosos dromedários e elefantes cobertos de magníficas pedrarias.

Acompanhando os animais, a multidão compacta e acabrunhada dos prisioneiros vulgares, exibindo sua miséria e olhares tristes, procurando ocultar dos espectadores impiedosos e irreverentes os ferros pesados que os manietavam.

Após os prisioneiros sucumbidos, passavam os simulacros das cidades vencidas e humilhadas, confeccionados com grande esmero, sustentados nos ombros de soldados numerosos, semelhantes aos modernos carros alegóricos das festas carnavalescas. Havia representações de todas as cidades destruídas e saqueadas, de batalhas vitoriosas, sem faltar o arrasamento dos campos, a queda de muralhas e os incêndios devastadores.

Depois desses símbolos, eram os despojos riquíssimos dos povos vencidos e das cidades conquistadas, principalmente os de Jerusalém, carregados com muito desvelo pelos legionários. Sob os aplausos gritantes e irreverentes da turba que se apinhava por toda a parte, desfilaram as estátuas representando as figuras de Abraão e Sara, bem como de todas as personalidades reais da família de Davi, e mais todos os objetos sagrados do famoso Templo de Jerusalém, tais a mesa dos pães de proposição, feita de ouro maciço, de valor incalculável, as trombetas do Jubileu, o castiçal de ouro com sete braços, os paramentos de alto valor intrínseco, os véus sagrados do Templo, e, por fim, a Lei dos judeus, que seguia atrás de todos os despojos materiais, pilhados pelas forças triunfadoras. Cada objeto era carregado em andores preciosos e bem ornamentados, ao ombro dos legionários romanos, coroados de louros.

Após os textos da Lei, seguia Simão, o desventurado chefe supremo de todos os movimentos da resistência de Jerusalém, acompanhado dos seus três auxiliares diretos, inclusive André de Gioras. Todos esses chefes da longa e desesperada resistência vestiam-se de preto e caminhavam solenemente para o sacrifício, depois de exibidos em todas as comemorações festivas do triunfo.

Em seguida, vinham os carros soberbos e magníficos dos triunfadores. Após a passagem deslumbrante de Vespasianus, desfilava Tito num oceano de púrpura, de sedas e de vermelhão, simbolizando o próprio Júpiter, na embriaguez da sua vitória.

No séquito de honra, passava igualmente o senador valetudinário e cego, não mais pelo prazer das homenagens, mas com o secreto desejo de ouvir a palavra de André, antes do trágico momento em que o seu corpo balançasse sobre as águas lodosas do Tibre, no instante da consumação do último suplício, sob os aplausos delirantes do povo.

Após os carros imperiais dos vencedores e seus áulicos mais íntimos, vinha o exército compacto, entoando os hinos da vitória, enquanto todas as ruas e praças, foros e pórticos, terraços e janelas, se pejavam de incalculáveis multidões curiosas.

O cortejo movimentou-se solenemente, desde a Porta Triunfal até o Capitólio. Longas horas foram gastas no trajeto, através do sinuoso caminho, porquanto a festividade era consumada de molde a levar seus esplendores pelos recantos mais aristocráticos do patriciado romano.

Em dado momento, todavia, antes de se elevar à colina, todo o cortejo parou e os olhos ansiosos da multidão convergiram para Simão e seus três companheiros, auxiliares diretos da sua chefia na resistência da cidade famosa.

Publius Lentulus, embora cego, mas afeito ao tradicionalismo daquelas comemorações, compreendeu que era chegado o instante supremo.

Em virtude do seu caso especialíssimo e considerando a deferência que a autoridade julgava dever-lhe, o Imperador preocupava-se com a sua situação no cortejo, recomendando ao filho, Domiciano, atender a quaisquer providências de que viesse a precisar em tais circunstâncias.

Naquele momento, debaixo das vibrações ruidosas do delírio popular, procedia-se ao flagício de Simão, diante de toda a Roma embriagada e vitoriosa, enquanto André de Gioras e os dois companheiros eram conduzidos à Prisão Mamertina, onde aguardariam o chefe, após a flagelação, para a morte em conjunto, de maneira que os cadáveres pudessem ser arrastados através das Gemônias e, sob as vistas do povo, atirados às correntes do Tibre.

De alma ansiosa, mas disposto a realizar seus desígnios, o senador chamou o príncipe a cuja assistência fora recomendado, expressando-lhe o desejo de dirigir a palavra a um dos prisioneiros, em particular e em condições secretas, no que foi imediatamente atendido.

Domiciano tomou-lhe do braço com atenção e, conduzindo-o a uma dependência da prisão sinistra, determinou a vinda de André a um cubículo isolado e secreto, conforme o desejo de Publius, aguardando o fim da entrevista numa sala próxima, juntamente com alguns guardas, tão logo penetrou o condenado para o interrogatório do antigo político do Senado.

Defrontando-se, os dois inimigos sentiram estranha sensação de mal-estar. Publius Lentulus não mais podia vê-lo, mas se os seus olhos já não tinham expressão emotiva, crestadas para sempre as pupilas claras e enérgicas, seu perfil ereto manifestava, num largo gesto de aprumo, as emoções decisivas que o dominavam.

— Senhor André — exclamou o senador profundamente emocionado —, contra todos os meus hábitos provoquei este encontro secreto, de modo a esclarecer minhas dúvidas sobre as palavras reticenciosas em Jerusalém, no dia em que consumastes vossas impiedosas determinações a meu respeito. Não quero, agora, entrar em pormenores sobre a vossa atitude, mas tão somente informar-vos, neste momento em que a justiça do Império vos toma à sua conta, que tudo fiz por devolver-vos o filho prisioneiro, cumprindo um dever de humanidade, ao receber as vossas súplicas. Lamento que as minhas providências tardias não alcançassem o efeito desejado, fermentando tão violenta odiosidade no vosso coração. Agora, porém, não mais ordeno. Um cego não pode determinar providências de qualquer natureza, em face das penosas injunções da sua própria vida, mas solicito o vosso esclarecimento, sobre a personalidade do escravo que me crestou a vista para sempre!...

André de Gioras estava igualmente abatidíssimo na sua decrepitude enfermiça. Comovido pela atitude daquele pai humilhado e infeliz e fazendo o íntimo retrospecto dos seus atos criminosos, naquelas horas supremas de sua vida, respondeu extremamente compungido:

— Senador Lentulus, a hora da morte é diferente de todas as outras que o destino assinala em nossa existência à face deste mundo... É por isso, talvez, que sinto o meu ódio agora transformado em piedade, avaliando o vosso sofrimento amargo e rude. Desde que fui preso, venho considerando os erros da minha vida criminosa... Trabalhando no templo e vivendo para o culto da Lei de Moisés, só agora reconheço que Deus concede liberdade de ação a todos os seus filhos, mormente aos seus sacerdotes, tocando-lhes, porém, a consciência, no momento da morte, quando nada mais resta senão a apresentação da alma falida, diante de um tribunal a que ninguém pode mentir ou subornar!... Sei que é tarde para regredir no caminho percorrido, a fim de refazer os nossos atos, mas um sentimento novo me faz falar-vos aqui com a sinceridade do coração, que, acicatado pelo julgamento divino, já não pode enganar a ninguém.

"Há quase quarenta anos, vossa austeridade orgulhosa determinou a prisão do meu único filho, remetendo-o impiedosamente para as galeras, e debalde implorei a vossa clemência de homem público, para o meu espírito desamparado... Das galeras, contudo, meu pobre Saul foi remetido para Roma, onde foi vendido, miseravelmente, num mercado de escravos, ao senador Flamínio Severus..."

Nesse instante, o cego, que escutava atenta e eminentemente emocionado, ao identificar, naquela narrativa, o algoz da filha, interrompeu-a perguntando:

— Flamínio Severus?

— Sim, era também, como vós, um senador do Império.

Profundamente emocionado, ao ligar os fatos dolorosos de sua família à pessoa do antigo liberto, mas necessitando de todas as energias morais para dominar-se, o senador recalcava no íntimo a sua amargura, conservando-se em atitude de expressivo silêncio, enquanto o condenado prosseguia:

— Saul, todavia, foi feliz... Abraçou a liberdade e fez fortuna, voltando de vez em quando a Jerusalém, onde me ajudou a prosperar, mas devo revelar-vos que não obstante os textos da Lei por mim pregada muitas vezes, a qual nos manda desejar ao próximo o que desejaríamos para nós mesmos, não cruzei os braços ante a vossa arbitrariedade criminosa, jurando vingar-me a qualquer preço; razão pela qual, numa noite tranquila, roubei o vosso pequenino Marcus na vossa residência de Cafarnaum, de cumplicidade com uma de vossas servas, que mais tarde tive de envenenar, para que não viesse a revelar o segredo e tolher meus sinistros propósitos, quando a vossa ansiedade paterna instituiu, em Jerusalém, o prêmio de um grande sestércio a quem descobrisse o paradeiro do pequenino... Lembrareis, por certo, da criada Sêmele, que morreu repentinamente em vossa casa...

Enquanto André de Gioras se detinha na triste confissão que lhe tocava as fibras mais íntimas da alma, representando cada palavra um estilete de amargura a lhe retalhar o coração, Publius Lentulus chegava tardiamente ao conhecimento de todos os fatos, recordando os angustiosos martírios da companheira, como esposa caluniada e mãe carinhosa.

Impressionado, porém, com o seu silêncio doloroso, André continuava:

— Pois bem, senador; obedecendo aos meus sentimentos condenáveis, raptei vosso filhinho, que cresceu humilhado nos mais rudes trabalhos da lavoura... aniquilei-lhe a inteligência... favoreci-lhe o ingresso nos vícios mais desprezíveis, pelo prazer diabólico de humilhar um romano inimigo, até que culminei na minha vindita em nosso encontro inesperado! Mas, agora, estou diante da morte e não sei enxergar mais a nossa situação, senão como pais desventurados... Sei que vou comparecer breve no tribunal do mais íntegro dos juízes, e, se vos fosse possível, eu desejava que me désseis um pouco de paz com o vosso perdão!

O velho senador do Império não saberia explicar as suas profundas dores, ouvindo aquelas revelações angustiosas e amargas. Ouvindo André, sentia ímpetos de perguntar pelo filhinho em criança, por suas tendências, pelas suas aspirações da mocidade; desejava inteirar-se dos seus trabalhos, das suas predileções, mas cada palavra daquela confissão amargurosa era uma punhalada nos seus sentimentos mais sagrados. Qual estátua muda do infortúnio, ainda ouviu o prisioneiro repetir, quase em lágrimas, arrancando-o das suas divagações sombrias e tormentosas:

— Senador — insistia ele, suplicando tristemente —, perdoai-me! Quero compreender o espírito da minha Lei, apesar do último instante!... Relevai meu crime e dai-me forças para comparecer diante da luz de Deus!...

Publius ouvia-lhe a voz súplice, enquanto uma lágrima de dor indescritível rolava dos seus olhos tristes e apagados.

Perdoar? Como? Não fora ele, Publius, o ofendido e a vítima de uma existência inteira? Singulares emoções abalavam-lhe o íntimo, enquanto numerosos soluços lhe morriam na garganta opressa.

Diante dele estava o inimigo implacável que procurara em vão, por consecutivos e longos anos de infelicidade. Mas, na sua introspecção, sabia entender, igualmente, as próprias culpas, recordando os excessos da sua severidade vaidosa. Também ele ali estava como um cadáver ambulante, no seio das sombras espessas. De que valeram as honrarias e o orgulho desenfreado? Todas as suas esperanças de ventura estavam mortas. Todos os seus sonhos aniquilados. Senhor de fortuna considerável, não viveria mais, no mundo, senão para carregar o esquife negro das ilusões despedaçadas. Todavia, seu íntimo se recusava ao perdão da hora extrema. Foi então que se lembrou de Jesus e da sua doutrina de amor e piedade pelos inimigos. O Mestre de Nazaré perdoara a todos os seus algozes e ensinara aos discípulos que o homem deve perdoar setenta vezes sete vezes. Recordou, igualmente, que, por Jesus, sua esposa imaculada morrera nas ignomínias do circo infamante; por Jesus voltara Flamínio do reino das sombras, para inclná-lo, um dia, ao perdão e à piedade...

Os ruídos de fora denunciavam que a hora derradeira de André estava próxima. O próprio Simão já caminhava vacilante e ensanguentado, depois do açoite, para o interior da prisão, epilogando o suplício.

Foi então que Publius Lentulus, abandonando todas as tradições de orgulho e vaidade, sentiu que no íntimo da alma brotava uma fonte de linfa cristalina. Copiosas lágrimas desceram-lhe às faces rugosas e macilentas, das órbitas sem expressão, dos olhos mortos e, como se desejasse fitar o inimigo com os olhos espirituais, a fim de mostrar-lhe a sua comiseração, exclamou em voz firme:

— Estais perdoado...

Voltando imediatamente à sala contígua e sem esperar qualquer resposta, compreendeu que era chegada a última hora do inimigo.

Daí a minutos, o cadáver de André de Gioras era arrastado às Gemônias, para ser atirado ao Tibre silencioso.

O senador nada mais percebeu do restante das numerosas cerimônias no Templo de Júpiter.

O cortejo era agora iluminado pela claridade de mil fachos colocados pelos escravos em quarenta elefantes, por ordem de Tito, ao cair das primeiras sombras da noite, mas o senador, acabrunhado nos seus padecimentos morais, regressava em liteira ao palácio do Aventino, onde se fechou nos seus apartamentos particulares, alegando grande cansaço.

Tateando na sua noite, abraçou-se à cruz de Simeão, que lhe fora deixada pela crença da esposa, molhando-a com as lágrimas da sua desventura.

Em meditações profundas e dolorosas, pôde então compreender que Lívia vivera para Deus e ele para César, recebendo ambos compensações diversas na estrada do destino. E enquanto o jugo de Jesus fora suave e leve para sua mulher, seu altivo coração estivera preso ao terrível jugo do mundo, sepultado nas suas dores irremediáveis, sem claridade e sem esperanças.

IX
Lembranças amargas

Logo após os penosos acontecimentos de 70 e de conformidade com os desejos de Flávia, o senador passou a residir na sua vivenda confortável de Pompeia, longe dos bulícios da capital. Ali poderia entregar-se melhor às suas meditações.

Para lá transportara então, o velho político, todo o seu volumoso arquivo, bem como as lembranças mais carinhosas e mais importantes da sua vida.

Dois libertos gregos, extremamente cultos, foram contratados para os trabalhos de escrita e leitura, e assim é que, no seu retiro, se mantinha ao corrente de todas as novidades políticas e literárias de Roma.

Nesses tempos recuados, quando o homem se encontrava ainda longe dos benefícios preciosos da invenção de Gutenberg,[34] os manuscritos romanos eram raros e sumamente disputados pelas elites intelectuais da época. Uma casa editora dispunha, quase sempre, de uma centena de escravos calígrafos, inteligentes, que confeccionavam mais ou menos mil livros por ano.

---

[34] N.E.: Inventor e gráfico alemão, foi o primeiro no mundo a usar a impressão por tipos móveis, por volta de 1439, e o inventor global da prensa móvel. Sua invenção permitiu a produção em massa de livros impressos e que era economicamente rentável para gráficas e leitores. A tecnologia de impressão de Gutenberg espalhou-se rapidamente por toda a Europa e mais tarde pelo mundo.

Publius, porém, possuía em Roma sinceras e numerosas amizades ao seu serviço, recebendo em Pompeia todos os ecos dos acontecimentos da cidade que lhe absorvera as melhores energias da vida.

Amiudadamente, recebia também notícias de Plínio Severus, por intermédio de amigos desvelados, confortando-se intimamente com as informações sobre sua conduta, agora digna, porquanto, pelos méritos conquistados nas Gálias, fora transferido, depois de 73, para Roma, onde, pela correção do proceder, embora tardiamente, conquistara posição respeitável e brilhante, prosseguindo nas tradições da probidade paterna, nos cargos administrativos do Império.

Plínio, todavia, não mais voltara a procurar a esposa nem aquele que o destino o compelia a considerar como um pai dedicado e carinhoso, embora não ignorasse o supremo infortúnio dos seus familiares. No íntimo, o antigo oficial romano não desdenhava a ideia de regressar ao seio dos entes queridos, contudo, desejava fazê-lo em condições de dissipar todas as dúvidas quanto ao considerável esforço próprio, de sua regeneração. Galgando postos de confiança na administração dos Flavianos, queria uma posição de maiores vantagens morais, de maneira a levar aos seus íntimos a certeza da sua reabilitação espiritual.

Corria o ano de 78, na placidez das paisagens formosas da Campânia. Enquanto Tibur representava uma estação de cura e descanso regenerador para os romanos mais ricos, Pompeia era bem a cidade dos romanos mais sadios e mais felizes. Em suas vias públicas encontravam-se, a cada passo, os mármores soberbos e o bom gosto das mais belas construções da capital aristocrática do Império. Em seus templos suntuosos, aglomeravam-se assembleias brilhantes, de patrícios educados e cultos, que se instalavam na linda cidade, povoada de cantores e poetas, ao pé do Vesúvio, e iluminada por um céu de maravilhas, cheio de ridente sol ou bordado de estrelas cintilantes.

Publius Lentulus, agora, sobremaneira apreciava a palavra simples e convincente de Ana, que envelhecera ao lado de Flávia, qual bela figura de marfim antigo. Era de lhe ver o interesse comovido e a sua alegria íntima ao ouvi-la sobre a excelência dos princípios cristãos, quando se entretinham em recordações da Judeia distante.

Nessas amáveis palestras, entre os três, logo após o jantar, discutia-se a figura do Cristo e as sublimadas ilações da sua doutrina, conseguindo o senador, pela força das circunstâncias, meditar melhor os grandiosos postulados do evangelho, ainda fragmentário e quase desconhecido, para ligar os princípios generosos e santos do Cristianismo à personalidade do seu divino fundador.

Longas horas ficavam ali, no terraço amplo, aquelas três criaturas em cujas frontes se vincavam as experiências dos anos, como se as brisas da noite fossem sopros suaves de inspirações celestes, sob a luz branda das estrelas.

Por vezes, Flávia fazia um pouco de música, que lhe saía da harpa como fulgurante gemido de dor e de saudade, alcançando o coração paterno mergulhado no abismo das reminiscências dolorosas. É que a música dos cegos é sempre mais espiritualizada e mais pura, porque, na sua arte, fala a alma profundamente, sem as emoções dispersas dos sentidos materiais.

Uma noite, obedecendo ao hábito de muitos anos, vamos encontrar aquelas três criaturas no espaçoso terraço da vila de Pompeia, em doces rememorações.

Havia mais de sete anos que quase todas as palestras versavam, ali, sobre a personalidade do Messias e a excelsa pureza da sua doutrina, observada, antes de tudo, a precisa discrição, porquanto os adeptos do Cristianismo continuavam perseguidos, embora com menos crueldade.

Em todo caso, invariavelmente, a conversação era de enfermos e de velhos, sem provocar o interesse dos amigos mais moços e mais felizes.

Depois de algumas lembranças e comentários de Ana, a respeito da angustiosa tarde do Calvário, exclamava o velho senador em tom convencido:

— De mim para comigo, tenho a certeza de que Jesus ficará para sempre no mundo, como o mais elevado símbolo de consolação e fortaleza moral para todos os sofredores e para todos os tristes!...

"Desde os primeiros dias de minha cegueira material procuro, intimamente, compreender-lhe a grandeza e não consigo apreender toda a extensão da sua excelsitude e dos seus ensinos.

"Lembro-me, como se fosse ontem, do crepúsculo formoso em que o vi pela primeira vez, ao longo das margens do Tiberíades..."

— Eu também — murmurou Ana — não consigo olvidar aquelas tardes deliciosas e claras em que todos os servos e sofredores de Cafarnaum nos reuníamos à margem do grande lago, esperando o suave enlevo das suas palavras.

E como se estivesse contemplando o desfile de suas recordações mais queridas, com os olhos da imaginação, a velha serva continuava:

— O Mestre apreciava a companhia de Simão e dos filhos de Zebedeu e, quase sempre, era em uma de suas barcas que Ele vinha, solícito, atender às nossas rogativas...

— O que mais me assombra — dizia Publius Lentulus impressionado — é que Jesus não era, que se soubesse, um doutor da Lei ou sacerdote formado pelas escolas humanas. Sua palavra, entretanto, estava como que ungida de uma graça divina. O olhar sereno e indefinível penetrava o fundo da alma e o sorriso generoso tinha a complacência de quem, possuindo toda a verdade, sabia compreender e perdoar os erros humanos. Seus ensinos, diariamente meditados por mim, nestes últimos anos, são revolucionários e novos, pois arrasam todos os preconceitos de raça e de família, unindo as almas num grande amplexo espiritual de fraternidade e tolerância. A filosofia humana jamais nos disse que os aflitos e pacíficos são bem-aventurados no Céu, entretanto, com as suas lições renovadoras, modificamos o conceito de virtude, que, para o Deus soberano e misericordioso das Alturas, não está no homem mais rico e poderoso do mundo, mas no mais justo e mais puro, embora humilde e pobre.

Sua palavra compassiva e carinhosa espalhou ensinamentos que somente hoje posso compreender, na sombra espessa e triste dos meus sofrimentos...

— Meu pai — perguntou Flávia Lentúlia, extremamente interessada na conversação —, chegastes a ver o Profeta muitas vezes?...

— Não, filha. Antes do dia nefasto de sua morte infamante na cruz, somente o vi uma vez, ao tempo em que eras pequenina e doente. Isso bastou, contudo, para que eu recebesse, nas suas palavras sublimes, luminosas lições para toda a vida. Só hoje entendo as suas exortações compassivas e carinhosas, compreendendo que a minha existência foi bem uma oportunidade perdida!... Aliás, já naquele tempo, sua profunda palavra me dizia que eu defrontava, no minuto do nosso encontro, o maravilhoso ensejo de todos os meus dias, acrescentando, na sua extraordinária benevolência, que eu poderia aproveitá-lo naquela época ou daí a milênios, sem que me fosse possível apreender o sentido simbólico de suas palavras...

— Todas as concessões de Jesus se estavam na Verdade santificada e consoladora — acrescentou Ana, agora gozando de toda a intimidade com os seus senhores.

— Sim — exclamou Publius Lentulus, concentrado nas suas reminiscências —, minhas observações pessoais autorizam-me a crer da mesma forma.

"Se eu tivesse aproveitado a exortação de Jesus naquele dia, talvez houvesse alijado mais de metade das provações amargas que a Terra me reservava... Se houvesse buscado compreender sua lição de amor e humildade, teria procurado André de Gioras, pessoalmente, reparando o mal que lhe havia feito, com a prisão do filho ignorante, demonstrando-lhe o meu interesse individual, sem confiar tão somente nos funcionários irresponsáveis que se encontravam a meu serviço... Guiado por esse interesse, teria encontrado Saul facilmente, pois Flamínio Severus seria, em Roma, o confidente dos meus desejos de reparação, evitando dessa maneira a dolorosa tragédia da minha vida paternal.

"Se houvesse entendido bastante a sua caridade, na cura de minha filha, teria conhecido melhor o tesouro espiritual do coração de Lívia, vibrando com o seu espírito na mesma fé, ou caindo juntamente com ela na arena ignominiosa do circo, o que seria suave, em comparação com as lentas agonias do meu destino; teria sido menos vaidoso e mais humano, se lhe houvesse entendido a preceito a lição de fraternidade..."

— Meu pai — exclamava, porém, a filha, de molde a confortar-lhe as agruras do coração —, se Jesus é a sabedoria e a verdade, de qualquer modo ele saberia compreender as razões da vossa atitude, sabendo que fostes forçado pelas circunstâncias a manter esse ou aquele princípio em vossa vida.

— Minha filha, nestes últimos anos — revidou Publius ponderadamente —, tenho a presunção de haver chegado às mais seguras conclusões a respeito dos problemas da dor e do destino...

"Acredito hoje, com a experiência própria que as atividades penosas do mundo me ofertaram, que nós contribuímos, sobretudo, para agravar ou atenuar os rigores da situação espiritual, nas tarefas desta vida. Admitindo, agora, a existência de um Deus Todo-Poderoso, fonte de toda a misericórdia e todo o amor, creio que a sua Lei é a do bem supremo para todas as criaturas. Esse código de solidariedade e de amor deve reger todos os seres e, dentro dos seus dispositivos divinos, a felicidade é o determinismo do Céu para todas as almas. Toda vez que caímos ao longo do caminho, favorecendo o mal ou praticando-o, efetuamos uma intervenção indébita na Lei de Deus, com a nossa liberdade relativa, contraindo uma dívida com o peso dos infortúnios...

"Não me referindo aos meus atos pessoais, que agravaram as minhas angustiosas dores íntimas, e considerando Jesus como medianeiro entre nós e aquele a quem a sua profunda palavra chamava Pai nosso, fico hoje a pensar se não cometi um erro, forçando a sua misericórdia com a minha súplica paternal, a fim de que continuasses a viver neste mundo, para o nosso amor em família, quando eras pequenina!..."

Flávia Lentúlia e Ana, que acompanhavam os raciocínios do senador, desde muitos anos, lhe seguiam as conclusões morais, cheias de surpresa, em face da facilidade íntima com que sabia aliar as lições penosas do seu destino aos princípios pregados pelo Profeta Nazareno.

— Na verdade, meu pai — disse Flávia Lentúlia, depois de longa pausa —, tenho a impressão de que as forças divinas haviam deliberado arrebatar-me do mundo, considerando as dores penosas que me esperavam na estrada escabrosa do meu destino desventurado...

— Sim — ajuntou o senador, cortando-lhe a palavra —, ainda bem que me compreendeste. A vida e o sofrimento nos ensinam a entender melhor o plano das determinações de ordem divina.

"Antigos iniciados das religiões misteriosas do Egito e da Índia acreditam que voltamos várias vezes à Terra, noutros corpos!..."

Nesse instante, o velho patrício fez uma pausa.

Lembrou-se dos seus antigos sonhos, quando, se vendo com a indumentária de cônsul nos tempos de Catilina, infligia aos inimigos políticos o suplício da cegueira, a ferro incandescente, quando se chamava Publius Lentulus Sura.

Nos seus pensamentos caía como que uma torrente de ilações novas e sublimadas, como se fossem renovadoras inspirações da Sabedoria Divina.

Depois de alguns instantes, como se o relógio da imaginação houvesse parado alguns minutos, para que o coração pudesse escutar o tropel das lembranças no deserto do seu mundo subjetivo, murmurava, confortado, na posse tardia do roteiro do seu amargurado destino:

— Hoje creio, minha filha, que, se as energias sábias do Céu haviam decidido a tua morte, em pequenina, determinação essa que eu possivelmente contrariei com a minha súplica angustiosa de pai, descoberta em silêncio pelo Messias de Nazaré no recôndito do meu orgulhoso e infeliz coração, é que deverias ficar livre do cárcere que te prendia, de modo a te preparares melhor para a resignação, para a fortaleza e para os sofrimentos. Certamente, renascerias mais tarde e encontrarias as mesmas circunstâncias e os mesmos inimigos, mas terias um organismo mais forte para resistir aos embates penosos da existência terrestre.

"Reconhecemos hoje, portanto, que há uma lei soberana e misericordiosa a que devemos obedecer, sem interferir no seu mecanismo feito de misericórdia e sabedoria...

"Quanto a mim, que tive organismo resistente e fibra espiritual saturada de energia, sinto que, em outras vidas, procedi mal e cometi crimes nefandos.

"Minha atual existência teria de ser um imenso rosário de infindas amarguras, mas vejo tardiamente que, se houvesse ingressado no caminho do bem, teria resgatado um montão de pecados do pretérito obscuro e delituoso. Agora entendo a lição do Cristo como ensinamento imortal da humildade e do amor, da caridade e do perdão — caminhos seguros para todas as conquistas do espírito, longe dos círculos tenebrosos do sofrimento!"

E lembrando o sonho que relatara a Flamínio, nos tempos idos, concluía:

— A expiação não seria necessária no mundo, para burilamento da alma, se compreendêssemos o bem, praticando-o por atos, palavras e pensamentos. Se é verdade que nasci condenado ao suplício da cegueira, em tão trágicas circunstâncias, talvez tivesse evitado a consumação desta prova, se abandonasse o meu orgulho para ser um homem humilde e bom.

"Um gesto de generosidade de minha parte teria modificado as íntimas disposições de André de Gioras, mas a realidade é que, não obstante todos os preciosos alvitres do Alto, continuei com o meu egoísmo, com a minha vaidade e com a minha criminosa impenitência. Agravei, desse modo, meus débitos clamorosos perante a Justiça Divina, e não posso esperar magnanimidade dos juízes que me aguardam..."

O velho Publius Lentulus tinha uma lágrima dolorosa no canto dos olhos apagados, mas Ana, que ansiosa lhe escutara as palavras e conceitos, e que se regozijava intimamente verificando que o orgulhoso senhor atingira as mais justas conclusões de ordem evangélica, ilações a que também ela havia chegado nas meditações da velhice, esclarecia, bondosamente, como se as suas afirmativas simples e incisivas chegassem no momento justo para consolação de todos:

— Senador, todas as vossas observações são criteriosas e justas. Essa lei das vidas múltiplas, em favor do nosso aprendizado nas lutas penosas do mundo, eu a aceito plenamente, pois, nas suas divinas lições, Jesus asseverou que "ninguém poderá penetrar o Reino dos Céus sem renascer de novo". Presumo, todavia, apesar da vossa cegueira material e dos vossos padecimentos, que sei compreender em toda a sua angustiosa intensidade, que deveis trazer a alma plena de crença e de esperanças no futuro espiritual, porque também o Cristo nos afiançou que nosso Pai não quer que se perca uma só de suas ovelhas!...

Publius Lentulus sentiu que uma força inexplicável lhe brotava no íntimo, como se fora manancial desconhecido, de estranho conforto, preparando-o para enfrentar dignamente todos os amargores.

— Sim — murmurou de leve —, sempre Jesus!... Sempre Jesus!... Sem Ele e sem os ensinos de suas palavras que nos enchem de coragem e de fé para alcançar um reino de paz no porvir da alma, não sei bem o que seria das criaturas humanas, agrilhoadas ao cárcere dos sofrimentos terrestres... Sete anos de padecimentos infinitos na soledade dos meus olhos mortos, figuram-se-me sete séculos de aprendizado cruel e doloroso! Somente assim, porém, poderia chegar a entender a lição do Crucificado!

O velho patrício, todavia, ao pronunciar a palavra "crucificado", reconduziu o pensamento a Jerusalém, na Páscoa do ano 33. Recordou que tivera em mãos o processo do Emissário divino e, só então, ponderou a tremenda responsabilidade em que se vira envolvido naquele dia inolvidável e doloroso, exclamando depois de longa pausa:

— E pensar que, para um Espírito como aquele, não houve sequer um gesto decisivo de defesa, da nossa parte, no angustioso momento da cruz infamante!... A mim, que agora vivo tão somente das minhas recordações amargas, parece-me vê-lo ainda à frente dos meus olhos, com os tristes estigmas da flagelação!...

"Nele, concentrava-se todo o amor supremo do Céu para redenção das misérias da Terra e, entretanto, não vi pessoa alguma trabalhar pela sua liberdade, ou agir efetivamente em seu favor!..."

— Menos alguém... — exclamou Ana inopinadamente.

— Quem chegou a ter esse gesto nobre? — perguntou o velho cego admirado. — Não me constou que alguém o defendesse.

— É porque ignorastes, até hoje, que vossa digna consorte e minha inesquecível benfeitora, atendendo aos nossos rogos, se dirigiu imediatamente a Pôncio Pilatos, tão logo o triste cortejo havia saído da Corte provincial romana, para interceder pelo Messias de Nazaré, injustamente condenado pela multidão enfurecida. Recebida pelo governador no seu gabinete particular, foi em vão que a nobre senhora implorou compaixão e piedade para o divino Mestre.

— Então Lívia chegou a dirigir-se a Pilatos para suplicar por Jesus? — perguntou o senador interessado e perplexo, recordando aquela tarde angustiosa da sua vida e rememorando as calúnias de Fúlvia, a respeito da esposa.

— Sim — respondeu a serva —, por Jesus, seu coração magnânimo desprezou todas as convenções e todos os preconceitos, não vacilando em atender às nossas súplicas, tudo fazendo por salvar o Messias da morte infamante!...

Publius Lentulus sentiu, então, grande dificuldade para externar seus pensamentos, com a garganta sufocada de emoção, dentro de suas amargas lembranças, e com os olhos mortos, marejados de lágrimas...

Ana, porém, recordava todos os pormenores daquele dia doloroso, relatando suas passadas emoções, enquanto o senador e a filha lhe escutavam a palavra, tomados de pranto no caminho da dor, da gratidão e da saudade.

E era desse modo que, ao fim de cada dia, sob o céu brilhante e perfumado de Pompeia, aquelas três almas se preparavam para as realidades consoladoras da morte, dentro da claridade terna e triste das lições amargas do destino, na esteira das recordações amigas.

X
Nos derradeiros minutos de Pompeia

Em radiosa manhã do ano de 79, toda a Pompeia despertou em rumores festivos.

A cidade havia recebido a visita de um ilustre questor do Império e, naquele dia, todas as ruas se movimentavam em alacridade barulhenta, aguardando-se, para breves horas, as festas deslumbrantes do anfiteatro, com que a administração desejava celebrar o evento, em meio da alegria geral.

Para o velho senador Publius Lentulus, o acontecimento se revestia de importância especial, porquanto o distinto hóspede de Pompeia lhe trazia significativa mensagem, bem como honrosas deferências de Tito Flavius Vespasianus, então imperador, na sucessão de seu pai.

Ainda mais.

No séquito do questor ilustre vinha, igualmente, Plínio Severus, em plenitude de maturidade, totalmente regenerado e julgando-se agora redimido no conceito da esposa e daquele que seu coração considerava como pai.

Nesse dia, enquanto Ana comandava, verbalmente, as atividades domésticas nos preparativos da recepção, mobilizando escravos e servos numerosos, Publius e a filha se abraçavam comovidos, em face da surpresa que o destino lhes reservara, embora tardiamente. Avisados por mensageiros da caravana de patrícios ilustres, davam larga às emoções mais gratas do espírito, na doce perspectiva de acolherem o filho pródigo, tantos anos distante de seus braços carinhosos e amigos.

Antes do meio-dia, um deslumbramento de viaturas, de cavalos ajaezados e de joias faiscantes sobre vestiduras reluzentes se deparava às portas da vila plácida e graciosa, provocando a admiração e o interesse curioso das vizinhanças. E, em seguida, foi um turbilhão de abraços, carinhos, palavras confortadoras e generosas.

Quase todos os patrícios, em excursão pela Campânia, conheciam o senador e sua família, representando esse acontecimento um suave encontro de corações.

Publius Lentulus abraçou Plínio, demoradamente, como se fizesse a um filho bem-amado, que voltasse de longe e cuja ausência houvera sido excessivamente prolongada. Experimentava no íntimo impulsos de extravasão de afeto, que o seu coração dominou, para não provocar a admiração injustificada dos circunstantes.

— Meu pai, meu pai! — disse o filho de Flamínio em tom discreto e quase imperceptível aos seus ouvidos, quando lhe beijava a fronte encanecida — já me perdoaste?

— Ó filho, como tardaste tanto?!... Quero-te como sempre e que o Céu te abençoe!... — respondeu o velho cego emocionado.

Daí a instante, após o doce encontro de Plínio e sua mulher, exclamou o questor em meio do silêncio geral:

— Senador, honro-me em trazer-vos preciosa lembrança de César, acompanhada de uma mensagem de reconhecimento da alta administração política do Império, um dos mais fortes e mais justos motivos de minha permanência em Pompeia, e incumbo o nosso amigo Plínio Severus de vos entregar, neste momento, estas relíquias que representam uma das mais significativas homenagens do Império ao esforço de um dos seus mais dedicados servidores!...

Publius Lentulus sentia bem a suprema emoção daquela hora.

A homenagem do Imperador, a carinhosa presença dos amigos, a volta do genro aos seus braços paternos representavam para o seu coração uma alegria entontecedora.

Seus olhos, entretanto, nada podiam ver. Do seio da sua noite, ouvia aqueles apelos generosos, como um desterrado da luz, de quem se exumassem as recordações mais queridas e mais doces.

— Amigos — disse, enxugando uma lágrima furtiva nos olhos apagados —, tudo isso é para mim a maior recompensa de uma vida inteira. Nosso Imperador é um espírito excessivamente generoso, porque a verdade é que nada fiz para merecer o reconhecimento da pátria. Minha alma, todavia, exulta convosco, meus patrícios, porque a nossa reunião nesta casa é símbolo de união e trabalho, nos elevados encargos do Império!...

Nesse instante, contudo, alguém lhe tomava as mãos encarquilhadas, levando-as aos lábios úmidos, deixando, porém, nas pequeninas conchas das rugas, duas lágrimas ardentes.

Plínio Severus, num gesto espontâneo, ajoelhara-se e, osculando-lhe as mãos, dava expansão ao seu afeto e reconhecimento, ao mesmo tempo que lhe fazia entrega da mensagem imperial que o velho senador não mais podia ler.

Publius Lentulus chorava, sem poder pronunciar uma única palavra, tal a emoção que lhe avassalava o íntimo, enquanto os circunstantes lhe acompanhavam as atitudes com os olhos rociados de pranto.

Nesse ínterim, o filho de Flamínio não mais se conteve e, consagrando a sua regeneração espiritual, exclamava enternecido:

— Meu querido pai, não choreis, se aqui nos achamos todos para compartilhar vossa alegria!... Diante de todos os nossos amigos romanos, com a homenagem do Império, eu vos entrego o meu coração regenerado para sempre!... Se estais agora cego, meu pai, não o estais pelo espírito que sempre procurou dissipar as sombras e remover tropeços do nosso caminho!... Continuareis guiando os meus, ou, melhor, os nossos passos, com as vossas antigas tradições de sinceridade e de esforço, na retidão do proceder!... Voltareis comigo para Roma e, junto de vosso filho reabilitado, organizareis novamente o palácio do Aventino... Serei, então, para todo o sempre, uma sentinela do vosso espírito, para vos amar e proteger!... Tomarei minha esposa a meu inteiro cuidado e, dia a dia, tecerei para nós três uma auréola de venturas novas e indefiníveis, com os milagres da minha afeição imorredoura! Em nossa casa do Aventino florescerá uma alegria nova, porque hei de prover todas as vossas horas com o amor grande e santo de quem, conhecendo todas as duras experiências da vida, sabe agora valorizar seus próprios tesouros!...

O velho senador, alquebrado pelos anos e pelos mais rudes sofrimentos, conservava-se de pé, acariciando os cabelos do genro, igualmente prateados pelos invernos da vida, enquanto pesadas lágrimas rompiam a muralha da sua noite para enternecer o coração de todos, numa angustiosa e indefinível emotividade. Flávia Lentúlia chorava, igualmente, dominada por íntimas sensações de felicidade, ao cabo de tão longas e desalentadas esperanças!... Alguns amigos desejavam quebrar a solenidade dolorosa daquele quadro imprevisto, mas o próprio questor, que chefiava a caravana de patrícios ilustres, se ocultara num recanto, sensibilizado até as lágrimas.

Publius Lentulus, contudo, compreendendo que somente ele próprio poderia modificar as disposições daquela paisagem sentimental, reagiu às emoções, exclamando:

— Levanta-te, meu filho!... Nada fiz para me agradeceres de joelhos... Por que me falas deste modo?... Voltaremos para Roma, sim, em breves dias, pois todos os teus desejos são os nossos... regressaremos à nossa casa do Aventino, onde, juntos, viveremos para relembrar o pretérito e venerar a memória dos nossos antepassados!

E, depois de uma pausa, continuou, em exclamações quase otimistas:

— Meus amigos, sinto-me comovido e grato pela gentileza e afeto de todos vós! Mas que é isso? Todos silenciosos? Lembrai-vos de que não vos vejo senão por meio das palavras. E a festa de hoje?...

As exclamações do senador quebraram o silêncio geral, voltando-se aos intensos ruídos de minutos antes. A torrente das palestras casava-se ao tinir das taças de vinho, em seus pesados estilos da época.

Enquanto as visitas se reuniam no triclínio espaçoso para libações ligeiras, Plínio Severus e a esposa trocavam confidências ternas, ora sobre os projetos em perspectiva para os anos que ainda lhes restavam no mundo, ora quanto às recordações dos dias lentos e amargurados do passado distante.

Insistentes chamados, porém, requeriam a presença do questor e comitiva, no local dos festejos.

O circo fora preparado a rigor e não se perdera nenhuma oportunidade para a realização das menores minudências próprias das grandes festividades romanas.

E, ao mesmo tempo que todos se despediam do senador e de sua filha, num deslumbramento de felicidade mundana, Plínio Severus dirigia-se a Publius nestes termos, depois de abraçar ternamente a companheira:

— Meu pai, levado pelas circunstâncias, sou compelido a acompanhar o questor nas festividades populares, mas estarei de regresso em breves horas, para ficar convosco um mês, de modo a tratarmos do nosso regresso a Roma.

— Muito bem, meu filho — respondia o velho senador, sumamente confortado —, acompanha os nossos amigos e representa-me junto das autoridades. Dize a todos da minha emoção e do meu agradecimento sincero.

A sós novamente, o senador sentiu que aquelas comoções cariciosas e alegres eram, talvez, as últimas da sua vida. No velho peito, o coração batia-lhe descompassado, como se pesada nuvem de pensamentos tristes o envolvesse. Sim, a volta de Plínio aos seus braços paternos era a alegria suprema da sua velhice desalentada. Sabia, agora, que a filha poderia contar com o esposo, nas estradas do seu tormentoso destino, e que a ele, Publius, somente competia aguardar a morte, resignado. Ponderando as palavras afetuosas do filho de Flamínio e os seus apelos ao passado remoto, Publius Lentulus considerou, intimamente, que era muito tarde para regressar ao Aventino e que a volta a Roma apenas devia significar, para o seu espírito precito, o símbolo da sepultura.

Em pleno espetáculo, Plínio Severus, já no outono da vida, arquitetava os planos de futuro. Procuraria resgatar todas as faltas antigas, perante os seus parentes afetuosos e queridos; assumiria a direção de todos os negócios do velho pai pelo coração, aliviando-o de todas as angustiosas preocupações da vida material.

De vez em quando, os aplausos da multidão lhe interrompiam os devaneios. A maioria da população de Pompeia ali estava em plena festa, ovacionando os triunfadores. Gente de toda a redondeza e muito particularmente de Herculanum, acorrera pressurosa ao divertimento predileto daquelas épocas recuadas. De permeio com os atletas e gladiadores, estavam os músicos, os cantores e os dançarinos. Tudo era um farfalhar de sedas, um delicioso espocar de alegrias ruidosas, ao som de flautas e alaúdes.

Em dado instante, porém, a atenção geral foi solicitada por um fato estranho e incompreensível. Do cimo do Vesúvio elevava-se grossa pirâmide de fumo, sem que ninguém atinasse com a causa do fenômeno insólito.

Continuavam os jogos animadamente, mas agora, no seio da coluna fumarenta que se elevava em caprichosos rolos para o alto, surgiam impressionantes labaredas...

Plínio Severus, como todos os presentes, se surpreendia com o fenômeno estranho e inexplicável.

Em minutos breves, no entanto, estabeleciam-se no anfiteatro a confusão e o terror.

Em meio da perturbação geral e imprevista, o filho de Flamínio ainda teve tempo de se aproximar do questor, então rodeado dos seus familiares que residiam na cidade, o qual lhe falou com otimismo, embora não conseguisse dissimular de todo as íntimas inquietações:

— Meu amigo, tenhamos calma! Pelas barbas de Júpiter!... Então, por onde andarão a nossa coragem e a nossa fibra?

Em breves instantes a terra lhes tremia sob os pés, em vibrações desconhecidas e sinistras. Algumas colunas tombavam ao solo, pesadamente, enquanto numerosas estátuas rolavam dos nichos improvisados, recamados de ouro e pedrarias.

Abraçando-se, então, à filha e cercado de numerosas senhoras, o questor disse altamente preocupado:

— Plínio, demandemos as galeras, sem demora!...

O oficial romano, porém, não mais ouviu os apelos. Ansiosamente, atirou-se à faina de romper a multidão, que desejava retirar-se em massa do circo, motivando o esmagamento de crianças e pessoas mais idosas.

Ao cabo de sobre-humano esforço, conseguiu alcançar a rua, mas todos os lugares estavam tomados por gente que saía de casa, desarvorada, aos gritos de "Fogo!... Fogo!... O Vesúvio..."

Plínio verificou que todas as vias públicas estavam repletas de gente desesperada, de viaturas e de animais espavoridos.

Com enorme dificuldade, vencia todos os obstáculos, mas o Vesúvio lançava agora, para o céu, uma fogueira indescritível e imensa, como se a própria Terra houvera incendiado as entranhas mais profundas.

Uma chuva de cinza, a princípio quase imperceptível, começou a cair, enquanto o solo continuou a tremer com ruídos surdos, inexplicáveis.

De instante a instante, ouvia-se o estrondo pavoroso de colunas derribadas ou de edifícios desmoronados pelos abalos sísmicos, ao mesmo tempo que o fumo do vulcão ia eclipsando a confortadora claridade solar.

Mergulhada em penumbra espessa e tomada de terror indizível, Pompeia assistia aos seus últimos instantes, numa aflição desesperada...[35]

Na vila de Lentulus, os escravos perceberam imediatamente o perigo próximo. Nos primeiros momentos, os cavalos relinchavam estranhamente e as aves inquietas fugiam em desespero.

Após a queda das primeiras colunas que sustentavam o edifício, todos os servos do senador abandonaram precipitadamente os postos, desejosos de conservar noutra parte os bens preciosos da vida. Somente Ana ficara junto dos amos, dando-lhes conhecimento dos horrores do ambiente.

Os três, numa justificada inquietude, escutaram o rumor horrível da inolvidável catástrofe do Império. A própria vila, em parte, estava já meio destruída, penetrando as cinzas pelos desvãos abertos pela queda dos telhados e começando a sua obra de lenta sufocação. Ansiavam todos pelo regresso imediato de Plínio, a fim de resolverem as providências a adotar, mas o velho senador, cujo coração não se iludia nos seus amargurados pressentimentos, exclamou em tom quase resignado:

— Ana, traze a cruz de Simeão e vamos à prece que te foi ensinada pelos discípulos do Messias!... Diz-me o coração que é chegado o fim da nossa romagem pela Terra!

Enquanto a serva buscava apressadamente a relíquia do ancião de Samaria, afrontando o perigo das paredes oscilantes, Publius Lentulus ouvia o surdo rumor da terra dilacerada e os gritos apavorantes e sinistros do povo, misturados ao barulho tremendo do vulcão que, transformado em fornalha imensa e indescritível, enchia toda a cidade de cinzas e lavas comburentes. Lembrou-se, então, o senador, das afirmativas de Cristo nos dias idos da Galileia, quando lhe asseverava que toda a grandeza romana era bem miserável e num minuto breve poderia o Império ser reduzido a um punhado de pó. O coração batia-lhe descompassado naquele minuto extremo, mas

---

[35] N.E.: Este trecho desperta interesse e atenção do leitor curioso e inteligente, pela similitude que oferece com a descritiva de outro romance mediúnico e também precioso, qual o *Herculânum*, do Conde de Rochester.

a velha serva havia regressado e ajoelhara-se serena, guardando nas mãos a lembrança de Simeão e de Lívia, orando em voz comovedora e profunda:

Pai nosso, que estás no Céu... santificado seja o teu nome... venha a nós o teu reino... seja feita a tua vontade... assim na Terra como nos céus...

Nesse instante, porém, a voz da serva emudeceu subitamente, enquanto seu corpo rolou sob novos escombros, sentindo-se ela amparada, espiritualmente, pelo venerável samaritano que a conduziu, imediatamente, às mais elevadas esferas espirituais, tal a pureza do seu coração iluminado nas dores e testemunhos mais angustiosos do aprendizado terrestre.

— Ana!... Ana!... — exclamavam Publius e Flávia soluçantes, sentindo ambos pela primeira vez o infortúnio do insulamento supremo, sem uma luz e sem um guia, em pleno desamparo!

Alguém, contudo, rompera todos os destroços e chegava, rápido, até aquela câmara interior, e, abraçando Publius e sua filha gritava em voz opressa: Flávia! meu pai! aqui estou...

Plínio chegava, afinal, para o instante derradeiro. Flávia Lentúlia apertava-o carinhosamente nos braços, enquanto o velho senador semiasfixiado tomava as mãos do filho, abraçando-se os três num amplexo derradeiro.

Flávia e Plínio quiseram falar, mas grossa camada de cinzas penetrava o interior, pelas fendas enormes da vila meio destruída...

Mais um estremeção do solo e as colunas que ainda restavam de pé se abateram sobre os três, roubando-lhes as últimas energias e fazendo-os cair assim, enlaçados para sempre, sob um montão de escombros...

Naquelas sombras espessas, todavia, pairavam criaturas aladas e leves, em atitudes de prece, ou confortando ativamente o coração abatido dos míseros condenados à destruição.

Sobre os três corpos soterrados permanecia a entidade radiosa de Lívia, junto de numerosos companheiros que cooperavam, com devotamento e precisão, nos serviços de desprendimento total dos moribundos.

Pousando as mãos luminosas e puras na fronte abatida do companheiro exausto e agonizante, Lívia elevou os olhos ao firmamento enegrecido e orou com a suavidade da sua fé e dos seus sentimentos diamantinos.

Jesus, meigo e divino Mestre, esta hora angustiosa é bem um símbolo dos nossos erros e crimes, através de avatares tenebrosos, mas vós, Senhor, sois toda a esperança, toda a sabedoria e toda a misericórdia!... Abençoai nossos espíritos neste momento ríspido e doloroso!... Suavizai os tormentos da alma gêmea da minha, concedendo-lhe neste instante o alvará da liberdade!... Aliviai, magnânimo Salvador do mundo, todas as suas mágoas pungentes, suas desoladoras amarguras!... Concedei-lhe repouso ao coração angustiado e dolorido, antes do seu novo regresso à trama escura das reencarnações no planeta do exílio e das lágrimas dolorosas... Ele já não é mais, Senhor, o vaidoso déspota de outrora, mas um coração inclinado ao bem e à piedade pregados pela vossa doutrina de amor e redenção; sob o peso das provações amargas e remissoras, seus pendores se espiritualizaram a caminho da vossa Verdade e da vossa Vida!...

E, enquanto Lívia orava, o senador abraçado aos filhos, já cadáveres, desferia o último gemido, com pesada lágrima a lhe cintilar nos olhos mortos...

Numerosas legiões de seres espirituais volitaram, por vários dias, nos céus caliginosos e tristes de Pompeia.

Ao cabo de longas perturbações, Publius Lentulus e os filhos despertaram, ali mesmo, sobre o túmulo nevoento da cidade morta.

Em vão o senador invocou a presença de Ana ou de algum outro servo, na penosa ilusão da vida material, persistindo em seu organismo psíquico as impressões da cegueira material, que representara o longo suplício dos seus anos derradeiros, na indumenta da carne.

Contudo, após as primeiras lamentações, ouviu uma voz cariciosa que lhe dizia brandamente:

— Publius, meu amigo, não apeles mais para os recursos do planeta terreno, porque todos os teus poderes terminaram com os teus despojos, na face escura e triste da Terra! Apela para o Deus Todo-Poderoso, cuja misericórdia e sabedoria nos são dadas pelo amor do seu Cordeiro, que é Jesus Cristo!...

Publius Lentulus não chegou a lobrigar o interlocutor, mas identificou a voz de Flamínio Severus, desabafando, então, numa torrente de preces e de lágrimas fervorosas e ardentes.

Embora as dedicações constantes de Lívia, havia já alguns dias que seu espírito se encontrava presa de pesadelos angustiosos, nos primeiros instantes da vida do Além, assistido, porém, continuamente por Flamínio e outros companheiros abnegados, que o aguardavam no Plano Espiritual.

Contudo, depois daquelas súplicas sinceras que lhe fluíam do mais recôndito do coração, sentiu que seu mundo interior se desanuviara... Junto dos filhos queridos, recobrou a visão e reconheceu os entes amados, com lágrimas de amor e reconhecimento, nos pórticos do Além-Túmulo.

Ali se conservavam numerosas personagens desta história, como Flamínio, Calpúrnia, Agripa, Pompílio Crasso, Emiliano Lucius e muitos outros, mas, em vão, os olhos angustiosos do ex-senador procuravam alguém na assembleia afetuosa e amiga.

Depois de todas as expansões de carinho e alegria dirigiu-se-lhe Flamínio, intencionalmente.

— Estranhas a ausência de Lívia — dizia ele com o seu olhar complacente e generoso —, mas não poderás vê-la, enquanto não conseguires despir, pela prece e pelos bons desejos, todas as impressões penosas e nocivas da Terra. Ela se tem conservado junto ao teu coração, em rogativas sinceras e fervorosas pelo teu reerguimento, mas o nosso grupo ainda é de Espíritos muito apegados ao orbe, e esperávamos o regresso dos seus últimos componentes, ainda na Terra, para podermos, em conjunto, estabelecer novo roteiro às reencarnações vindouras... Séculos de trabalho e de dor nos esperam na senda da redenção e do aperfeiçoamento, mas precisamos, antes de tudo, buscar a fortaleza precisa em Jesus, fonte de todo o amor e de toda a fé, para as elevadas realizações do nosso pensamento!...

Publius Lentulus chorava, tocado por emoções estranhas e indefiníveis...

— Meu amigo — continuou Flamínio amoroso —, pede a Jesus, por todos nós, a misericórdia dessa claridade de um novo dia!...

Publius, então, ajoelhou-se e, banhado em lágrimas, concentrou o coração em Jesus numa rogativa ardente e silenciosa... Ali, na soledade da sua alma intrépida e sincera, apresentava ao Cordeiro de Deus o seu arrependimento, suas esperanças para o porvir, suas promessas de fé e de trabalho para os séculos porvindouros!...

Todos os presentes lhe acompanharam a oração, tomados de pranto e mergulhados em vibrações de consolação inefável...

Viram, então, rasgar-se um caminho luminoso e florido nos céus escuros e tristes da Campânia, e, por ele, como se descessem dos jardins fulgurantes do paraíso, surgiram Lívia e Ana abraçadas, como se ainda ali enviasse Jesus um ensinamento simbólico àquelas almas prisioneiras da Terra, de modo a lhes revelar que, em qualquer posição, pode a alma encarnada buscar o seu reino de luz e de paz, de vida e de amor, tanto na túnica humilde do escravo, como na pomposa indumentária dos senhores.

O velho patrício contemplou a figura radiosa da companheira e, extasiado, fechou os olhos banhados no pranto da compunção e do arrependimento; mas, em breve, dois lábios de névoa pousavam-lhe na fronte, qual o leve roçar de um lírio divino. E, enquanto seu coração maravilhado se lavava nas lágrimas da alegria e do reconhecimento a Jesus, toda a caravana, ao impulso poderoso das preces fervorosas daquelas duas almas redimidas, elevava-se a esferas mais altas, para repouso e aprendizado, antes de novas etapas de regeneração e trabalhos purificadores, a lembrar um grupo maravilhoso de luminosas falenas do Infinito!...

Nota da Editora:

A série *Romances de Emmanuel*, psicografada por Francisco Cândido Xavier, é composta, na sequência, pelos livros: *Há dois mil anos, Cinquenta anos depois, Paulo e Estêvão, Renúncia* e *Ave, Cristo!*. Convidamos o leitor a conhecê-la integralmente.

EDIÇÕES DE
HÁ DOIS MIL ANOS

EDIÇÃO	IMPRESSÃO	ANO	TIRAGEM	FORMATO
1	1	1939	5.000	13x18
2	1	1941	4.000	13x18
3	1	1944	6.000	13x18
4	1	1945	10.000	13x18
5	1	1950	10.000	13x18
6	1	1956	10.000	13x18
7	1	1958	10.000	13x18
8	1	1962	10.000	13x18
9	1	1967	5.037	13x18
10	1	1969	10.000	13x18
11	1	1972	15.000	13x18
12	1	1976	10.000	13x18
13	1	1977	10.000	13x18
14	1	1978	10.000	13x18
15	1	1980	10.000	13x18
16	1	1981	10.000	13x18
17	1	1982	10.000	13x18
18	1	1983	10.000	13x18
19	1	1983	10.000	13x18
20	1	1984	20.000	13x18
21	1	1986	25.000	13x18
22	1	1987	20.000	13x18
23	1	1988	20.000	13x18
24	1	1989	25.000	14x21
25	1	1990	25.000	14x21
26	1	1992	25.000	13x18
27	1	1994	25.000	13x18
28	1	1995	25.000	13x18
29	1	1996	25.000	13x18
30	1	1997	10.000	13x18
31	1	1998	10.000	13x18
32	1	1999	5.000	13x18
33	1	1999	5.000	13x18
34	1	1999	5.000	13x18
35	1	2000	5.000	12,5x17,5
36	1	2000	3.000	12,5x17,5
37	1	2000	3.000	12,5x17,5
38	1	2000	3.000	12,5x17,5
39	1	2001	5.000	12,5x17,5
40	1	2001	5.000	12,5x17,5
41	1	2001	5.000	12,5x17,5
42	1	2002	20.000	12,5x17,5
43	1	2004	5.000	12,5x17,5
44	1	2004	6.000	12,5x17,5

45	1	2005	10.000	12,5x17,5
46	1	2006	5.000	12,5x17,5
47	1	2006	10.000	12,5x17,5
48	1	2007	15.000	12,5x17,5
48	2	2009	10.000	12,5x17,5
48	3	2010	10.000	12,5x17,5
48	4	2010	20.000	12,5x17,5
49	1	2013	5.000	16x23
49	2	2013	10.000	16x23
49	3	2013	2.000	16x23
49	4	2014	3.000	16x23
49	5	2014	5.000	16x23
49	6	2014	8.000	16x23
49	7	2015	10.000	16x23
49	8	2015	6.000	16x23
49	9	2016	8.000	16x23
49	10	2016	7.500	16x23
49	11	2017	7.000	16x23
49	12	2017	7.000	16x23
49	13	2018	3.700	16x23
49	14	2018	3.500	16x23
49	15	2018	5.000	16x23
49	16	2019	3.400	16x23
49	17	2019	3.600	16x23
49	18	2020	9.000	16x23
49	19	2021	8.000	16x23
49	20	2022	8.000	15,5x23
49	21	2023	5.000	15,5x23
49	22	2024	7.000	15,5x23
49	23	2025	7.000	15,5x23

EDIÇÕES DE
HÁ DOIS MIL ANOS

EDIÇÃO	IMPRESSÃO	ANO	TIRAGEM	FORMATO
1	1	2002	5.000	14x21
2	1	2002	5.000	14x21
3	1	2006	2.000	14x21
4	1	2007	1.000	14x21
4	2	2008	2.000	14x21
4	3	2008	3.000	14x21
4	4	2009	5.000	14x21
4	5	2010	8.000	14x21

O QUE É ESPIRITISMO?

O Espiritismo é um conjunto de princípios e leis revelados por Espíritos Superiores ao educador francês Allan Kardec, que compilou o material em cinco obras que ficariam conhecidas posteriormente como a Codificação: *O livro dos espíritos*, *O livro dos médiuns*, *O evangelho segundo o espiritismo*, *O céu e o inferno* e *A gênese*.

Como uma nova ciência, o Espiritismo veio apresentar à Humanidade, com provas indiscutíveis, a existência e a natureza do Mundo Espiritual, além de suas relações com o mundo físico. A partir dessas evidências, o Mundo Espiritual deixa de ser algo sobrenatural e passa a ser considerado como inesgotável força da Natureza, fonte viva de inúmeros fenômenos até hoje incompreendidos e, por esse motivo, são tidos como fantasiosos e extraordinários.

Jesus Cristo ressaltou a relação entre homem e Espírito por várias vezes durante sua jornada na Terra, e talvez alguns de seus ensinamentos pareçam incompreensíveis ou sejam erroneamente interpretados por não se perceber essa associação. O Espiritismo surge então como uma chave, que esclarece e explica as palavras do Mestre.

A Doutrina Espírita revela novos e profundos conceitos sobre Deus, o Universo, a Humanidade, os Espíritos e as leis que regem a vida. Ela merece ser estudada, analisada e praticada todos os dias de nossa existência, pois o seu valioso conteúdo servirá de grande impulso à nossa evolução.

LITERATURA ESPÍRITA

Em qualquer parte do mundo, é comum encontrar pessoas que se interessem por assuntos como imortalidade, comunicação com Espíritos, vida após a morte e reencarnação. A crescente popularidade desses temas pode ser avaliada com o sucesso de vários filmes, seriados, novelas e peças teatrais que incluem em seus roteiros conceitos ligados à espiritualidade e à alma.

Cada vez mais, a imprensa evidencia a literatura espírita, cujas obras impressionam até mesmo grandes veículos de comunicação devido ao seu grande número de vendas. O principal motivo pela busca dos filmes e livros do gênero é simples: o Espiritismo consegue responder, de forma clara, perguntas que pairam sobre a Humanidade desde o princípio dos tempos. Quem somos nós? De onde viemos? Para onde vamos?

A literatura espírita apresenta argumentos fundamentados na razão, que acabam atraindo leitores de todas as idades. Os textos são trabalhados com afinco, apresentam boas histórias e informações coerentes, pois se baseiam em fatos reais.

Os ensinamentos espíritas trazem a mensagem consoladora de que existe vida após a morte, e essa é uma das melhores notícias que podemos receber quando temos entes queridos que já não habitam mais a Terra. As conquistas e os aprendizados adquiridos em vida sempre farão parte do nosso futuro e prosseguirão de forma ininterrupta por toda a jornada pessoal de cada um.

Divulgar o Espiritismo por meio da literatura é a principal missão da FEB, que, há mais de cem anos, seleciona conteúdos doutrinários de qualidade para espalhar a palavra e o ideal do Cristo por todo o mundo, rumo ao caminho da felicidade e plenitude.

FEB editora
Livro espírita para um novo mundo
www.febeditora.com.br
@febeditoraoficial
@febeditora

Conselho Editorial:
Carlos Roberto Campetti
Cirne Ferreira de Araújo
Evandro Noleto Bezerra
Geraldo Campetti Sobrinho – Coord. Editorial
Jorge Godinho Barreto Nery – Presidente
Maria de Lourdes Pereira de Oliveira
Miriam Lúcia Herrera Masotti Dusi

Produção Editorial:
Elizabete de Jesus Moreira

Revisão:
Elizabete de Jesus Moreira
Neryanne Paiva
Paula Lopes

Projeto Gráfico:
Rones José Silvano de Lima - instagram.com/bookebooks_designer

Capa e Diagramação:
Evelyn Yuri Furuta

Foto de Capa:
http://www.shutterstock.com/ Antonio Abrignani

Normalização Técnica:
Biblioteca de Obras Raras e Documentos Patrimoniais do Livro

Esta edição foi impressa pela Leograf Gráfica e Editora Ltda., Osasco, SP, com tiragem de 7 mil exemplares, todos em formato fechado de 155x230 mm e com mancha de 120x190 mm. Os papéis utilizados foram Off white bulk 58 g/m² para o miolo e o Cartão 250 g/m² para a capa. O texto principal foi composto em Adobe Garamond Pro 12/15 e os títulos em Adobe Garamond Pro 28/30. Impresso no Brasil. *Presita en Brazilo.*